30

MINUTES PAR JOUR
POUR UN

cœur solide

ASSOCIATION **C** CANADIAN
MÉDICALE MEDICAL
CANADIENNE ASSOCIATION

30
MINUTES PAR JOUR
POUR UN
cœur solide

Avec la collaboration de
Andrew Pipe, CM, MD

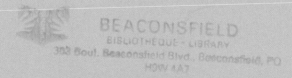

Sélection
Reader's Digest
· Montréal ·

30 minutes par jour pour un cœur solide

est l'adaptation de *30 Minutes a Day to a Healthy Heart*
© 2006 The Reader's Digest Association (Canada) ULC.

Tous droits de traduction, d'adaptation et de
reproduction, sous quelque forme que ce soit,
réservés pour tous pays.

Sélection du Reader's Digest, Reader's Digest et le pégase
sont des marques déposées de The Reader's Digest
Association, Inc., Pleasantville, New York, États-Unis.

L'Association médicale canadienne (AMC) et son logo
d'un C avec un serpent sont des marques déposées de
l'Association médicale canadienne, utilisées sous licence.

Pour obtenir notre catalogue ou des renseignements
sur les autres produits de Sélection du Reader's Digest
(24 heures sur 24), composez le 1 800 465-0780.

Vous pouvez également nous rendre visite sur notre site
Web à **www.selection.ca**

© 2008 Sélection du Reader's Digest (Canada) SRI
1100, boulevard René-Lévesque Ouest
Montréal (Québec) H3B 5H5

ISBN 978-0-88850-942-0

Imprimé aux États-Unis
08 09 10 11 12 / 5 4 3 2 1

Sélection du Reader's Digest (Canada) SRI

Vice-président, Livres
Robert Goyette

Rédaction
Agnès Saint-Laurent

Direction artistique
Andrée Payette

Graphisme
Cécile Germain

Lecture-correction
Gilles Humbert
Hélène Mathieu

Index
Pierre Lefrançois

Illustrations
Andrew Baker

Production
Gordon Howlett

Association médicale canadienne (AMC)

Rédactrice médicale
Catherine Younger-Lewis,
MD, MJ

Consultant médical
et auteur collaborateur
Andrew Pipe, CM, MD

Consultantes
Marketa Graham, BSc, RD, CDE
Carol E. Miller, PT (Dip),
BA (Hon Eng), BAA (Journ)
Julie Pacaud Yeaman, BA, BEd
Susan Yungblut, BSc (PT), MBA

Président
Brian Day, MD

Secrétaire général et
chef de la direction
William G. Tholl

Éditrice et directrice,
Publications
Glenda Proctor

Chef de programme,
édition de livres
Christine Pollock

Assistante
Nunzia Parent

Note aux lecteurs

L'information fournie dans *30 minutes par jour pour un cœur solide* ne remplace pas un diagnostic
médical ; il est donc conseillé au lecteur de consulter un médecin pour obtenir des renseignements
spécifiques sur sa santé. Les organismes, produits ou thérapies parallèles nommés dans ce livre
ne sont pas endossés par l'Association médicale canadienne (AMC) ou l'éditeur ; par ailleurs, si des
organismes, produits ou thérapies parallèles ne sont pas nommés dans ce livre, cela ne signifie
pas que l'AMC ou l'éditeur les désapprouvent. L'AMC ou l'éditeur n'assument aucune responsabilité
pour les erreurs ou omissions de ce livre, non plus que pour la mise en pratique des renseignements
qui s'y trouvent.

Avant-propos

Savez-vous que la majorité des Canadiens, y compris les enfants, présentent maintenant un ou plusieurs facteurs de risque de cardiopathies ou d'accidents vasculaires cérébraux ? Savez-vous que la plupart de ces facteurs de risque peuvent être évités ?

Les maladies cardiovasculaires, qui incluent les maladies du cœur et celles des vaisseaux sanguins, comme l'accident vasculaire cérébral et la maladie vasculaire périphérique, constituent la première cause de mortalité chez les hommes et les femmes en Amérique du Nord. Les Canadiens ont tendance à croire que le cancer du sein tue plus de femmes que les cardiopathies ; or, tous les cancers réunis font moins de victimes chez les Canadiennes que la maladie du cœur et l'accident vasculaire cérébral. Il faut donc bien se renseigner, puis agir en conséquence.

C'est l'objectif de ce livre. On y trouve une description simplifiée des troubles cardiaques, ainsi que ce qu'on doit exiger de soi-même et ce qu'on peut attendre du système de soins de santé.

L'Association médicale canadienne (AMC) s'emploie à favoriser la santé du public et l'efficacité du corps médical. Aussi est-il normal qu'une grande partie de ses efforts porte sur des activités visant à renseigner, encourager et épauler les Canadiens et les professionnels de la santé dans la poursuite de leur bien-être et de leur bonheur. Comme l'AMC a pour mission notamment de bien renseigner les Canadiens sur les questions de santé, un livre comme celui-ci contribue justement à leur fournir une information fiable, pertinente, facile à comprendre et mise à jour qu'ils auront le plus vif intérêt à consulter.

Bonne lecture et profitez de la vie avec un cœur solide !

Brian Day, MD
Président, Association médicale canadienne

Table des matières

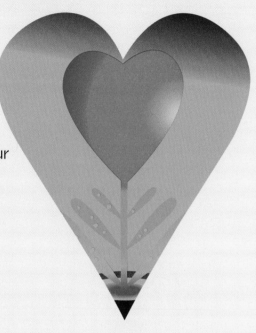

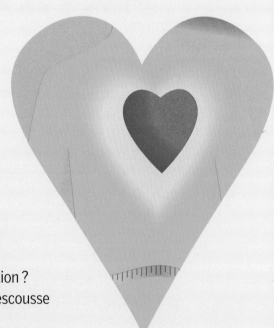

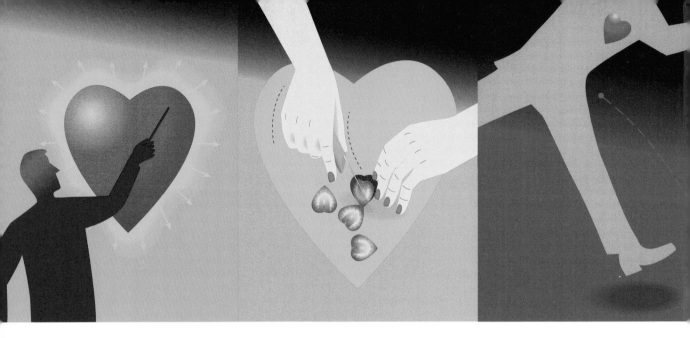

Introduction

« Quand j'étudie une maladie, déclarait Louis Pasteur, le grand homme de science français, ce n'est pas tant pour la guérir que pour trouver les moyens de la prévenir. » Ce sont de sages paroles, surtout venant de celui dont les découvertes ont radicalement réduit l'incidence des maladies infectieuses d'origine alimentaire qui sévissaient au début du siècle dernier. Ces découvertes restent d'actualité aujourd'hui alors que les maladies chroniques, souvent induites par la société, font d'innombrables victimes et contribuent à alourdir l'énorme fardeau de la mauvaise santé.

De toutes les maladies chroniques qui frappent les Canadiens, la maladie coronarienne est celle qui provoque le plus d'incapacités et de décès prématurés. Elle est surtout l'effet du tabagisme, de l'obésité et de la sédentarité, causes inévitables des troubles du métabolisme et de l'augmentation de la pression artérielle et du cholestérol sanguin qui suivent inévitablement – surtout chez ceux qui ont des antécédents familiaux ou une prédisposition génétique aux maladies cardiaques. De telles conditions favorisent directement l'apparition de lésions et d'inflammations des parois artérielles et l'accumulation de cholestérol et de plaque d'athérosclérose.

Pasteur s'étonnerait de voir que nous pouvons prévenir une partie de la maladie qui nous menace quand nos artères coronariennes – ces vaisseaux de la grosseur d'un crayon qui apportent sang et oxygène au muscle cardiaque – sont obstruées par l'athérosclérose. Il n'en reviendrait pas de voir tant de gens continuer à fumer et à consommer autant de gras et de sel dans leur alimentation alors qu'ils ont accès comme jamais auparavant à des fruits et à des légumes frais. Il se désolerait de nous voir de plus en plus sédentaires et obèses et déplorerait le fait que nous sommes piégés dans des modes de vie qui engendrent le stress dans une course perpétuelle contre la montre. Il chercherait sans nul doute à diminuer l'éventail des facteurs de risque – ces facteurs qui prédisposent un sujet à souffrir de maladie cardiaque. Et je suis certain qu'il endosserait avec enthousiasme les mesures d'hygiène cardiaque présentées dans les pages qui suivent pour favoriser la santé et prévenir la maladie.

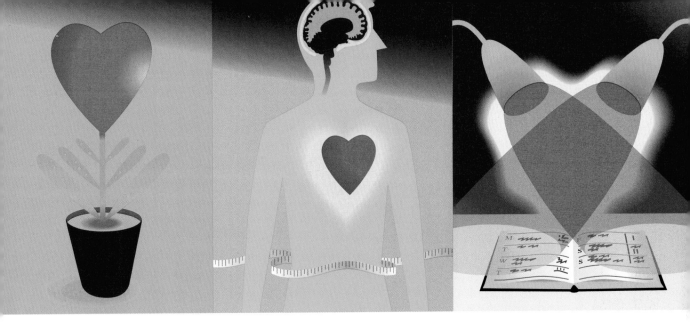

On dit que le succès consiste à faire très bien des choses ordinaires. Je m'étonne souvent de voir dans ma pratique tant de personnes interpellées ou angoissées par des considérations populaires ou faussement savantes concernant la santé de leur cœur. Fascinées par le dernier régime à la mode ou par un nouvel appareil de culture physique, plusieurs d'entre elles oublient que les démarches les plus simples pour garder leur cœur en bonne santé sont aussi les plus efficaces et les plus agréables à mettre en pratique.

Le livre *30 minutes par jour pour un cœur solide* décrit les facteurs qui modifient les parois des artères coronariennes et finissent par provoquer l'athérosclérose. Mais surtout, il propose des conseils éclairés et judicieux que chacun peut facilement mettre en pratique pour diminuer les risques qu'il court tout en décuplant son sentiment général de bien-être.

En lisant les chapitres qui suivent, vous comprendrez mieux les processus qui endommagent les vaisseaux sanguins ; de plus, vous apprendrez à les réduire ou à les éviter. Vous trouverez des conseils sensés, pertinents et pratiques qui vous aideront à adopter des habitudes de vie nouvelles et bénéfiques pour vous-même et votre famille. Abordées dans une perspective moderne, la prévention et la gestion de la maladie cardiaque comme on les décrit ici vous permettront de profiter des avantages que vous réserve un mode de vie plus sain et de recourir au besoin à des thérapies médicales efficaces. Notre point de vue est pratique, nos objectifs sont réalistes et nos conseils raisonnables et scientifiquement fondés.

Faire la promotion de la santé, c'est proposer des mesures bénéfiques et faciles à adopter. En tirant profit des conseils et des renseignements offerts dans les pages qui suivent, vous découvrirez comme il est agréable d'opter pour la santé – tout en réduisant vos risques de souffrir de maladie cardiaque.

Andrew Pipe, CM, MD
Directeur, Centre de prévention et de réadaptation
Institut de cardiologie de l'Université d'Ottawa

Prenez soin de votre cœur et vous pourriez
rester en forme, actif et en bonne santé durant
un nombre étonnant d'années.

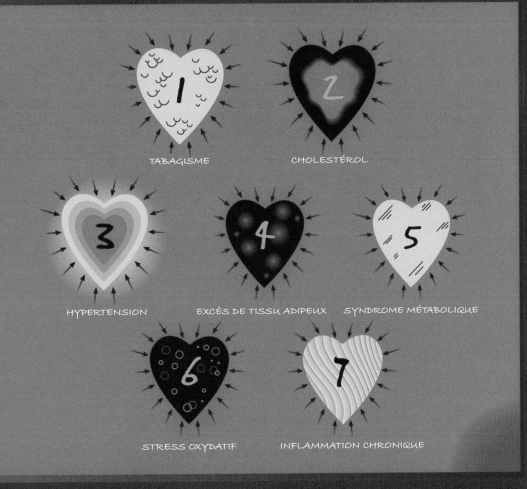

1 TABAGISME

2 CHOLESTÉROL

3 HYPERTENSION

4 EXCÈS DE TISSU ADIPEUX

5 SYNDROME MÉTABOLIQUE

6 STRESS OXYDATIF

7 INFLAMMATION CHRONIQUE

Ce qu'on sait du cœur aujourd'hui

Triste vérité! On en sait plus sur le cœur que jamais auparavant et pourtant on le traite bien mal.

Le cœur à son meilleur

Dans un monde parfait, la maladie coronarienne – qui fait près de 75 000 victimes au Canada chaque année – ne faucherait pas des gens de 45, 55 ou 65 ans. Leur cœur ferait bravement son travail et plusieurs dépasseraient l'âge vénérable de 100 ans, objectif qui semble irréalisable aujourd'hui.

Les recherches cliniques ainsi que les études sur la santé et le mode de vie des gens les plus âgés de la planète s'accordent sur un point : votre cœur ne devrait pas défaillir quand vous êtes dans la fleur de l'âge. Il est capable de durer au moins 70 ans – sinon jusqu'à l'âge de 120 ans, comme le soutiennent certains experts en longévité. Mais trop souvent, hélas, ce petit moteur gros comme le poing, cette pompe ingénieuse faite de muscles, de nerfs, de vaisseaux sanguins et de transmetteurs électriques, rend l'âme prématurément, vaincu par ces sirènes modernes que sont le tabac, le triple cheeseburger, l'affalement devant la télé et les exigences d'une vie qui privilégie le stress.

Des témoignages vivants

Voulez-vous savoir de quoi votre cœur est capable ? Regardez les habitants de l'île japonaise d'Okinawa dans la mer de Chine orientale. On y trouve le plus grand nombre de centenaires au monde, soit 35 pour 100 000 habitants, alors qu'au Canada, il n'y en a que douze. Grâce à un mode de vie fondé sur la sérénité, la spiritualité, l'exercice quotidien et une alimentation pauvre en gras saturés mais riche en fruits, légumes, protéines du soja et poisson, le taux de décès par maladie coronarienne n'est que de 18 pour 100 000 habitants ; au Canada, il est de 233. Dans un village de pêcheurs d'Okinawa, on peut lire l'inscription suivante sur une dalle de pierre face à l'océan : « À 70 ans, vous êtes un enfant ; à 80 ans, vous êtes jeune. Si à 90 ans un messager du Ciel vous invite à y monter, répondez-lui : "C'est trop tôt. Vous reviendrez quand j'aurai 100 ans." » Les journalistes occidentaux ont afflué à Okinawa sitôt connue la longévité de ses habitants. Ils les ont trouvés en forme, sans médicament, ni maison de soins, ni cours de gymnastique. Une centenaire a bu plus qu'un cameraman, pourtant deux fois plus jeune qu'elle ; un homme de 96 ans, adepte des arts martiaux, a vaincu un champion de boxe dans la trentaine à la télé locale et on raconte qu'une femme de 105 ans a tué un serpent venimeux avec une tapette à mouches.

Leur secret de jouvence

Des études médicales ont révélé que ces centenaires avaient un cœur remarquablement sain, des artères apparemment jeunes, un taux de cholestérol bas et peu de stress oxydatif, cause d'athérosclérose – accumulation de plaques provoquant la formation de caillots sanguins qui obstruent le cœur.

Fait encore plus étonnant, après avoir examiné 600 des plus vieux habitants de l'île, les chercheurs ont constaté que l'extraordinaire santé de leur cœur était attribuable pour 80 p. 100 à leur mode de vie et pour 20 p. 100 seulement à des dispositions génétiques. Ils en ont conclu que si, en Occident, on vivait davantage comme les gens d'Okinawa, on pourrait fermer de nombreux services de cardiologie.

Les maladies du cœur dans le monde

Le taux de mortalité par maladie cardiovasculaire – obstruction des artères pouvant causer des crises cardiaques et des accidents vasculaires cérébraux (AVC) – varie d'un pays à l'autre selon le mode de vie et l'alimentation. Ce tableau donne le taux de mortalité relié aux maladies cardiovasculaires et aux AVC pour 100 000 personnes en 2002. Les Canadiens font mieux que certains Occidentaux, mais moins bien que la France, réputée pour sa gastronomie.

Russie	828
Roumanie	505
Hongrie	470
Finlande	334
Allemagne	306
Royaume-Uni	304
Italie	282
États-Unis	233
Canada	233
Suisse	213
Australie	190
Chine	182
Japon	177
France	140

Mais pour y arriver, il faudrait justement vivre comme eux – pratiquer le *hara hachi bu*, ou l'art de manger lentement des aliments peu caloriques en comblant 80 p. 100 de son appétit seulement ; le *taygay*, ou l'art de prendre la vie du bon côté ; et une spiritualité où la méditation occupe une large part.

Les dernières décennies nous ont, hélas, prouvé que la santé cardiaque des gens d'Okinawa n'est pas génétique : depuis que les moins de 50 ans mangent et vivent comme les Occidentaux, ils ont le taux de cardiopathie le plus élevé du Japon.

Les avantages d'une alimentation et d'un mode de vie sains sont corroborés par des études menées partout dans le monde.

Selon l'Institut islandais de la longévité, les Inuits du Groenland ont une mortalité par cardiopathie très inférieure à celle de leurs voisins danois, qui occupent le même continent glacé, grâce à une alimentation à base de poissons riches en acides gras oméga-3.

Une étude menée chez les hommes, et publiée dans *The Lancet,* a révélé que les Crétois qui boivent du vin et mangent des fruits et des légumes mûris au soleil, des légumineuses, de l'huile d'olive – et beaucoup de poisson – étaient de 50 à 70 p. 100 moins exposés aux maladies récurrentes du cœur que les Crétois qui s'adonnent à une alimentation occidentale saine. Pourtant, dans les deux cas, les taux de cholestérol étaient presque identiques. La médecine s'est intéressée au « modèle crétois » quand une étude menée sur 15 ans a démontré que les hommes étaient en meilleure santé en Crète que dans les pays suivants : Finlande, Yougoslavie, Japon, Grèce, Italie, Pays-Bas et États-Unis.

Fait significatif : le taux général de mortalité masculine en Crète était en outre inférieur de 50 p. 100 à celui de l'Italie, alors que les deux populations ont une alimentation de type méditerranéen. Seule différence, la forte consommation de poisson en Crète.

Une vie active
et heureuse donne
un cœur sain.

14

Les cardiopathies au Canada

Aujourd'hui, le cœur est en danger même si la cardiologie, ou étude du cœur et de ses maladies, a beaucoup progressé au cours des dernières décennies. Chaque semaine, on entend parler de risques nouveaux et de nouveaux remèdes. Les chercheurs ont isolé des gènes liés à l'incidence des crises cardiaques dans les familles ayant un lourd passé de maladies du cœur, et d'autres gènes qui augmenteraient les risques dans certaines populations ou aggraveraient la nocivité de tendances sous-jacentes.

Les médecins connaissent mieux les médicaments qui diminuent les risques de cardiopathies en abaissant les taux de cholestérol et la tension artérielle. Et les professionnels de la santé sont de plus en plus capables d'aider les fumeurs à vaincre leur accoutumance.

Et pourtant, cette année seulement, plus de 70 000 Canadiens auront une crise cardiaque. Pire encore, plus du quart en mourra. La maladie cardiovasculaire est toujours la cause la plus importante de mortalité au Canada : on lui attribue le tiers environ de tous les décès chaque année.

La Fondation des maladies du cœur du Canada signale que même si les décès par cardiopathies ont baissé de 51 p. 100 depuis 1979, 32 p. 100 des Canadiens et 34 p. 100 des Canadiennes meurent chaque année de maladies du cœur ; c'est trois fois plus que les décès par cancers du poumon et du sein mis ensemble.

Fait inquiétant et nouveau, le nombre des jeunes Canadiens qui présentent des risques de maladie cardiaque augmente. Environ 40 p. 100 des adolescentes sont trop sédentaires, plus de 30 p. 100 des hommes et des femmes dans la vingtaine souffrent de surpoids et les fumeurs se recrutent surtout parmi les 15 à 29 ans.

Rôle du mode de vie

Comment en sommes-nous venus là au XXIe siècle ? C'est qu'en dépit de nos connaissances, nous traitons mal notre cœur. Une vie heureuse et active donne un cœur sain. Or, la nôtre nous expose à des menaces sans précédent. La plupart des gens mangent trop et font trop peu d'exercice. Et 20 p. 100 des Canadiens sont assujettis à la nicotine.

Les mets que nous choisissons sont souvent très malsains. Ils regorgent d'hydrates de carbone et de gras néfastes, tout en étant dépourvus des lipides, des fibres et des antioxydants essentiels à la santé. Quant au stress inhérent à notre façon de vivre, il sature notre organisme des hormones de stress si néfastes et nous prive du temps de loisirs essentiel à la détente.

Le cœur et surtout les artères qui distribuent le sang dans le corps n'ont pas été conçus pour la vie trépidante du XXIe siècle. Le muscle cardiaque exige un apport constant de sang bien oxygéné, véhiculé par les artères coronariennes. Si un caillot obstrue une artère ou si la paroi interne d'un de ces canaux s'abîme et se charge de plaques qui en réduisent le diamètre, le cœur manque aussitôt d'oxygène.

Privé d'oxygène, le muscle cardiaque souffre et donne de brèves douleurs thoraciques appelées angine de poitrine. Pire encore, il se nécrose, provoquant l'infarctus ou l'insuffisance cardiaque et même la mort.

Holà ! les femmes

Ne croyez pas que la maladie cardiovasculaire ne menace que les hommes : c'est faux ! Les Canadiennes présentent au moins un des facteurs de risque cardiaque ; chaque année, près de 39 000 d'entre elles meurent de maladie cardiovasculaire, plus que n'en tuent le cancer, les accidents et le diabète réunis.

Fait plus inquiétant encore : alors que la cardiopathie tue sept fois plus de femmes que le cancer du sein, c'est ce dernier que les femmes redoutent. Selon un sondage récent, 8 p. 100 d'entre elles seulement étaient au fait des menaces que présentent la maladie du cœur et l'AVC. Pendant plusieurs années, certains médecins n'ont pas cru que la femme pouvait souffrir de cardiopathie. Quelques-uns continuent d'en douter au point de poser un mauvais diagnostic ou d'écarter l'hypothèse d'une crise cardiaque au moment même où elle se produit.

Seulement les hommes : un mythe

Il existe deux mythes tenaces : seul l'homme peut souffrir de cardiopathie et la femme n'est menacée que quand elle est âgée. La vérité, c'est qu'à 70 ans, une Canadienne sur cinq a déjà appris de son médecin qu'elle a ou a eu des problèmes cardiaques.

Divers modes de vie et états de santé jouent un rôle. Le diabète prédispose plus les femmes que les hommes à la maladie cardiaque : on suppose que l'interaction des hormones femelles, du sucre sanguin et de l'insuline serait ici en cause.

Au Canada, les femmes seraient plus sédentaires que les hommes. Or, la sédentarisation, chez la femme, double ses risques de souffrir de cardiopathie. Enfin, les femmes ont moins réussi que les hommes à arrêter de fumer.

Ce qu'il faut savoir

■ La femme minimise les risques qu'elle court. Un sondage effectué par la Fondation des maladies du cœur du Canada a établi que plus de 60 p. 100 des femmes sondées pensent que la première cause de mortalité parmi elles est le cancer du sein – tandis que 17 p. 100 seulement ont correctement identifié la maladie du cœur.

■ Ces idées fausses ne circulent pas qu'au Canada. Un rapport récent de la Fondation britannique du cœur faisait ressortir l'ignorance des femmes à l'égard des principaux facteurs de risque de cardiopathie. Seulement 8 p. 100 ont mentionné l'hypercholestérolémie, 5 p. 100 l'hypertension et

Est-ce une crise cardiaque ? Composez le 911

Si vous pensez qu'une personne ou que vous-même faites une crise cardiaque, n'hésitez pas – composez le 911 et laissez des spécialistes en décider. La plupart des décès se produisent dans l'heure qui suit le début de la crise, mais souvent on attend trop avant de demander de l'aide. La présence, pendant quelques minutes, d'une douleur au thorax ou de l'un ou l'autre des symptômes énumérés ci-dessous vous justifie d'appeler une ambulance. En même temps, administrez un comprimé de 325 mg d'aspirine (la dose standard) à moins que la personne n'y soit allergique. Le comprimé doit être mastiqué pour hâter l'effet.

MALAISE THORACIQUE La plupart des crises cardiaques s'accompagnent d'un malaise au centre du thorax qui dure plus de 30 minutes, même quand la personne est allongée, ou qui disparaît et revient. On parle de pression, de constriction, de poids, de congestion, de réplétion ou de douleur.

MALAISES AILLEURS DANS LE HAUT DU CORPS Les symptômes se manifestent sous la forme d'une douleur ou d'un malaise dans un bras ou les deux, le dos, le cou ou la mâchoire.

SOUFFLE COURT Ce symptôme s'accompagne ou non de malaise thoracique.

AUTRES SYMPTÔMES Voici d'autres symptômes importants qui peuvent être les seuls à se manifester : sueur froide, étourdissements, sensation de fatigue ou de faiblesse extrêmes.

16

12 p. 100 les antécédents familiaux comme étant les principaux facteurs prédisposant.

■ Comparativement à 25 p. 100 des hommes, 38 p. 100 des femmes meurent dans l'année qui suit une première crise cardiaque. Or, seulement 40 p. 100 des femmes souffrant d'angine ou ayant eu une crise cardiaque prennent de l'AAS et 25 p. 100, des statines.

■ La ménopause est un moment crucial dans la vie de la femme. Avant la ménopause, des taux naturellement élevés d'œstrogènes protègent son cœur. Après, des taux élevés de cholestérol peuvent augmenter ses risques, surtout s'ils sont conjugués à des taux élevés de triglycérides (autre acide gras du sang). Les femmes qui présentent de hauts taux de triglycérides (plus de 3,9 mmol/l) et peu de a-lipoprotéines, le « bon » cholestérol (moins de 1,2 mmol/l), risquent normalement plus de souffrir d'une maladie du cœur que les hommes ayant des taux semblables.

■ Les causes des cardiopathies diffèrent selon le sexe. La femme qui fume court deux fois plus de risques que le fumeur et la dépression présente un plus grand danger pour elle que pour l'homme.

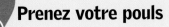

Prenez votre pouls

Votre rythme cardiaque – le nombre de battements du cœur à la minute – peut aider à évaluer l'état de votre cœur. Son rythme normal est de 60 à 80 pulsations à la minute au repos. Un rythme plus rapide peut indiquer que vous venez de grimper un escalier (l'activité physique accélère le rythme cardiaque). La fièvre, une indisposition de courte durée – rhume, grippe ou malaise gastrique – et l'anxiété peuvent aussi l'accélérer temporairement. Mais un rythme cardiaque chroniquement rapide peut annoncer autre chose : anémie, troubles de la thyroïde ou insuffisance cardiovasculaire.

Pour mesurer votre rythme cardiaque, restez tranquille 5 à 10 minutes ; installez-vous près d'une horloge ou d'une montre ; du bout des doigts, palpez l'intérieur de votre poignet ou votre cou et comptez les battements du cœur pendant 15 secondes ; multipliez par quatre.

■ Les femmes ont leurs propres facteurs de risque : la pilule contraceptive, par exemple. L'hypertension frappe deux ou trois fois plus les femmes qui prennent des contraceptifs oraux – surtout si elles font de l'embonpoint. De plus, celles qui souffrent d'hypertension durant la grossesse et qui reviennent ensuite à la normale sont plus exposées que d'autres à faire de l'hypertension en prenant de l'âge.

■ Les crises cardiaques, chez la femme, ne causent pas toujours de douleurs thoraciques. Selon une étude sur 500 femmes ayant subi une crise cardiaque, elles auraient éprouvé essoufflement, faiblesse ou fatigue, sueurs froides et étourdissements – mais aucun symptôme classique et 43 p. 100 n'auraient souffert d'aucune douleur thoracique.

Pour femmes... et hommes

Jusqu'à tout récemment, les médecins pres-crivaient une hormonothérapie de substitu-tion (HTS) aux femmes ménopausées pour protéger leur cœur. Mais en 2002, une étude américaine révélait que l'HTS, loin d'avoir les effets espérés, augmentait les risques de caillots sanguins au cours de la première année. Selon une autre étude, la combinaison d'œstrogène et de progestérone – courante dans ces thérapies – avait accru de 41 p. 100 durant cinq ans l'occurrence d'un accident vasculaire cérébral, par rapport aux traite-ments à base de placebo.

Parlez à votre médecin des risques que court votre cœur. Puis cessez de fumer le cas échéant ; mangez sagement ; faites de l'exer-cice – monter l'escalier ou marcher plutôt que prendre la voiture constituent des exercices ; essayez de rendre votre vie moins stressante ; surveillez votre poids, votre tour de taille, votre taux de cholestérol et votre tension artérielle – et confiez vos soucis à votre médecin. Ces conseils valent aussi pour les hommes. Alors, pourquoi ne pas le faire ?

Changez vos habitudes

Votre vie dépend de la santé de vos artères coronariennes. Or, elles sont incapables de supporter les mauvais gras des pizzas ; la toxicité des cigarettes ; les interminables stations en voiture, derrière un bureau ou devant la télé ; sans parler du stress inhérent aux trop longues heures de travail ou de trajet entre la maison et le travail. Trop souvent les résolutions demeurent lettre morte – pensez au vélo d'exercice ou aux vidéos de mise en forme jamais utilisés. Il nous faudra aussi parler de la nécessaire hygiène dentaire.

Plutôt que de vivre sans nuire à notre cœur, nous refusons de penser à lui, peut-être en espérant sans le dire que des découvertes médicales viendront à sa rescousse l'heure venue. Pourtant, nous pourrions éviter d'avoir recours à la médecine – simplement en donnant à notre cœur les soins qu'il mérite.

Quelles sont les vraies causes d'une crise cardiaque ? Ce sont les dommages subis par les artères coronariennes qui irriguent le muscle cardiaque. La maladie coronarienne est reliée à la cigarette et aux graisses oxydées qui pénètrent dans la tunique des artères et y causent des plaques athéromateuses qui en rétrécissent la circonférence et peuvent, en se détachant, les obstruer.

Qu'est-ce qui endommage surtout les artères ? Le tabagisme, l'hypertension et un excès de cholestérol. Selon la plupart des cardiologues et des autres professionnels de la santé, les données statistiques démontrent à l'évidence que la combinaison de ces trois facteurs fait naître de très grands risques. Or, ils sont tous associés à notre mode de vie.

Une réalité universelle

Dans les derniers mois de 2004, une étude portant sur 30 000 personnes choisies dans le monde entier a démontré que neuf facteurs

de risque provoquaient 90 p. 100 des crises cardiaques. Cinq étaient liés à notre mode de vie : le tabagisme, le stress, la sédentarité, la faible consommation de fruits et de légumes et, chose étonnante, l'abstinence d'alcool.

Les quatre autres sont de nature plus médicale, mais ne nous y trompons pas – chacun touche de près à notre mode de vie. Il s'agit de taux anormaux de cholestérol et de l'hypertension (on en parlait ci-dessus), ainsi que du diabète et de l'obésité abdominale (ou obésité androïde). L'intérêt de cette étude, c'est qu'elle a eu lieu dans 52 pays et qu'elle a porté sur des sujets de sexe, d'âge, de race et de niveau socio-économique différents. Bref, que vous soyez une femme pauvre de Calgary ou un homme riche de Tokyo, les mêmes facteurs peuvent provoquer une crise cardiaque – dans la

plupart des cas le tabagisme, la sédentarité, une mauvaise alimentation et un excès de stress. Ne soyez pas de ceux qui comptent sur la science pour protéger leur cœur. La vérité – et c'est l'une des plus importantes de ce livre –, c'est qu'en adoptant un mode de vie sain, vous pouvez commencer immédiatement à agir simultanément sur toutes les causes médicales des crises cardiaques.

Comme il est utile de connaître ce qui nous menace, nous vous donnons dans le chapitre qui suit un résumé concis et documenté des sept principaux facteurs de risque. Car l'objectif majeur de ce livre, c'est de vous montrer comment les combattre grâce à un programme simple qui s'attaque à leurs causes – trop de calories et de gras, trop de temps devant la télé, trop de stress, bref la vie que plusieurs d'entre nous mènent.

Pour avoir un cœur solide

Voici maintenant les bases du programme des *30 minutes par jour*: quelques-unes des mesures que vous pouvez prendre – sans allonger la liste de vos obligations ou de vos dépenses – pour protéger votre cœur comme le veut la nature.

En cessant de fumer, vous faites sur-le-champ des économies. Or, le tabac est généralement tenu pour la principale cause des maladies vasculaires : il endommage les artères et mène aux crises cardiaques et aux accidents vasculaires cérébraux.

D'autres mesures sont peut-être plus faciles à adopter. Comme de rire plutôt que de s'irriter d'une difficulté. Marcher après le repas du soir plutôt que de s'écraser devant la télé. Manger une pomme au dessert plutôt qu'un pouding aux pommes, ou savourer un chocolat chaud maison (voir les bons effets du cacao pour le cœur, page 107)

plutôt que de croquer des croustilles pendant que vous écoutez les actualités.

Faites 5 minutes par jour de mise en forme pendant que le café s'infuse le matin ou méditez durant 3 secondes lorsque vous entendez sonner l'indicateur de courriels de votre ordinateur.

Bref, c'est simple : à raison de 30 minutes par jour seulement, vous pouvez prendre des moyens efficaces et scientifiquement reconnus contre les pires dangers qui guettent votre cœur : le tabagisme, l'hypercholestérolémie, l'hypertension, l'obésité abdominale, la résistance à l'insuline, l'inflammation, les radicaux libres et d'autres facteurs que les chercheurs tentent d'analyser, comme l'homocystéine et une particule appelée lp(a).

Voici donc un aperçu du programme qui vous permettra d'adopter ces mesures avec succès.

♥ **Faites de petits pas qui mènent loin** Apportez quelques petits changements à votre alimentation et vous diminuerez votre cholestérol de 30 p. 100. Cinq minutes par jour de musculation peuvent remplacer le tissu musculaire perdu en 10 ans. Ce livre est plein de suggestions qui n'exigent ni beaucoup de temps ni beaucoup d'argent et qui peuvent baliser votre nouveau mode de vie.

♥ **Luttez contre « la maladie du divan »** La sédentarité gagne sans cesse du terrain : plusieurs se contentent de 30 minutes d'exercice modéré par semaine. Pourtant, notre corps est fait pour bouger. Ce livre vous apprendra comment être plus actif malgré un emploi du temps chargé.

♥ **Mangez des aliments frais** Les produits frais ne sont pas nécessairement plus chers ni plus compliqués à apprêter que les aliments transformés. Quand ils sont frais, fruits et légumes, céréales, poisson, viande, produits laitiers, soja non seulement ont meilleur goût, mais ils protègent votre cœur contre des taux élevés de lipides et de sucre sanguins, réduisent l'inflammation et luttent contre les radicaux libres. Vous verrez, il est facile de manger plus d'aliments sains et moins d'aliments transformés.

♥ **Arrangez-vous pour abandonner la cigarette** Des mesures simples, une bonne préparation et l'assistance de professionnels de la santé peuvent décupler vos chances de triompher du tabagisme. Vous trouverez ici des conseils spécifiques qui épauleront vos efforts.

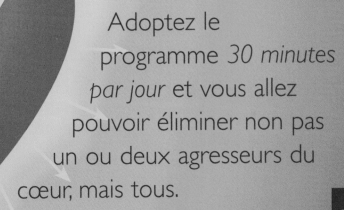

Adoptez le programme *30 minutes par jour* et vous allez pouvoir éliminer non pas un ou deux agresseurs du cœur, mais tous.

♥ **Gardez des statistiques** Si vous voulez mesurer vos succès, notez quelques chiffres essentiels comme votre poids et votre tour de taille. Tous les Canadiens adultes devraient connaître leurs « statistiques vitales ». La réalité est toute autre. Pour vous aider à rester fidèle à vos bonnes résolutions, nous vous dirons quels sont les quatre points à surveiller quotidiennement – démarche qui ne devrait vous prendre que 30 secondes tous les soirs, tant c'est élémentaire... !

♥ **Évitez les toxines** Qu'il s'agisse de tabac ou de gras trans, de sucre ou de polluants environ-nementaux, les toxines qui entrent dans votre organisme s'attaquent d'abord à votre cœur. Votre corps n'a pas à devenir un dépotoir de déchets dangereux. Ce livre vous montrera comment faire le ménage.

♥ **Cherchez la joie** De plus en plus, la recherche montre qu'en étant irascible, impatient et rancunier, on fait du tort à son cœur, tandis qu'en étant compréhensif, chaleureux et optimiste, on lui fait du bien. Votre caractère nuit-il à votre cœur ? Apprenez à vous connaître – et menez une vie plus sereine.

Les agresseurs du cœur Les médecins en débattent ardemment, mais d'après les connaissances actuelles, voici les facteurs médicaux et personnels qui ont le plus d'effets nocifs sur le cœur, ainsi que le numéro des pages où l'on en parle en détail.

Les 7 agresseurs de votre cœur

Chaque mois, les revues médicales publient des centaines d'études sur les maladies du cœur et tout ce qui en relève, depuis A (angioplastie) jusqu'à X (xanthome, un dépôt de cholestérol sous la peau). La U.S. National Library of Medicine, où l'on trouve l'ensemble le plus complet au monde de données sur la recherche médicale, a une liste de plus de 500 000 documents sur les cardiopathies seulement. Et pourtant, près de 75 000 personnes au Canada (et un demi-million aux États-Unis) meurent de coronaropathie chaque année.

On a reproché à la recherche médicale de viser des problèmes trop pointus, par exemple, d'examiner si en augmentant l'apport de tel nutriment, on modifierait tel élément chimique de l'organisme. Bref, les détails, par leur abondance, seraient comme les arbres qui cachent la forêt. Si la forêt représente le cœur et chaque arbre, un des éléments qui l'affectent (cholestérol, vitamines, exercice, etc.), alors peut-être pousse-t-on trop loin la recherche sur une seule branche d'un seul arbre. On pourrait soutenir que la multiplication des études sur un point de détail empêche d'avoir une vue d'ensemble. À cela les médecins rétorquent que si l'on s'attache beaucoup aux détails, il se fait par ailleurs beaucoup de recherche sur l'épidémiologie – étude des maladies et des facteurs qui les influencent – et qu'on leur doit d'en savoir plus sur ce qui relie la maladie cardiaque aux facteurs de risque présents dans notre mode de vie et dans l'environnement.

La façon dont la recherche nous est présentée influence nos réactions. Les journalistes se concentrent souvent sur un seul facteur, comme l'hypercholestérolémie ou l'hypertension, alors que – quelle que soit son importance – ce n'est que l'un des arbres de la forêt. Or, les risques sont liés les uns aux autres – ils n'arrivent jamais seuls – et plus ils sont nombreux, plus le cœur est menacé.

Chercheurs et sociétés pharmaceutiques tiennent compte de cette réalité. Une étude britannique présentée dans *The Lancet* en 2002, la Heart Protection Study, a montré que le traitement médicamenteux est utile aux personnes à risque de coronaropathie, quel que soit leur taux de cholestérol. Et il dépend des risques présentés par le patient. On incite donc les médecins à quantifier divers facteurs pour évaluer la prédisposition du patient à la maladie coronarienne.

L'objectif du programme *30 minutes par jour* est d'aller au-delà des détails : vous révéler la situation dans son ensemble – et vous fournir un programme pour lutter sur tous les fronts. Il est plus facile d'assurer la santé de votre cœur si vous avez une vision globale de vous-même – corps et esprit. Et vous vous protégerez en même temps contre d'autres maladies graves comme le diabète et le cancer.

Assaillants sournois

Si un seul programme s'attaque à tous les risques majeurs de cardiopathie, pourquoi étudier ces derniers un par un ? Pour éviter toute confusion. Pour vous permettre de mettre les « nouvelles journalistiques » en perspective et rester branché sur ce qui importe vraiment. En outre, vous serez mieux armé si vous connaissez les liens qu'il y a entre les divers risques et de quelle façon votre mode de vie peut avoir un effet sur plusieurs d'entre eux en même temps. Vous verrez l'intérêt qu'il y a à adopter le programme *30 minutes par jour* quand vous comprendrez sur quoi il se fonde.

Les plus grands agresseurs du cœur

Vous trouverez maintenant un résumé de chacun des sept plus grands agresseurs de votre cœur. Puis vous aborderez les différents thèmes reliés au cœur ainsi que les questions les plus importantes à cet égard.

Vous apprendrez combien la sagesse populaire sur la maladie du cœur a évolué au cours des 50 dernières années – passant d'un point de vue simpliste à une optique plus moderne et plus complexe. Vous verrez comment chacun des agresseurs se développe dans votre corps, de quelle façon les modes de vie du XXIᵉ siècle les fortifient et comment évaluer vos risques.

Vous comprendrez les relations étroites qu'il y a entre ces sept agresseurs – par exemple comment l'obésité abdominale en nourrit au moins trois, le rôle maléfique joué par le tabac et de quelle façon le manque d'exercice engendre l'hypertension, le stress oxydatif et bien d'autres facteurs nocifs.

Les risques cardiaques sont liés – ils arrivent rarement seuls.

AGRESSEUR 1
Tabagisme

C'est dans les années 1960 que les dangers du tabac commencèrent à être connus, mais ils furent camouflés par la publicité qui réussit à donner à la cigarette un profil sophistiqué et séduisant.

Après plus de 40 ans, le triste bilan du tabac se maintient et la maladie du cœur en est le résultat fréquent. La plupart des gens croient que le cancer du poumon est la conséquence la plus commune du tabagisme. C'est faux !

Chaque année, le tabac fait des milliers de victimes en favorisant directement la formation de plaques dans les parois des vaisseaux sanguins. Le cœur reçoit moins d'oxygène, la tension artérielle monte et le rythme cardiaque s'accélère – facteurs qui tous favorisent les cardiopathies et les crises cardiaques. La conclusion est claire : si vous fumez, le geste le plus important que vous puissiez poser pour améliorer la santé de votre cœur, c'est d'arrêter. Le plus vite possible. Le premier objectif dans la prévention des maladies cardiaques, c'est d'aider les fumeurs à arrêter de fumer. Plus vite dit que fait ! Si vous n'avez jamais fumé, vous ne comprendrez pas combien il est difficile de se libérer de la nicotine. Mais comme vous le verrez plus loin (p. 200-204), on peut maintenant beaucoup mieux aider les fumeurs à « écraser ».

La plupart des fumeurs ont adopté la cigarette à l'adolescence. Ils étaient alors convaincus – à tort – que leur santé n'en souffrirait jamais et qu'ils pourraient cesser de fumer quand ils le voudraient. Or, il suffit de quatre ou cinq cigarettes par jour pendant quelques jours d'affilée pour devenir « accro » à la nicotine.

La cigarette est l'une des drogues les plus complexes et les plus mortelles qui circulent dans la société. Conçue précisément pour dégager le plus vite possible de la nicotine, la cigarette d'aujourd'hui renferme une stupéfiante gamme de produits chimiques – près de 5 000 – dont plusieurs sont des causes de cancer, tandis que d'autres affectent plusieurs organes et systèmes de l'organisme.

Il n'y a pas façon plus rapide d'introduire une drogue dans la circulation du sang que de l'inhaler. Quand on s'injecte de l'héroïne dans une veine, il lui faut 14 à 18 secondes pour atteindre le cerveau. La nicotine et les 5 000 produits qu'on inhale en même temps passent des poumons dans le sang et parviennent presque tout de suite au cœur.

Le cœur les propulse immédiatement dans la circulation artérielle. Bref, la nicotine parvient aux centres cérébraux de l'accoutumance en six à huit secondes ! (La nicotine est absorbée encore plus vite quand on fume une cigarette « épurée » – c'est-à-dire dont le tabac est additionné d'ammoniac pour rendre la fumée plus alcaline, procédé qui accroît la vitesse d'absorption de la nicotine.)

Dès que vous allumez une cigarette, vous produisez de l'oxyde de carbone ; ce gaz déstabilise l'oxygène qui voyage sur les globules rouges et limite donc leur aptitude à le transporter. Par ailleurs, la nicotine et les autres produits chimiques font monter la tension artérielle : les vaisseaux sanguins se rétrécissent, le rythme cardiaque s'accélère et le sang, plus épais, coagule plus facilement. Mais ce n'est pas tout. D'autres composantes de la fumée du tabac endommagent les parois des vaisseaux de sorte que les dépôts de cholestérol et d'autres matières s'y accumulent. Plus ces lésions s'aggravent, plus elles risquent de se fragmenter et de donner naissance à des caillots. L'obstruction par un caillot empêche l'irrigation du cœur. Il en résulte une crise cardiaque ou infarctus du myocarde (IDM).

Plusieurs de ces effets se produisent lorsque, sans fumer vous-même, vous êtes dans un endroit où il y a des fumeurs. Exposé à la fumée secondaire, vous inhalez les mêmes éléments chimiques et les résultats sont similaires – votre cœur bat plus vite et la teneur de votre sang en oxygène baisse. Un conseil : tenez-vous loin de la fumée secondaire. S'il y a un fumeur chez vous, demandez-lui de fumer dehors, jamais dans la maison ni dans la voiture !

Ironie du sort, la cigarette augmente les besoins du cœur en oxygène tout en réduisant l'apport d'oxygène au cœur. C'est comme si vous appuyiez à fond sur l'accélérateur et sur la pédale de frein en même temps. Nous savons tous ce qui arrive dans ce cas !

La nicotine est aussi un irritant pour le cœur. Elle provoque l'apparition de battements rapides et irréguliers qui peuvent rapidement engendrer un phénomène appelé fibrillation ventriculaire – contractions désordonnées du muscle cardiaque qui ne pompe pas de sang. La fibrillation est la cause la plus commune de mort subite ; voilà pourquoi les fumeurs y sont très exposés.

La plupart des fumeurs savent pourquoi ils doivent et veulent arrêter de fumer, mais ils ont du mal à aborder la difficile période du sevrage. Plus loin dans ce livre (p. 200-204), vous trouverez des conseils précieux et spécifiques qui vous aideront à cesser de fumer. L'indice le plus sûr de votre éventuel succès, c'est le nombre de fois où vous avez déjà essayé d'arrêter.

Au Canada, le nombre des fumeurs a beaucoup diminué au cours des dernières décennies, mais nous pouvons faire mieux. Et nous ferons mieux.

AGRESSEUR 2
Cholestérol

Le cholestérol a commencé à faire les manchettes aux États-Unis dans les années 1950 ; il a fallu 20 ans pour qu'on voie en lui un agresseur du cœur.

Trop de gras saturés dans les aliments, c'est trop de cholestérol dans le sang et trop d'artères bouchées et de crises cardiaques. Bien que la maladie cardiaque ait été l'une des principales causes de mortalité au Canada depuis un siècle, personne ne voulait admettre que le beurre, le fromage, les gâteaux et la crème glacée – ces mets si bons – soient néfastes.

Tout a commencé avec le Dr. Ancel Keys, chercheur à l'Université du Minnesota. C'est lui qui, durant la Seconde Guerre mondiale, composa les rations K de l'armée américaine. Dès 1950, il remarqua que les taux de maladies du cœur montaient en flèche chez les hommes d'affaires bien nourris, alors que la maladie diminuait dans l'Europe mal alimentée de l'après-guerre.

Après avoir comparé les taux sanguins de cholestérol, l'ingestion de gras saturés et l'incidence des maladies cardiovasculaires dans les populations masculines de sept pays – Finlande, Grèce, Yougoslavie, Italie, Pays-Bas, Japon et États-Unis –, il constata l'existence d'un lien étroit entre les gras saturés et la santé du cœur. Il recommanda de manger moins de gras saturés et plus de gras polyinsaturés (comme l'huile de tournesol) pour abaisser les taux de cholestérol. Diminuer le cholestérol total, pensait-il, ferait baisser le nombre de décès par crise cardiaque. C'est sur ces bases que fut élaboré en 1950 un « régime prudent » qui visait à abaisser le taux de cholestérol et à prévenir la maladie cardiaque. Mais le dossier du cholestérol n'allait pas être aussi simple.

Passons au XXIᵉ siècle. Le cholestérol n'est pas mauvais en soi. Le foie, les intestins et même la peau fabriquent tous les jours, à partir du gras d'origine alimentaire, cette matière cireuse qui aide l'organisme à élaborer les membranes cellulaires, les hormones sexuelles, la vitamine D et les acides biliaires nécessaires à la digestion.

Pour que le cholestérol ne nuise pas au cœur, il faut respecter l'équilibre entre le « mauvais » cholestérol ou lipoprotéines de basse densité (LDL) et le « bon » cholestérol ou lipoprotéines de haute densité (HDL). Les experts constatent que plus vous avez de HDL et moins vous avez de LDL – bref, plus vous vous rapprochez de l'équilibre observé dans les sociétés de cueilleurs-chasseurs –, moins vous risquez d'obstruer vos artères coronariennes et d'avoir une crise cardiaque.

Attention au LDL

Porteur de gouttelettes de gras, le LDL navigue dans le flux sanguin pour alimenter les cellules en cholestérol liquéfié. Les risques commencent quand ces gouttelettes encombrent le sang, se déposent sur les parois des artères, pénètrent dans le tissu qui constitue leur tunique et y forment des plaques qui menacent le cœur. Avec le temps, ces plaques – mélange de gras, de cholestérol, de calcium et de débris cellulaires – rétrécissent les artères de sorte que moins de sang parvient au muscle cardiaque.

De nouvelles recherches révèlent qu'un type de LDL, qui est petit et dense, est particulièrement dangereux. Il est constitué de nombreuses particules, facilement attaquées par les radicaux libres (molécules très actives et proliférantes, aptes à causer des dommages graves) qui voyagent dans le sang. Ces particules passent alors à travers les parois des artères et forment la base de plaques liées à l'athérosclérose. (Pour en savoir davantage, voir le stress oxydatif, p. 41.)

Bref, une grande quantité de LDL dans le sang augmente les risques d'athérosclérose, une petite quantité les diminue. Quel est le taux acceptable ? Les études concluent que moins vous avez de LDL, moins vous risquez de souffrir de maladie cardiaque. Dans une étude remarquée, publiée en mars 2004 dans le *Journal of the American Medical Association*, les chercheurs ont trouvé que des doses élevées d'hypocholestérolémiant (statines) ralentissaient l'évolution de la maladie cardiaque et diminuaient les taux de mortalité de 28 p. 100. Mais elles ont des effets indésirables : certaines personnes peuvent avoir des douleurs musculaires.

Votre risque ?
Cholestérol

Un type de cholestérol – le LDL – est mauvais pour vous ; il vaut mieux en avoir moins de 3,5 mmol/l (millimoles par litre de sang). Si vous êtes déjà cardiaque, votre médecin voudra sans doute le réduire sous les 2 mmol/l. L'autre cholestérol – le HDL – est bon pour vous ; une lecture de plus de 1 mmol/l est souhaitable. Idéalement, le cholestérol total – incluant un LDL de 3,5 mmol/l ou moins – devrait être inférieur à 5 mmol/l. Si vous êtes constamment au-dessus, votre médecin pourra vous aider à en réduire les taux, au besoin avec des médicaments.

VALEUR DES TAUX DE CHOLESTÉROL TOTAL

moins de 5 mmol/l	idéal
5,2 mmol/l à 6,4 mmol/l	assez élevé
au-dessus de 6,5 mmol/l	élevé

2 CHOLESTÉROL
Ce que vous devez savoir

Le cholestérol est un corps cireux, produit par les gras alimentaires et utilisé dans les parois cellulaires, les hormones et l'acide biliaire, un acide gastrique. Il en existe deux types : le LDL – mauvais –, auquel on doit les plaques obstruant les artères ; et le HDL – bon –, qui amène le LDL dans le foie pour qu'il soit éliminé.

CAUSES L'obésité abdominale, un régime riche en gras saturés et le manque d'exercice incitent le foie à produire de plus en plus de LDL. Un régime pauvre en gras monoinsaturés, le manque d'exercice, la cigarette et le diabète peuvent vous priver de HDL.

QUOI DE NEUF

Nouveaux objectifs Des études récentes montrent que les taux de LDL jugés sains devraient être inférieurs à ce qu'on croyait et les taux de HDL, supérieurs – surtout chez les femmes qui ont naturellement de forts taux de HDL avant la ménopause.

Le cholestérol LDL pénètre dans les parois des artères où il prélude à la formation de plaques. Celles-ci rétrécissent les artères et provoquent éventuellement des lésions.

Oubliez, pour les artères bouchées, la théorie des tuyaux rouillés Les plaques lipidiques ne poussent par sur les parois des artères, elles se développent à l'intérieur. Le LDL commence par pénétrer dans la tunique interne des artères : le LDL dense est très dangereux à cet égard.

Attention aux triglycérides Le médecin mesure ce taux au moyen d'une analyse lipidique de votre sang. Un fort taux de triglycérides multiplie les risques de crise cardiaque, surtout chez la femme.

DÉTECTION Aucun symptôme ne signale le taux de cholestérol dans votre sang ; seule une analyse du sang le révèle. Une analyse standard, prescrite par le médecin, mesure le cholestérol total, LDL et HDL, en millimoles par litre de sang (mmol/l).

LA MÉDECINE À L'ŒUVRE On consacre chaque année au Canada plus d'un milliard de dollars aux statines, montant qui ne peut qu'augmenter puisque les chercheurs suggèrent d'en prescrire à plus de patients. On sait maintenant que les statines font baisser les taux de cholestérol, mais qu'elles ont aussi pour effet d'améliorer la santé des artères et de réduire les risques de maladie cardiaque. Prochain objectif : des médicaments pour augmenter le bon HDL ; certains médecins prescrivent déjà des suppléments de niacine.

LE PATIENT À L'ŒUVRE La plupart des gens estiment avec raison qu'ils peuvent améliorer leur état puisqu'il en ont souvent été responsables – en mangeant mal, en fumant, en tolérant leur embonpoint et en boudant l'exercice. Néanmoins, certaines personnes héritent génétiquement d'un métabolisme qui leur donne de hauts taux de cholestérol : elles ont alors besoin de médicaments pour faire baisser ces taux.

Entre-temps, une bonne alimentation peut réduire le cholestérol. Et même si le régime visant les seuls LDL n'a pas encore été inventé, le programme *30 minutes par jour* vous aidera à les diminuer : vous mangerez moins de gras saturés, vous serez plus actif et vous surveillerez des facteurs nouveaux – inflammation chronique, résistance à l'insuline et oxydation – qui amplifient les dangers du cholestérol LDL.

HDL : le « bon » cholestérol

Les lipoprotéines de haute densité ou HDL parcourent le flux sanguin pour mener les LDL au foie, qui les élimine. Dans les faits, elles s'unissent aux LDL et leur ôtent leur cholestérol. On sait aussi maintenant qu'elles agissent comme antioxydants et empêchent les LDL de favoriser la formation de plaques. (Les antioxydants ralentissent ou annulent les dommages causés par l'oxydation dans le corps. On les trouve dans les fruits et les légumes frais, le poisson et les graines.)

Les HDL sont si puissants que pour chaque augmentation de 0,1 mmol/l de HDL, on observe une réduction de 3 à 4 p. 100 des risques de crise cardiaque ; un taux élevé de HDL a même pour effet de réduire les risques induits par d'autres facteurs, comme le diabète ou l'obésité. Par contre, un taux insuffisant de HDL expose le cœur aux dangers du LDL et des autres gras sanguins maléfiques que sont les triglycérides. (Le taux idéal de HDL devrait être d'au moins 1,3 mmol/l ; sous les 1,1 mmol/l, on dit qu'il est « bas ».)

La Fondation des maladies du cœur du Canada recommande un taux de HDL au-dessus de 1,2 mmol/l pour les femmes et de 1 mmol/l pour les hommes. On accroît sa teneur en HDL grâce aux bons gras contenus dans les poissons gras, l'huile d'olive et les noix et en faisant régulièrement de l'exercice.

Triglycérides : coupez les « autres » gras sanguins !

Les triglycérides ne sont pas une forme de cholestérol, mais comme leur action et leurs effets sont similaires, on les associe au cholestérol quand on parle de risques cardiaques. Ce sont des parcelles de gras provenant d'un excès de calories alimentaires ; elles circulent dans le sang et sont entreposées dans les cellules lipidiques.

Les triglycérides peuvent devenir la matière première des LDL ; à ce titre, ils jouent un rôle important en cardiopathie. Selon de nouvelles études, ils peuvent annoncer des risques cardiaques parce qu'ils favorisent l'athérosclérose, surtout chez les femmes. La recherche précise même qu'en trop grande quantité, ils peuvent bloquer les vaisseaux sanguins de sorte que la leptine, hormone de l'appétit, ne peut envoyer un signal de satiété au cerveau quand on a assez mangé. L'obésité abdominale, l'abus de l'alcool, le diabète non maîtrisé et le manque d'exercice augmentent les risques d'accumuler des triglycérides. On les mesure, comme le cholestérol, en millimoles par litre. Comme leur taux monte après un repas, l'analyse du sang doit être faite après un jeûne de 12 heures.

Si vous adoptez le programme *30 minutes par jour*, vos taux de triglycérides baisseront. Mais si cela ne suffit pas, le médecin peut vous prescrire des médicaments ou un supplément nutritionnel, comme l'huile de poisson.

Votre risque ?

TAUX (mmol/l)	RISQUE
moins de 1,7	normal
plus de 2,0	élevé
plus de 4,5	très élevé

AGRESSEUR 3
Hypertension

Imaginez une rivière qui coule lentement entre prés et champs de maïs. Mais voici qu'au détour d'un méandre, elle tombe dans un défilé étroit, bordé de falaises, et se transforme en un torrent impétueux.

Imaginez maintenant que vos artères et leurs fins capillaires se rétrécissent et durcissent par suite de l'inactivité, du stress, de l'obésité et du croissant bien gras que vous mangez au petit déjeuner. Dans le plus grand secret, comme une rivière dans un défilé, votre sang s'y fraie un chemin, heurtant les parois de vos artères avec une force telle qu'il risque de les endommager.

Sous la pression, des vaisseaux sanguins peuvent se rompre dans le cerveau – et c'est l'accident vasculaire cérébral (AVC) – ou l'abdomen – et c'est l'anévrisme de l'aorte abdominale. Le muscle cardiaque peut grossir et s'affaiblir ; l'athérosclérose, cause de crise cardiaque, peut se déclarer dans les artères coronariennes.

L'hypertension est l'un des principaux facteurs de risque cardiovasculaire. On l'a surnommée « le tueur silencieux » parce qu'elle est dépourvue de symptômes au début. Près de 42 p. 100 des Canadiens souffrant d'hypertension ne le savent pas. Près de 23 p. 100 ont reçu un diagnostic d'hypertension, mais chez seulement 16 p. 100 d'entre eux, la maladie est traitée et maîtrisée. L'hypertension est la cause de la majorité des 50 000 AVC qui frappent les Canadiens chaque année. Vous avez, tôt ou tard, 90 p. 100 de risques d'en souffrir – que vous soyez un homme ou une femme. Bien que les hommes de moins de 55 ans y soient plus exposés que les femmes, à partir de 55 ans, celles-ci rattrapent les hommes et parfois même les dépassent. L'hypertension est moins répandue chez les jeunes adultes, mais plus répandue chez les gens d'origine afro-caraïbe ou venant du sous-continent indien.

Dans une expérience macabre menée en 1733, Stephen Hales, vétérinaire et botaniste britannique, a été le premier à démontrer la force de la pression sanguine en attachant un fin tuyau de cuivre à la carotide d'un cheval ; le sang avait giclé à 2,70 m de hauteur.

Par la suite, un médecin italien mit au point un appareil non invasif pour mesurer la tension artérielle – le sphygmomanomètre (ou sphygmotensiomètre) dont une version moderne est toujours utilisée par les médecins. Les compagnies d'assurances ont

3 HYPERTENSION
Ce que vous devez savoir

L'hypertension se produit quand les artérioles – petits capillaires des artères – durcissent et font obstacle à la circulation du sang. La tension, qui augmente alors dans les artères, peut en endommager les parois et les prédisposer à la formation de plaques. Cette tension affaiblit aussi le cœur et en augmente le volume.

CAUSES La génétique est présente dans 30 p. 100 des cas. Pour le reste, on note une augmentation anormale du volume liquide dans le circuit sanguin. Causes : excès de sel alimentaire, mais aussi constriction et durcissement des artères par athérosclérose, manque d'exercice, obésité, stress chronique et diabète.

QUOI DE NEUF

Nouvelles directives La tension artérielle optimale se situe sous la barre du 120/80.

Augmentation précoce des dommages et des risques Soixante et une études montrent que le risque de cardiopathie et d'accident vasculaire cérébral (AVC) apparaît avec une tension pourtant basse de 115/75. Le risque double avec chaque hausse de 20 points de la tension systolique (premier nombre) et de 10 points de la tension diastolique (deuxième nombre).

Un excès de fluide dans le courant sanguin et des artères rétrécies et durcies augmentent la pression du sang dans les artères, endommageant les parois de celles-ci.

DÉTECTION Le sphygmotensiomètre numérique remplace peu à peu l'ancien appareil qui obligeait le médecin ou l'infirmière à vous glisser un manchon sur le bras, à y appliquer un stéthoscope, à gonfler le manchon pour interrompre la circulation, puis à le desserrer peu à peu en notant les mesures appropriées. (Les appareils pour usage à domicile sont très bien, mais vous devriez faire mesurer votre tension au bureau du médecin de temps à autre : les appareils y sont plus fiables et les résultats sont notés.) L'hypertension ne donne généralement lieu à aucun symptôme qu'on puisse voir ou ressentir.

LE MÉDECIN À L'ŒUVRE Environ 7 millions de Canadiens souffrent d'hypertension et ils sont nombreux à prendre des médicaments pour remédier à la situation. Les diurétiques sont les plus répandus ; ils réduisent le volume de liquide dans le circuit sanguin. Il existe plusieurs autres catégories de médicaments très couramment prescrits, comme les alphabloquants, les bêtabloquants, les inhibiteurs de l'ECA (enzyme de conversion de l'angiotensine), les inhibiteurs des récepteurs de l'angiotensine II et les inhibiteurs calciques.

LE PATIENT À L'ŒUVRE Pour bien des gens, une modification de leurs habitudes alimentaires peut tenir lieu de diurétique naturel et diminuer l'hypertension aussi efficacement que certains médicaments. Méditation, exercice, perte de poids et abandon de la cigarette sont aussi utiles.

remarqué que l'hypertension est une cause de mort précoce. Le premier régime hyposodique – riz nature et fruits – conçu pour faire baisser la tension artérielle, apparut vers 1945. Dans les années 1950, les laboratoires pharmaceutiques mirent au point des hypotenseurs, les diurétiques ; ce sont encore des médicaments de première ligne.

Éléments de base

Les chercheurs commencent à comprendre comment la vie moderne et la génétique s'unissent pour faire monter la tension artérielle.

■ **Votre cœur** Plus il doit travailler fort, quand vous bêchez la terre par exemple, plus il est heureux et plus vous êtes en santé. La hausse passagère de tension sous l'effet de l'exercice est normale et saine, à moins de souffrir d'hypertension et d'athérosclérose. Mais un stress qui sévit sans relâche met vos artères sous tension et les endommage.

■ **Vos artères** Elles sont revêtues d'un muscle lisse qui se dilate ou se contracte au passage du sang. Plus elles sont élastiques, moins elles opposent de résistance au sang et moins celui-ci fait pression sur leurs parois. Quand elles sont obstruées par des plaques, le sang circule dans un espace rétréci et la tension artérielle monte.

■ **Vos reins** Ils règlent la teneur en sodium du corps et la quantité d'eau qui reste dans le sang (le sodium retient l'eau). Plus il y a d'eau dans le sang, plus il y a de sang qui circule dans les vaisseaux sanguins – et plus la tension monte.

■ **Vos hormones** Les hormones du stress font battre le cœur plus vite : les artères se

Plus votre cœur doit travailler fort, quand vous bêchez la terre par exemple, plus il est heureux...

Votre risque ? Hypertension

La tension artérielle mesure la poussée du sang dans les artères quand le cœur se contracte et quand il est au repos entre les battements. Demandez à un médecin ou à une infirmière de mesurer votre tension artérielle de temps à autre. Pour apprendre à la mesurer vous-même, allez sur le site français de la Fondation des maladies du cœur du Canada : **www.fmcoeur.ca/ta**

TENSION (en mm Hg)	VALEUR
sous 120/80	optimale
120-129/80-85	normale
130-139/85-89	un peu haute
140-159/90-99	légère hypertension
160-179/100-109	hypertension modérée
160/110 et plus	hypertension grave

Ne sous-estimez pas l'hypertension « accidentelle »

Vous avalez un café dans la voiture, vous traversez le stationnement à la course et vous arrivez pile à l'heure de votre rendez-vous chez le médecin. L'infirmière prend votre tension et vous dit qu'elle est un peu trop haute. Devriez-vous vous en faire étant donné le stress que vous venez de vivre?

Réponse Oui, vous devriez prendre au sérieux cette hypertension « circonstancielle ». La recherche indique maintenant qu'une seule occurrence d'hypertension, peu importe les circonstances, laisse présager l'apparition d'un risque éventuel de maladie cardiaque et ne devrait pas être sous-estimée par le médecin ou le patient. Les chercheurs ont examiné les dossiers de 5 825 patients traités pour hypertension et ont analysé ceux qui faisaient état de problèmes de santé dans les cinq années suivantes. Les sujets chez qui la pression systolique avait augmenté de 10 points lors d'une visite chez le médecin avaient un risque de maladie cardiaque accru de 9 p. 100, un risque d'AVC accru de 7 p. 100 et un risque plus élevé de 6 p. 100 d'être victimes d'un premier AVC ou d'une première crise cardiaque.

rétrécissent et la tension artérielle monte. D'autres hormones régissent la tension artérielle ; en agissant sur ces hormones, les inhibiteurs de l'ECA (enzyme de conversion de l'angiotensine) la font baisser.

Passez à l'action

Bien qu'on sache que l'hypertension tue – elle est présente dans 75 p. 100 des crises cardiaques et AVC –, plus de 4 Canadiens sur 10 ne savent pas qu'ils en font. D'autres le savent, mais ne font rien pour la maîtriser.

Certes, les médecins n'ignorent pas les risques de l'hypertension. Plus la tension est basse, mieux c'est – déclarent-ils tous, convaincus qu'il faut prendre l'hypertension au sérieux. La tension artérielle devrait être inférieure à 120/80, bien qu'elle soit normale jusqu'à 129/85 (le premier nombre indique la pression systolique ou force du sang contre les parois artérielles, tandis que le deuxième, ou pression diastolique, est celle du cœur entre deux battements).

Soumises à une tension que les médecins jugeaient autrefois optimale, les artères commencent déjà à s'endommager. Selon les données tirées de 61 études, le risque de décès par maladie cardiaque et AVC s'intensifie quand la pression dépasse seulement 115/75, bien que plusieurs médecins croient que cette valeur est trop prudente. Selon la Fondation des maladies du cœur du Canada, il y a hypertension quand la pression systolique se maintient au-dessus de 140 mm Hg ou la pression diastolique, au-dessus de 90 mm Hg. La Fondation ajoute que 30 ou 45 minutes d'exercice trois fois par semaine peuvent réduire la première de 10,4 mm Hg et la seconde de 7,5 mm Hg.

Les mesures que vous prenez de vous-même pour ramener votre tension artérielle à des valeurs normales donnent des résultats et peuvent vous éviter d'avoir à prendre des diurétiques ou d'autres antihypertenseurs. Et même si vous prenez des remèdes, vous avez intérêt à adopter un mode de vie sain. Certaines mesures concrètes (perdre du poids et manger moins de sel) et les techniques de relaxation mentale (méditation ou prière) peuvent faire baisser votre tension artérielle.

En perdant seulement 10 p. 100 de votre poids, vous pouvez ramener votre tension artérielle à des valeurs normales sans médicaments. Un régime riche en fruits et en légumes a les mêmes résultats. Évitez de recourir souvent aux anti-inflammatoires non stéroïdiens (AINS) : des études montrent qu'ils augmentent les risques d'hypertension.

4 TISSU ADIPEUX
Ce que vous devez savoir

Votre corps renferme des millions de cellules adipeuses dont chacune est remplie de lipides, matière composée de graisses, de sucres et d'acides aminés fournis par l'alimentation. Normalement, le tissu adipeux sert à coussiner les os, à régulariser la température du corps et à suppléer au manque de sucre sanguin le cas échéant.

CAUSES Quand vous mangez plus que nécessaire, les cellules adipeuses – extensibles – se gonflent à pleine capacité. S'il y a plus de calories qu'elles ne peuvent en stocker, le corps produit de nouvelles cellules adipeuses. (On croyait encore récemment qu'après la puberté, il ne se créait plus de cellules adipeuses. On sait aujourd'hui que la suralimentation crée ces cellules chez l'adulte.)

QUOI DE NEUF

L'obésité abdominale Les tissus adipeux ne sont pas tous aussi dangereux. Les pires s'accumulent dans la cavité abdominale, autour des organes internes, et libèrent des hormones qui perturbent la chimie de l'organisme, décuplant les risques de maladies graves et notamment de maladie cardiaque.

L'obésité abdominale libère dans le sang des acides gras et des composés chimiques qui peuvent induire l'athérosclérose, l'inflammation chronique et le syndrome métabolique.

Le rôle des glucides (hydrates de carbone) En abusant des glucides simples (sucre, farine blanche, riz, pommes de terre), vous prenez du poids. Par contre, vous devez absorber beaucoup de glucides complexes en mangeant notamment des fruits et des légumes riches en fibres et en antioxydants.

DÉTECTION C'est facile : regardez-vous dans le miroir. Vérifiez votre indice de masse corporelle (IMC). Pesez-vous. Mesurez votre tour de taille. L'excès de tissu adipeux est facile à repérer et à surveiller.

LA MÉDECINE À L'ŒUVRE Les Canadiens consacrent des milliards de dollars chaque année en médicaments sur ordonnance, liposuccions chirurgicales, régimes, suppléments en vente libre pour maigrir, abonnements à des clubs de mise en forme et édulcorants artificiels. Mais soyez vigilant, les remèdes amaigrissants vendus sans ordonnance ne tiennent pas toujours leurs promesses. Les médicaments sur ordonnance, pour inhiber l'appétit ou l'absorption des lipides, sont peu efficaces et la chirurgie a ses dangers.

Les chercheurs se penchent aujourd'hui sur l'utilité de certaines hormones pour réduire la faim. On étudie aussi les moyens de harnacher la ghréline, aussi appelée hormone de l'appétit. Mais on ne trouve pas encore sur le marché des médicaments miraculeux pour perdre du poids.

LE PATIENT À L'ŒUVRE C'est la clé du succès. Manger des aliments sains, faire de l'exercice et gérer son stress, voilà, dans bien des cas, les moyens qui aident à maigrir si on persévère dans ses bonnes résolutions.

sont minces par ailleurs, les sujets de type « pomme » – caractérisés par une ceinture lipidique – ont un tour de taille semblable à leur tour de hanches. D'autres, de type « poire » – caractérisés par un excès de tissu adipeux sur les hanches et les cuisses –, ont un tour de taille nettement plus petit que le tour des hanches, ce qui est beaucoup plus sain.

Si vous pensez que votre tour de taille est inquiétant, mettez-le à nu et enroulez un ruban à mesurer là où il est le plus petit. Un tour de taille de plus de 100 cm (40 po) chez l'homme et de plus de 90 cm (35 po) chez la femme indique généralement une augmentation des risques. L'obésité abdominale est si grave qu'on a parlé du tour de taille comme de l'une des six mesures les plus importantes à noter (pour en savoir davantage, voir « 6 nombres qui peuvent vous sauver la vie », p. 216).

Comment vous défaire de cet excès de tissu adipeux ? Ne misez pas sur la chirurgie dans les années à venir. Il existe des solutions moins dangereuses. Grâce au programme *30 minutes par jour*, vous mangerez moins de gras saturés et à peu près pas de gras trans. (Les aliments riches en gras saturés – beurre, viandes grasses, crème glacée et lait entier – accroissent la graisse abdominale, tout comme les gras trans, qui donnent leur croquant aux biscuits et autres friandises préfabriquées.)

Vous augmenterez vos apports en fibres – elles réduisent la graisse abdominale. Vous vous détendrez et jouirez plus de la vie, parce que le stress et un taux élevé de cortisol, l'hormone du stress, sont étroitement liés à l'obésité abdominale. Enfin, vous serez plus actif physiquement et vous vous sentirez mieux.

Votre risque ?
Excès de tissu adipeux

Votre poids est-il correct ? L'une des mesures les plus populaires aujourd'hui est l'indice de masse corporelle (IMC) fondé sur le poids et la taille. Vous trouverez des tableaux sur l'Internet et dans des livres, mais si vous avez une calculatrice, voici comment le déterminer. (C'est bon à savoir, car médecins, professionnels de la santé et même agents d'assurances s'en servent pour apprécier la santé de votre poids.)

- Poids en kilogrammes (1 kg = 2,2 lb).
- Taille en mètres portée au carré (m²).
- Divisez poids par taille en mètres au carré.

PAR EXEMPLE, si vous pesez 70 kg et mesurez 1,71 m, votre IMC est de 24 :
- 70 kg
- 1,71 x 1,71 = 2,92 m²
- 70 ÷ 2,92 = 24 (23,97 pour être précis !)

Si vous avez 20 ans et plus, voici comment interpréter votre IMC.

IMC	VALEUR
20 à 25	IMC normal
25 à 30	Surpoids
Plus de 30	Obésité
Plus de 40	Obésité morbide

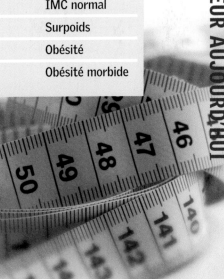

AGRESSEUR 5
Syndrome métabolique

On ne le voit pas. On ne le sent pas. Le syndrome métabolique – déséquilibre de la chimie organique – frappe des milliers de Canadiens.

Le syndrome métabolique a été qualifié de « bombe à retardement » parce qu'on ne l'identifie souvent que quand il est trop tard pour corriger la situation. Ce n'est pas une maladie découverte récemment ; c'est plutôt un groupe de facteurs – obésité, résistance à l'insuline ou diabète de type II, hypertension, taux élevés de triglycérides et « bon » cholestérol HDL insuffisant – qui augmentent les risques de maladie cardiovasculaire et de diabète et sont reliés à la stérilité et aux cancers du sein, de la prostate et du côlon.

Les principales raisons qui expliquent sa prévalence actuelle sont simples – trop de graisse abdominale et trop peu d'exercice. Son incidence augmente à mesure que se répandent au Canada l'obésité et la sédentarité. Chose curieuse, les chercheurs ont trouvé que la résistance à l'insuline viendrait aussi d'une mauvaise alimentation fœtale jumelée à une croissance rapide durant l'enfance. On estime que des milliers de Canadiens souffriraient du syndrome métabolique, mais selon certains experts, il y en aurait beaucoup plus : chaque adulte (60 p. 100) et chaque enfant (26 p. 100) trop gras ou obèses pourraient en être atteints.

Il s'agit d'un mauvais fonctionnement des systèmes qui alimentent les cellules en sucre sanguin (glucose). Imaginez que vous venez de manger un bol de gruau. Normalement, après le repas, votre taux d'insuline monte un peu, incitant les cellules à absorber le sucre sanguin fourni par le déjeuner. Dans le syndrome métabolique, les cellules ne peuvent plus percevoir le signal insulinique parce que l'obésité abdominale libérerait dans le circuit sanguin d'étranges composés, dont des messagers chimiques du système immunitaire appelés cytokines.

Les cytokines bloquent les signaux insuliniques avisant les cellules d'absorber le sucre du sang : les cellules sont donc privées de carburant et le sucre reste dans le sang. Le pancréas réagit en libérant plus d'insuline. Quand l'insuline l'emporte sur les cytokines, les cellules reçoivent le sucre nécessaire.

Les personnes affligées du syndrome métabolique ont des taux d'insuline deux ou trois fois supérieurs à la normale – et la situation peut durer des années –, recette idéale pour les maladies du cœur. Résultat : plus de triglycérides, moins de « bon » HDL et plus de gras dans le sang à la fin du repas, mais aussi durant un plus long espace de temps après. En outre, l'insuline incite le « mauvais » LDL à se fragmenter en petites particules denses qui pénètrent dans les parois des artères, y formant la base des plaques.

Enfin, les concentrations de fibrinogènes augmentent dans le circuit sanguin, permettant au sang de se coaguler plus facilement. On ne s'étonnera donc pas que le syndrome métabolique soit si mauvais pour le cœur !

Il n'existe pas d'analyse simple, bien que le médecin puisse utiliser à titre indicatif un test de tolérance au glucose après deux heures. Seuls indices, quelques symptômes légèrement inquiétants qui, pris isolément, n'alarment ni le médecin ni le patient.

Votre risque ?
Syndrome métabolique

Si vous avez au moins trois des symptômes suivants, vous souffrez peut-être de syndrome métabolique et l'insuline peut menacer votre cœur plus que vous ou votre médecin le pensez.

- Obésité abdominale – tour de taille de plus de 102 cm (40 po) chez l'homme et de plus de 88 cm (35 po) chez la femme
- Tension artérielle supérieure à la normale (140/90 ou plus)
- Taux de triglycérides supérieur à la normale (1,7 mmol/l ou plus)
- Taux de cholestérol HDL inférieur à la normale : moins de 0,9 mmol/l chez l'homme ou moins de 1 mmol/l chez la femme
- Diabète de type II ou mauvaise tolérance au glucose : taux de glucose sanguin de 7,8 mmol/l ou plus, lors d'un test oral de tolérance au glucose pratiqué 120 minutes après un repas

AUTRES FACTEURS DE RISQUE
- Surcharge pondérale : indice de masse corporelle (IMC) de plus de 30
- Vie sédentaire
- Protéine dans l'urine (micro-albuminurie) par suite d'une maladie rénale – marqueur classique de dommages causés par le diabète
- Âge : au-dessus de 40 ans
- Origine ethnique sud-asiatique, ouest-africaine ou antillaise
- Antécédents familiaux ou personnels de diabète de type II, d'hypertension ou de maladie cardiovasculaire
- Acanthosis nigricans : plaques de peau épaisse, brunâtre et veloutée dans le cou, aux aisselles, dans l'aine ou sous les seins (femmes)
- Ovaires polykystiques et problème de stérilité
- Antécédent de diabète durant la grossesse

5 SYNDROME MÉTABOLIQUE
Ce que vous devez savoir

Peu connu, mais très répandu, le syndrome métabolique est lié à divers facteurs de morbidité, dont un taux constamment élevé d'insuline dans le sang. Les gens qui en sont affligés sont davantage exposés à souffrir de cardiopathie et de crise cardiaque, ainsi que d'AVC, de diabète de type II, de cancer et, pour la femme, de stérilité.

CAUSES L'obésité abdominale et le manque d'exercice. Ensemble, ces deux facteurs incitent les cellules musculaires et hépatiques à résister aux messages de l'insuline, hormone qui leur ordonne d'absorber le sucre sanguin. Le corps réagit en produisant plus d'insuline. Finalement, les cellules absorbent le sucre sanguin – mais les taux d'insuline peuvent rester dangereusement hauts pendant des années.

QUOI DE NEUF

Le syndrome métabolique détruit le « bon » cholestérol HDL et augmente les triglycérides Il garde plus de gras dans le courant sanguin après le repas ; il fragmente le « mauvais » LDL en petites particules denses et létales et augmente le risque de caillots sanguins.

Lien évident entre le stress et le syndrome métabolique Une étude menée en Europe en 2002 a pour la première fois établi avec certitude un lien biologique entre le stress et le syndrome métabolique. Mais – et c'est encourageant ! – elle a également montré que les mauvais effets du stress sont réversibles, du moins en partie, grâce à certaines mesures comme la perte de poids et la baisse de la tension artérielle.

La graisse abdominale libère un produit chimique qui empêche l'organisme d'absorber le sucre sanguin, provoquant ainsi une accumulation dangereuse d'insuline dans le sang.

DÉTECTION Il existe un assez bon test médical standard permettant de mesurer les taux d'insuline et de glucose sanguin durant un test de tolérance au glucose. Cette méthode sera de plus en plus répandue à mesure qu'on prendra conscience de l'importance du syndrome métabolique. Même sans test, il est probable que vous souffrez de ce syndrome si vous avez au moins trois des signaux d'alarme décrits à la page précédente.

LA MÉDECINE À L'ŒUVRE Les médecins conseillent à leurs patients de perdre du poids et d'augmenter leur activité physique. Ils peuvent aussi leur prescrire des médicaments comme des statines pour faire baisser les taux de cholestérol sanguin, quand ils sont trop élevés, ainsi que des médicaments contre l'hypertension.

LE PATIENT À L'ŒUVRE Prendre soin de soi-même est le meilleur traitement. Faire de l'exercice – si peu que ce soit – et perdre du poids font baisser les taux d'insuline et augmentent la réceptivité des cellules à l'insuline, évitant ainsi à l'organisme d'avoir à en produire des quantités additionnelles.

AGRESSEUR 6
Stress oxydatif

Les chercheurs sont en train de découvrir un mécanisme qui pourrait expliquer les modifications chimiques qui précèdent l'athérosclérose, voie d'entrée sournoise de la maladie cardiaque.

Cette recherche établit un lien entre les divers facteurs qui agressent l'organisme, ceux sur lesquels vous pouvez agir – votre alimentation, les remèdes que vous prenez et le tabagisme – et ceux sur lesquels vous ne pouvez pas agir – la pollution environnementale ou les radiations. Elle s'intéresse surtout au stress oxydatif – dommages causés aux cellules par des molécules d'oxygène vagabondes appelées radicaux libres, engendrées notamment par la digestion et la respiration et qui peuvent provoquer des problèmes sérieux.

À tout moment durant la journée circulent dans votre sang des radicaux libres dont le pouvoir destructeur émane de leur structure : ils n'ont qu'un électron, alors que pour bien fonctionner, il leur en faudrait deux. Ce sont donc des particules instables, avides de « pirater » un électron aux autres molécules, prédation qui endommage gènes, protéines et lipoprotéines et augmente les risques de maladie cardiaque et de cancer notamment.

Normalement, les mécanismes de défense de l'organisme – les antioxydants qui viennent des aliments, par exemple – en viennent vite à bout. Mais si le sujet fume, est obèse, ne fait pas d'exercice, est stressé, souffre de syndrome métabolique ou abuse de la restauration rapide – croustilles et cola –, les mécanismes naturels de défense sont paralysés. La situation est pire encore quand les cellules rejettent elles aussi des radicaux libres tout en luttant contre les effets des rayons ultraviolets, de la pollution, de la fumée de tabac et d'un excès d'alcool ou de médicaments – qu'ils soient d'ordonnance, en vente libre ou illégaux. Quand les mécanismes naturels de défense sont débordés, le stress oxydatif s'installe.

Les chercheurs estiment maintenant que le stress oxydatif représente un facteur décisif pour la santé du cœur ; selon eux, ce serait l'élément déclencheur de l'athérosclérose. Le moment décisif se produit quand les particules de LDL s'oxydent. C'est alors que le cholestérol devient le plus néfaste pour le cœur et le plus apte à encrasser les parois des artères.

Le système immunitaire perçoit les LDL oxydés, appelés LDL-ox, comme des envahisseurs grotesques. Les cellules immunes macrophages les transforment alors en cellules spumeuses (comme de la mousse) sur lesquelles se forment les plaques. En outre, les LDL-ox semblent pousser les plaques à s'élargir et à se morceler, produisant des caillots sanguins mortels pour le cœur. Des taux élevés de LDL-ox peuvent ainsi doubler vos risques de crise cardiaque.

Selon des chercheurs japonais, des taux élevés de LDL oxydés multiplient les risques de maladie cardiaque grave : des patients ayant déjà fait une crise cardiaque avaient des taux de LDL oxydés quatre fois supérieurs à ceux du groupe de contrôle.

Cette constatation, selon plusieurs, donne à penser que le cholestérol oxydé accélérerait l'obstruction des artères, cause de crise cardiaque. On peut, dans une certaine mesure, prévenir l'oxydation en mangeant beaucoup de fruits et de légumes, ceux-ci étant riches en antioxydants.

Le HDL protège le LDL contre l'oxydation. Le « bon » cholestérol ne se contente pas de transporter le cholestérol LDL vers le foie où il est excrété. Il le protège et le répare en le débarrassant des gras oxydés. Voilà une autre bonne raison de manger des aliments qui augmentent vos taux de HDL.

En cas de syndrome métabolique, le LDL risque davantage de s'oxyder et vous de souffrir de cardiopathie. Par ailleurs, si vous avez un taux normal de cholestérol, la présence du syndrome métabolique permet de croire que votre LDL est à petites particules denses, victime de choix des radicaux libres.

Des analyses sanguines sophistiquées diront si votre LDL est de ce type. Mais il y a une façon plus simple de le savoir. Si l'analyse révèle que vous avez peu de HDL et beaucoup de triglycérides, vous avez probablement en plus du LDL à petites particules denses. Plus simple encore : si vous croyez que vous souffrez du syndrome métabolique,

Votre risque ?
Stress oxydatif

Lesquels de ces facteurs de risque avez-vous ? Plus ils sont nombreux, plus les radicaux libres menacent votre système cardiovasculaire.

- Tabagisme
- Obésité
- Syndrome métabolique ou diabète
- Manque d'exercice
- Moins de cinq portions de fruits et de légumes par jour
- Stress mental ou émotif

n'hésitez pas – faites de l'exercice, perdez du poids et ingérez moins d'hydrates de carbone raffinés.

Or, le programme *30 minutes par jour* renforce vos défenses naturelles contre l'oxydation. Vous vous retrouverez devant un arc-en-ciel coloré de légumes et de fruits – entiers ou en jus – riches en antioxydants. Vous apprendrez un secret qui vous fera gagner du temps tout en doublant la valeur antioxydante des légumes. Vous découvrirez une sauce à salade qui amplifie votre système antioxydant naturel. Et vous deviendrez un expert dans l'art de choisir les meilleurs fruits et légumes pour votre cœur.

Vous saurez pourquoi il y a trop de suppléments antioxydants en vente et pourquoi l'un des antioxydants recommandés depuis le plus longtemps – la vitamine E – peut ne pas réduire l'oxydation du LDL tout en risquant de nuire à votre cœur. Enfin, vous découvrirez les bienfaits de pauses méditatives de trois minutes ou des postures de yoga pour lutter contre l'oxydation par le calme, même si votre emploi du temps est bousculé.

6 STRESS OXYDATIF
Ce que vous devez savoir

Le stress oxydatif désigne les dommages causés par les molécules d'oxygène appelées radicaux libres. Ces radicaux libres sont produits naturellement par l'organisme quand on respire, digère et neutralise les boissons alcooliques ou les médicaments et quand les cellules transforment les graisses et les glucides en énergie. Mais quand ils attaquent le cholestérol LDL, celui-ci se transforme et devient un précurseur de l'athérosclérose.

CAUSES Votre système naturel de défense antioxydant élimine en général les radicaux libres. Mais quand il est débordé, ceux-ci attaquent les cellules et d'autres molécules, ouvrant la porte à l'athérosclérose, au cancer et au déclin intellectuel. Or, une consommation insuffisante de fruits et de légumes, le stress et un manque d'exercice diminuent vos moyens de défense antioxydants.

QUOI DE NEUF

Les radicaux libres attaquent le LDL
- En modifiant structurellement le cholestérol LDL, ils provoquent ou aggravent l'athérosclérose et contribuent au morcellement des plaques. Or, ces morceaux de plaques peuvent entraîner la formation de caillots bloquant la circulation du sang vers le cerveau et vers le cœur.

Privés d'un électron, les radicaux libres endommagent gènes, protéines et autres cellules en leur volant un électron. Il peut en résulter des problèmes pour le cœur.

La relation esprit corps Le stress mental et émotif accentue le stress oxydatif; la détente le diminue.

DÉTECTION Aucune analyse ne permet de connaître le degré de stress oxydatif présent dans votre système circulatoire, mais votre façon de vivre le trahit. L'obésité, une alimentation pauvre en fruits et en légumes, le tabagisme et le manque d'exercice augmentent vos risques de souffrir de stress oxydatif.

LA MÉDECINE À L'ŒUVRE Chaque année, les Canadiens consacrent des millions de dollars à l'achat de suppléments vitaminiques ou minéraux et d'antioxydants, comme les vitamines A, C, E et le bêta-carotène ainsi qu'un sel minéral, le sélénium. La preuve scientifique de leur efficacité n'est toutefois pas faite.

LE PATIENT À L'ŒUVRE Vous pouvez faire beaucoup en recherchant les antioxydants naturels : en faisant plus d'exercice, en évitant le stress, en mangeant plus de fruits et de légumes. Augmentez facilement votre ingestion quotidienne d'antioxydants en remplaçant les sodas par le jus de pomme ou de raisin, en mettant du brocoli dans votre salade – et même en mangeant des légumes en boîte : en dépit du traitement qu'ils reçoivent, ils conservent normalement beaucoup des antioxydants que les légumes frais peuvent perdre durant l'entreposage. Mais attention – ils sont souvent mis en boîte dans de l'eau salée; lisez leur teneur en sodium sur l'étiquette.

AGRESSEUR 7
Inflammation chronique

Que vous vous pinciez un doigt dans une porte, vous coupiez le pouce en tranchant du pain, vous brûliez avec du café, votre corps réagit.

Chaleur, rougeur, douleur – bref, inflammation : ainsi réagit votre corps devant une blessure. Signe de faiblesse ? Non : ingénieux mécanisme de défense du système immunitaire pour réparer les dommages et repousser l'ennemi – microbes, saleté, toxines – avant qu'il ne vous menace.

Toute « attaque » contre votre corps – coupures, éraflures, infections bactériennes ou virales – déclenche cette réaction qui a évolué pendant des millions d'années. Vos défenses naturelles sont déjà au travail quand vous apparaît l'inflammation : une zone rouge, chaude et sensible. Mais vous ne voyez pas ce qui se passe en dedans : une armée de combattants – macrophages, lymphocytes T et cellules « tueuses » – traque et détruit les microbes pendant que des millions d'agents moléculaires dirigent le travail du système immunitaire.

L'inflammation fait partie du système de défense de l'organisme, mais ce système fait peut-être trop bien son travail pour l'homme du XXIe siècle. Le problème ne vient pas de ces courts épisodes d'inflammation qui luttent contre l'infection ou enclenchent la cicatrisation. Il surgit quand l'inflammation ne peut plus s'arrêter. L'inflammation chronique est une réaction immune à divers facteurs – obésité, vieillissement, sédentarité, hygiène déficiente, infections mineures et stress – et elle attaque les cellules qu'elle devrait protéger en les bombardant d'éléments chimiques produits par le système immunitaire.

Selon des recherches récentes, ces éléments chimiques provoquent la formation de plaques, dépôts lipidiques qui s'installent dans les artères et peuvent se rompre, répandant leur bouillie grasse dans le sang et contribuant à créer des caillots qui obstruent les artères du cœur et provoquent la nécrose partielle du muscle cardiaque.

Les chercheurs savent depuis longtemps que l'inflammation joue un rôle clé dans plusieurs maladies – asthme, polyarthrite rhumatoïde, sclérose en plaques – et dans les affections intestinales inflammatoires comme la maladie de Crohn. On essaie maintenant d'identifier ce qui déclenche l'inflammation et comment répond l'organisme aux dommages qu'elle cause. La Harvard Medical School a découvert récemment que l'un des marqueurs de l'inflammation, une molécule du système immunitaire appelée protéine C-réactive, est un précurseur de maladie cardiaque. Cette découverte peut aider à identifier les personnes exposées à la crise cardiaque même si elles ont un taux de cholestérol jugé sain.

Déclencheurs de l'inflammation

Comment peut-on être attaqué par son propre système de défense? Tout comme la fumée d'une friture d'oignons ou la vapeur de la douche peut déclencher un détecteur de fumée, le tabagisme, l'obésité abdominale, un excès de calories, de mauvais aliments, un manque d'exercice ou le stress quotidien de la vie peuvent lancer l'inflammation.

Certains médecins soupçonnent que les infections provoquées par des micro-organismes comme *Chlamydia pneumoniae* et *Helicobacter pylori* peuvent aggraver ou même provoquer une réaction inflammatoire. Autres coupables possibles : le tabagisme, le diabète non maîtrisé, l'hypertension et l'hypercho-lestérolémie. La réaction inflammatoire peut aussi être provoquée par des infections mineures comme une gingivite ou une cystite. En outre, comme l'espérance de vie augmente, les tissus du corps s'endommagent davantage. Voici quelques-uns des principaux déclencheurs de l'inflammation chronique.

■ **Restauration rapide** Un repas riche en gras et en calories a un effet inflammatoire dommageable sur la fonction vasculaire. C'est que le taux des mauvais gras qui circulent dans le sang reste alors bien au-dessus de la normale durant trois heures au moins après le repas. On appelle ce phénomène hyper-lipidémie postprandiale. Le fast-food quoti-dien pourrait donc entretenir l'inflammation.

■ **Obésité abdominale** Les cellules lipi-diques sont parfois décrites comme des « pompes à hormones ». Parmi les composés chimiques qu'elles rejettent dans le sang, il y

Votre risque ?
Inflammation chronique

La protéine C-réactive (PCR) est un élément chimique du système immunitaire produit par le foie en réponse à une inflammation dans toute partie du corps. Quantifier la PCR aide à prévoir les risques de cardiopathie comme la crise cardiaque chez une personne en bonne santé ; ces analyses mesurent avec précision même de faibles taux de PCR.

On ne sait pas encore quand devrait être faite cette analyse et qui devrait la subir. D'autres états inflammatoires peuvent faire monter les taux de PCR. L'analyse pourrait s'inscrire dans une démarche visant à préciser un risque cardiovasculaire (cœur et vaisseaux sanguins), avec des analyses lipidiques comme celles portant sur le cholestérol et les triglycérides. Selon certains experts, la meilleure façon de prévoir un risque, c'est de combiner un bon marqueur d'inflammation, comme la PCR, et les taux de LDL du sujet : le LDL révèle le degré d'obstruction des artères par les plaques, tandis que la PCR dirait si ces plaques risquent d'éclater et de provoquer des caillots sanguins.

TAUX (mg/l)	RISQUE
au-dessous de 1	faible
de 1 à 3	moyen
au-dessus de 3	élevé

a les cytokines, protéines inflammatoires qui contribuent à l'inflammation.

■ **LDL oxydé** Quand le « mauvais » choles-térol LDL rencontre dans le sang les molé-cules actives dites radicaux libres (issues de divers facteurs comme le tabagisme), il se produit une réaction chimique qui facilite

7 INFLAMMATION CHRONIQUE
Ce que vous devez savoir

L'inflammation chronique apparaît quand les mécanismes de défense du système immunitaire deviennent actifs – et le demeurent. Elle a plusieurs causes : des infections ordinaires comme la gingivite ou l'ulcère gastrique provoqué par la bactérie *H. pylori*, des substances libérées par un excès de gras dans l'estomac ou le vieillissement.

CAUSES L'inflammation chronique nuit au cœur en provoquant la formation de plaques dans les artères. Quand des éléments chimiques inflammatoires rencontrent des particules de LDL dans les parois des artères, elles lancent contre elles des cellules macrophages. Les sous-produits de cette attaque sont des cellules spumeuses (particules de LDL oxydées) qui servent de base aux plaques. En se développant, celles-ci se couvrent d'une tunique dure et fibreuse. Mais les composés inflammatoires l'affaiblissent ; les plaques se lèsent et libèrent dans le sang les dépôts qu'elles renferment. D'autres composés inflammatoires favorisent la coagulation du sang, de sorte qu'une inflammation mineure qui les libère de façon constante dans le sang peut provoquer une crise cardiaque.

Si le système immunitaire est toujours en mode « attaque », il finit par viser le cholestérol des artères. Résultat : des plaques plus grandes et plus fragiles.

QUOI DE NEUF C'est un signal d'alarme On vient tout juste d'établir un lien entre l'inflammation interne et la cardiopathie. On sait maintenant que l'inflammation chronique peut indiquer aux médecins ceux qui, parmi leurs patients, et en dépit d'un taux à peu près normal de cholestérol, pourraient faire une crise cardiaque.

DÉTECTION Les médecins se servent d'une analyse du sang pour détecter la présence d'un marqueur inflammatoire, la protéine C-réactive (PCR). Cette analyse très précise est de plus en plus utilisée.

LA MÉDECINE À L'ŒUVRE Il n'existe pas encore de médicaments contre l'inflammation chronique, mais statines, bêtabloquants et AAS à faible dose ont un effet anti-inflammatoire. On explore la possibilité de prescrire à long terme de faibles doses d'antibiotiques contre des infections bénignes, mais persistantes.

LE PATIENT À L'ŒUVRE Il peut obtenir de bons résultats – mais seulement s'il s'occupe de son corps au complet. Se brosser les dents, par exemple, est important contre la gingivite. Prendre soin de son estomac est important pour lutter contre la bactérie qui cause les ulcères. Il sera utile, le cas échéant, de réduire son obésité abdominale et d'absorber plus d'acides gras oméga-3 (présents dans les poissons d'eau froide comme le saumon, mais aussi dans les noix, l'huile de lin et les suppléments d'huile de poisson).

l'entrée du LDL dans les parois des artères. Ce LDL déclenche une inflammation qui encourage la formation de plaques remplies de cholestérol, de cellules du système immunitaire et d'autres substances. En fragilisant la tunique fibreuse qui normalement isole ces plaques du circuit sanguin, l'inflammation les rend plus susceptibles d'éclater et de rejeter dans le sang des éléments qui favorisent une coagulation rapide et qui, au bout du compte, peuvent induire une crise cardiaque ou un accident vasculaire cérébral (AVC).

■ **Infections mineures chroniques**
Bronchite, herpès, gingivite, cystite, la bactérie *Chlamydia pneumoniae* et une autre appelée *Helicobacter pylori* (responsable de la plupart des ulcères gastriques) provoquent l'inflammation et lancent des composés chimiques inflammatoires dans le circuit sanguin. Nous vivons souvent avec des infections mineures qui passent inaperçues parce que leurs symptômes sont mineurs, mais qui contribuent à amener une réaction inflammatoire.

■ **Stress et anxiété** Adrénaline, cortisol et autres hormones du stress peuvent provoquer l'inflammation ; le stress chronique empêche l'organisme d'arrêter l'inflammation.

■ **Rester assis plutôt que de marcher**
Les personnes actives ont moins de protéines C-réactives (PCR) dans le sang.

■ **Ne pas manger de « bons » gras** Noix, huile de lin, poissons gras comme le saumon ou gélules d'huile de poisson – renferment des acides gras oméga-3, pierre angulaire des eicosanoïdes anti-inflammatoires. Il faut manger plus d'oméga-3 diététiques.

■ **Trop de gras trans** Ces gras industriels, hydrogénés, présents dans les biscuits, les tartes et les gâteaux, empêchent le corps de produire et d'utiliser des gras sains.

■ **Pas assez de fruits et de légumes**
Mangez-en trop peu et vous vous privez d'antioxydants comme la vitamine C et le caroténoïde des fruits et légumes frais. Or, ils peuvent neutraliser les effets nocifs et inflammatoires des radicaux libres instables.

Les gens actifs ont de plus faibles concentrations sanguines de PCR.

MARQUEURS ÉMERGENTS
Au-delà des sept grands

Les chercheurs en biologie moléculaire et en cardiologie sont toujours à l'affût de nouveaux marqueurs de la maladie cardiaque. En voici quatre qui se sont classés parmi les plus significatifs.

1 Homocystéine

À des taux supérieurs à la normale, cet acide aminé – issu de la fragmentation des protéines alimentaires, surtout animales, dans l'organisme – est lié à un risque deux fois plus grand de maladie cardiaque. Selon une étude norvégienne sur 587 cardiaques, le risque de décès est huit fois plus grand là où le taux d'homocystéine est relativement haut. Selon une étude anglaise, l'AVC guette davantage les personnes génétiquement menacées d'un excès d'homocystéine.

L'acide folique diminuerait ce risque selon la recherche, mais il faudra des études sur une grande échelle pour savoir si un tel traitement est sûr à long terme. La question demeure : un taux élevé d'homocystéine peut-il provoquer la maladie cardiaque à brève ou longue échéance ou est-ce le marqueur de quelque autre maladie ? En abaisser le taux réduirait-il le risque ? Comme l'homocystéine peut altérer la tunique des artères et favoriser la coagulation du sang, les chercheurs cherchent à démontrer que de hauts taux sanguins d'homocystéine sont associés à un risque accru de maladie cardiovasculaire.

Divers problèmes peuvent faire monter les taux d'homocystéine, dont une carence en acide folique – l'organisme utilise l'acide folique et les vitamines B_6 et B_{12} pour décomposer l'homocystéine afin de l'utiliser comme énergie. Or, on trouve l'acide folique à l'état naturel dans bien des légumes – asperges, haricots et pois secs, légumes feuillus comme les épinards (consommés crus ou peu cuits pour leur conserver l'acide folique), fruits frais et jus d'orange.

Êtes-vous à risque ? Selon plusieurs spécialistes, des taux élevés d'homocystéine sont une preuve de plus qu'il faut traiter l'excès de cholestérol et les autres facteurs de risque.

2 Apolipoprotéines A et B

Les apolipoprotéines A et B jouent un rôle important dans la production et le transport du cholestérol organique. Chacune se lie au cholestérol dans le sang – le type A aux molécules du « bon » HDL et le type B à celles du « mauvais » LDL. Bref, il vous faut plus de A et moins de B, cette dernière étant associée à une hausse du risque de maladie cardiaque.

Êtes-vous à risque ? On en sait peu encore sur ce facteur de risque émergent, mais les médecins commencent à penser que ces particules, composées de gras et de protéines, peuvent aider à préciser les risques de cardiopathie, surtout chez les femmes et

Bonne nouvelle : la recherche indique qu'il est possible de faire baisser les taux d'homocystéine grâce à l'acide folique présent dans les fruits, les légumes et le jus d'orange.

chez les personnes qui présentent un taux élevé de triglycérides.

3 Lipoprotéine A

Déviance du cholestérol LDL, la lipoprotéine A combine l'apolipoprotéine A et le LDL. Ces particules à noyau de cholestérol et tunique collante de protéines semblent favoriser la coagulation du sang. Elles fixent le LDL sur les parois artérielles et encouragent la formation de plaques. Des taux élevés de lipoprotéine A multiplient les risques d'athérosclérose précoce – sur dix ans, ils augmentent de 70 p. 100 et la lipoprotéine A peut coexister avec des taux normaux de cholestérol. Il n'y a pas de traitement spécifique pour réduire la lipoprotéine A, mais si vous savez que votre taux est élevé, vous chercherez à adopter un mode de vie bon pour votre cœur.

Êtes-vous à risque ? La lipoprotéine A semble liée à un facteur génétique (elle paraît plus répandue chez les descendants des Afro-Antillais). Chez la femme, des taux élevés seraient liés à l'obésité.

4 Oxyde nitrique (NO)

Cette petite molécule joue un grand rôle dans la santé du cœur : en détendant les vaisseaux sanguins, elle maintient une tension artérielle saine et combat l'athérosclérose en isolant les parois artérielles de sorte que les globules blancs et les plaquettes ne peuvent y adhérer. L'oxyde nitrique inhibe aussi la prolifération des cellules musculaires dans les parois des artères – ce qui les empêche d'épaissir – et la production de radicaux libres.

Il se peut qu'en faisant plus d'exercice et en mangeant plus d'aliments – haricots, poisson, noix et soja – riches en arginine, constituant de l'oxyde nitrique, et moins de gras saturés (trois éléments de notre plan), vous puissiez stimuler sa production.

Êtes-vous à risque ? La tunique des parois artérielles produit de l'oxyde nitrique si elle est saine. Sinon, elle en produit moins. On ne connaît pas d'analyse pour mesurer le taux d'oxyde nitrique, mais il se peut que vous en ayez moins qu'il ne faut si vous êtes obèse et inactif, si vous fumez ou si vous avez un taux élevé de cholestérol.

Pour avoir un cœur en forme, il faut avancer par étapes : ainsi, vous adopterez des comportements santé sans difficulté et, surtout, ce sera agréable !

Introduction à notre programme

Nous avons organisé nos propositions en six chapitres. Voici ce que vous y trouverez.

Nos recommandations

Bien manger pour le cœur

Nous vous proposons un guide pour consommer davantage d'aliments bénéfiques pour le cœur. Il part du constat, indiscutable, que les aliments sont beaucoup plus sains à l'état naturel que transformés. Nous vous donnons ici des menus types, quelques astuces pour faire les courses et cuisiner, des recommandations sur la taille des portions ou la façon de commander au restaurant.

Bouger : une nécessité

Découvrez des moyens particulièrement simples et agréables pour vous remettre à la pratique d'une activité physique. Vous trouverez des conseils pour vous inciter à marcher davantage ainsi que des mouvements d'étirement et des exercices de musculation qui vous feront le plus grand bien.

Cœur heureux, cœur en forme

Peut-être serez-vous surpris du lien entre bonheur et santé cardiaque, pourtant de nombreuses études le corroborent. Nous vous donnons dans ce chapitre des conseils avisés qui vous aideront à adapter votre attitude et votre réponse au stress afin de préserver votre cœur au lieu de lui nuire.

Se débarrasser des toxines

Il n'y a pas si longtemps, la plupart des médecins restaient dubitatifs quant à l'idée que les germes, les produits chimiques et les polluants puissent être nocifs pour le cœur. Aujourd'hui, nous savons avec certitude que le cœur souffre lorsqu'il se trouve dans un environnement pollué. Nous vous dirons quels sont les meilleurs moyens de minimiser les effets nocifs des toxines les plus courantes.

Surveiller sa santé cardiaque

Si vous avez un conseiller financier, il vous envoie sans doute un relevé trimestriel actualisé et vous savez à quels chiffres vous reporter pour connaître l'état de votre portefeuille. Un tel service n'existe pas sur le plan médical. Nous vous apprendrons quelles sont les valeurs à surveiller, comment les mesurer, et nous vous indiquerons ce qu'il faut vérifier au jour le jour.

Outils complémentaires

Vous trouverez ensuite des éléments complémentaires : d'autres exercices physiques, des recettes, des réponses à des questions courantes, des formulaires pour assurer votre suivi quotidien, et bien d'autres informations qui vous seront très utiles.

Le programme *30 minutes par jour* doit être un engagement ferme. Si vous suivez les recommandations de cet ouvrage, vous apporterez à votre cœur la meilleure protection possible et vous le ferez en un minimum de temps. Vous en tirerez d'immenses bénéfices : vous perdrez du poids, vous renforcerez vos défenses immunitaires et vous verrez la vie en rose !

Il existe des centaines de mesures très simples,
à appliquer au quotidien, pour permettre
à votre cœur de battre bien plus longtemps.

Le premier pas

Le fait que vous ayez acheté ce livre prouve que vous vous souciez
suffisamment de votre cœur pour avoir envie de procéder
à des changements salutaires. Comme vous le verrez dans
les pages suivantes, il existe des centaines de mesures très
simples, à appliquer au quotidien, pour permettre à votre
cœur de battre bien plus longtemps. Mais il peut sembler
difficile d'engager la lutte sur trois fronts à la fois :
alimentation, activité physique et mode de vie.

Si vous êtes malade, faites peu d'activité
physique, ou encore avez des problèmes
de santé ou d'obésité, allez voir votre médecin
avant de débuter ce programme (voir
« Le rôle du médecin », p. 63, et le chapitre
« Surveiller votre santé cardiaque », p. 214,
pour en savoir plus sur le travail à mener
avec votre médecin). Répondez ensuite aux
tests des pages suivantes. Déterminez
où il vous faut intervenir en priorité et
commencez par là.

Que faire s'il me faut agir
sur tous les plans ?

Vous avez donc répondu aux tests et vous constatez
qu'il vous faut améliorer votre mode de vie sur tous
les plans : alimentation, activité physique et mode
de vie ? Ne vous découragez pas. Cet ouvrage
est là pour vous aider. Lisez-le dans l'ordre
des chapitres et assurez-vous que vous
maîtrisez bien le contenu de chaque étape
avant de passer à la suivante.

Vous pouvez aussi commencer par le chapitre
qui vous semble le plus simple et procéder ensuite
par ordre d'intérêt. Dans les deux cas, vous n'y
consacrerez qu'un temps limité par rapport à la
qualité des résultats obtenus. Lancez-vous !

Mangez-vous sainement ?

1 Au petit déjeuner, je prends :

a Un bol de flocons d'avoine ou de son aux raisins secs.

b Du pain accompagné de jambon ou de fromage.

c Un roulé au poulet ; je ne mange rien avant le dîner.

2 Voici ma consommation de fruits et légumes hier :

a Un vrai festival de couleurs : du vert (brocoli, salade verte), de l'orange (melon, carottes), du rouge (poivrons, tomates) et du violet (cassis, raisin).

b Un petit échantillon : petits pois, banane et pomme.

c La garniture de mon hamburger et des croustilles.

3 Quand je mange au restaurant :

a Je demande en général à modifier le menu, en remplaçant par exemple un plat frit par un plat cuit au four, ou en supprimant les sauces à la crème.

b J'évite les plats avec des sauces au bleu ou à la carbonara parce que je sais que ce n'est pas bon pour la santé ; j'essaie de bien choisir, mais je ne fais pas toujours la différence entre toutes les options.

c Je suis là pour me faire plaisir. Je prends la spécialité.

4 Sur le plan nutritionnel :

a Je prends des multivitamines quand je suis pressé ou quand je saute des repas.

b Il m'arrive parfois de prendre des multivitamines.

c Je n'ai pris aucune vitamine depuis mon enfance.

5 Pour surveiller les quantités consommées :

a Je sers de petites portions à la maison et je mange à peine plus de la moitié de ce que l'on me sert quand je mange à l'extérieur.

b J'évite de me resservir, mais je mange sans doute plus que je ne le devrais.

c J'ai du mal à ne pas me resservir et je finis en général ce que j'ai dans mon assiette.

Si les « a » l'emportent

Votre cœur est comblé chaque fois que vous vous mettez à table. Vous consommez beaucoup de produits frais, en quantité raisonnable, et vous limitez la quantité de mauvaises graisses. Modifier vos habitudes alimentaires n'est sans doute pas pour vous la première des priorités. Mais jetez tout de même un œil au chapitre « Bien manger pour le cœur » (p. 66) afin d'en apprendre encore plus sur le plan nutritionnel.

Si les « b » l'emportent

Bien que vous vous souciiez de votre cœur, les meilleurs choix nutritionnels vous échappent souvent. Comme vous ne manquez pas de motivation pour vous nourrir correctement, il vous suffira d'en savoir un peu plus pour devenir un consommateur averti qui respecte son cœur. Faites figurer le régime alimentaire en bonne place dans votre liste de priorités.

Si les « c » l'emportent

Mettez l'alimentation en tête de votre liste de priorités. Vos habitudes actuelles sont nocives pour votre cœur. En apportant quelques petits changements à votre régime (taille des portions, multivitamines), vous prolongerez votre espérance de vie grâce à un cœur plus solide.

Êtes-vous actif ?

1 Voici mes habitudes de marche :

a Je marche jusqu'à la douche, je vais à pied jusqu'à ma voiture et au café d'à côté. Je suis trop occupé pour avoir le temps de faire plus.

b J'essaie de m'obliger à bouger deux à trois fois dans la journée et je vais en général faire une bonne marche une fois par jour.

c J'essaie d'aller marcher quelques minutes pendant la pause déjeuner.

2 Mes passe-temps favoris sont :

a Regarder mes émissions préférées à la télévision, lire, aller louer des DVD et aller au restaurant.

b Marcher, faire du vélo, jouer au tennis. J'aime être dehors.

c Faire une bonne partie de golf, mais généralement je prends une voiturette.

3 Si on me suggère de faire de la musculation :

a J'éclate de rire. Les haltères, ce n'est pas pour moi.

b J'en fais déjà, deux ou trois fois par semaine.

c Je ne suis pas contre. J'ai conscience qu'il est important de faire de la musculation, mais je ne sais pas comment m'y prendre.

4 Quand je me penche en avant pour toucher mes doigts de pied :

a Je vois à peine mes doigts de pied. Quant à les toucher, c'est peine perdue.

b J'arrive au moins à atteindre mes lacets.

c J'atteins mes chevilles.

5 Votre rapport à l'activité physique :

a Pouah ! J'ai l'impression de revenir au temps des cours d'éducation physique.

b C'est le meilleur moment de la journée.

c Je sais qu'il faudrait que j'en fasse, mais c'est la première chose que j'oublie si je suis débordé.

Si les « a » l'emportent

Plongez-vous dans le chapitre « Bouger : une nécessité » (p. 136). L'inactivité est aussi nocive pour le cœur que le tabac, sinon plus. Voyez le bon côté des choses : l'activité physique n'est pas nécessairement ennuyeuse. Il suffit de consacrer quelques minutes par jour à la pratique d'une activité physique toute simple pour réduire le risque cardiaque. Faites-en une priorité.

Si les « b » l'emportent

Votre mode de vie est excellent pour votre cœur. En vous dépensant quotidiennement, en marchant, en allant nager ou en faisant de la musculation, vous gardez des artères souples et propres. Même si vous n'êtes pas menacé par la « maladie de la sédentarité », lisez « Bouger : une nécessité » pour organiser mieux encore la pratique de vos activités favorites et inscrire de nouveaux exercices à votre répertoire.

Si les « c » l'emportent

Malgré vos efforts, le mode de vie sédentaire de notre société a, hélas, raison de vos bonnes résolutions. Mais une activité physique, même modérée, suffit à maintenir le cœur en forme pour longtemps. Inscrivez « Pratiquer une activité physique » en bonne place sur votre liste de priorités.

Êtes-vous heureux et serein ?

1 Quand je me couche :

a Je suis souvent trop épuisé pour m'endormir rapidement. Je me réveille un peu sonné le matin.

b Je dors comme un bébé et je me réveille en général avant la sonnerie du réveil.

c Je suis un oiseau de nuit. Je laisse en général le réveil sonner à plusieurs reprises et j'aime bien faire la grasse matinée le week-end.

2 Voici comment je décrirais ma journée de travail type :

a Assez stressante. Il y a beaucoup de pression au bureau et j'ai du mal à me relaxer.

b Je suis bien occupé, mais c'est gérable. Je me réserve en général un peu de temps pour moi chaque jour.

c Épouvantable. Je redoute les lundis.

3 Quand quelqu'un me fait une queue de poisson :

a Je jure en silence et je bous intérieurement pendant 1 ou 2 minutes.

b Je l'ignore.

c Je m'énerve et je m'emporte, parfois violemment.

4 Ma pratique spirituelle et mon engagement social sont :

a Plutôt intenses. Je me réserve du temps pour méditer.

b Très intenses. J'interviens au sein de la communauté. Je pratique une religion.

c Inexistants. Je n'ai pas le temps d'y penser.

5 Ma consommation hebdomadaire d'alcool est de :

a Quelques verres par semaine, en général au cours des repas, parfois plus le week-end.

b Un verre de vin au dîner, parfois deux.

c Je ne consomme pas d'alcool régulièrement mais, quand je bois, c'est sans modération.

Si les « a » l'emportent

La vie n'est pas si désagréable mais pourrait être encore plus satisfaisante. Vous êtes pris dans l'engrenage des remboursements de prêts et des responsabilités familiales : cela risque de vous gâcher la vie si vous n'y prenez pas garde. Allez au chapitre « Cœur heureux, cœur en forme » (p. 174) pour découvrir quelques astuces simples et rapides qui vous permettront de calmer votre stress.

Si les « b » l'emportent

La plupart du temps, vous avez le cœur joyeux. Vous avez appris à trouver la paix en plein chaos et à jouir de la vie même quand tout s'emballe autour de vous. En agissant ainsi, vous limitez le risque de souffrir à terme de problèmes cardiaques. Pour trouver de nouvelles astuces qui vous permettront de jouir pleinement de la vie, lisez le chapitre « Cœur heureux, cœur en forme ».

Si les « c » l'emportent

Vous portez le poids du monde sur vos épaules. Cela pèse sur votre cœur. Les symptômes de votre mal-être (stress, irritation, insomnie, abus d'alcool) renforcent le risque d'hypertension, d'obésité et d'autres pathologies. Avoir un cœur heureux doit devenir votre priorité.

Et votre hygiène de vie ?

1 Mon dentiste décrirait ainsi mon hygiène dentaire :

a Épouvantable. Cela fait si longtemps que je ne l'ai pas vu qu'il ne se souvient sans doute plus de moi.

b Bonne. J'utilise même régulièrement du fil dentaire.

c Assez bonne. Je me brosse régulièrement les dents, mais je n'utilise pas de fil dentaire aussi souvent que je le devrais.

2 À la saison des rhumes et des grippes :

a Je suis malade au moins une fois.

b Je me fais vacciner contre la grippe et je me lave souvent les mains.

c J'essaie d'éviter les gens malades, mais je pourrais faire plus.

3 Le quartier dans lequel je vis est :

a Animé, avec une circulation intense de voitures et de camions.

b Rural. Mes voisins les plus proches sont fermiers.

c Un peu à l'écart mais pas très éloigné d'une grande ville.

4 Voici mon attitude par rapport à la pollution :

a Il ne faut pas s'en préoccuper. C'est inévitable.

b J'essaie de m'informer sur les aliments à risque et de boire de l'eau filtrée.

c Je fais le ménage, mais je ne prends aucune autre mesure de précaution.

5 Ma consommation quotidienne d'alcool est de :

a Je ne peux pas passer un jour sans alcool.

b Je me limite au vin rouge, pas plus de deux verres.

c Je suis un buveur mondain. Souvent, je bois trop le week-end.

Si les « a » l'emportent

Il est temps de faire le ménage chez vous. Vous pensez sans doute que la pollution, les microbes et la saleté sont inéluctables mais, avec des mesures simples, il est possible d'éviter les agressions les plus graves. Les virus, la pollution de l'air et de l'eau renforcent le risque de crise cardiaque. Inscrivez « Se débarrasser des toxines » (p. 196) en tête de vos priorités.

Si les « b » l'emportent

Vous ménagez votre cœur. En vous protégeant contre la grippe et les rhumes en hiver et en évitant au maximum la pollution, vous contribuez à maintenir vos artères saines. Le vin rouge a des avantages reconnus pour la santé. Pour des conseils supplémentaires sur une bonne hygiène de vie, reportez-vous au chapitre « Se débarrasser des toxines ».

Si les « c » l'emportent

Votre élimination des toxines peut se comparer à un nettoyage en surface. La saleté s'accumule dans les coins et finit par poser des problèmes. Quelques mesures préventives supplémentaires (comme un peu d'activité physique) vous aideront à vous protéger de la pollution et des microbes et réduiront vos risques de maladies cardiaques. Inscrivez « Se débarrasser des toxines » assez haut sur votre liste de priorités.

Comment calmer son stress, (re)trouver la joie de vivre, éviter les toxines et les poisons ? Autant de stratégies à mettre en œuvre qui peuvent réduire les risques d'infarctus. Quels sont les meilleurs fruits et légumes pour nettoyer les artères ? Comment certaines épices font-elles baisser le taux de graisses dans le sang ? Comment prolonger son espérance de vie de quelques années en allant tout simplement faire le tour du quartier une ou deux fois par jour ?

Il reste très important de mettre votre médecin de famille au courant de chacun des médicaments que vous prenez et à quelle posologie. Soyez très franc : parlez-lui aussi des suppléments que vous avez découverts – certains peuvent entrer en interaction avec des médicaments sur ordonnance. Les médecins ne sont pas tous favorables aux plantes médicinales et aux suppléments nutritionnels. Mais c'est important qu'ils sachent lesquels vous prenez si vous souffrez d'une affection chronique, telle que l'asthme, la dépression ou le diabète.

Votre médecin doit, certes, rester votre premier conseiller en matière de santé, mais chacun a, vis-à-vis de lui-même, le devoir de veiller à son bien-être. Cet ouvrage est là pour vous y aider. Tous nos conseils se fondent sur des études scientifiques. Les chercheurs européens et américains ne cessent de démontrer que le respect de quelques règles simples d'hygiène de vie comme celles proposées ici peut jouer un rôle clé dans la protection du cœur.

> Chacun a, vis-à-vis de lui-même, le devoir de veiller à son bien-être.

Soyez honnête avec votre médecin

Une relation saine entre un patient et son médecin est l'assurance de tirer le meilleur parti possible du système médical. On a souvent tendance à en vouloir au médecin pressé ou trop brusque lorsque la relation s'envenime, mais les torts sont souvent partagés. Notre plus grande erreur est de lui cacher la vérité sur notre consommation de tabac ou d'alcool.

N'espérez pas que votre médecin vous aide s'il ignore quelle est votre consommation réelle de tabac ou d'alcool, ou si vous ne lui dites pas que vous êtes un gros consommateur de médicaments, sur ordonnance ou en vente libre. Nommez-lui les vitamines, minéraux, plantes et autres suppléments que vous prenez. Soyez honnête sur votre alimentation et dites-lui si vous faites ou non de l'exercice physique. Si vous ressentez des symptômes inquiétants ou des troubles anormaux, parlez-en, même si cela vous terrorise. Faites-vous un pense-bête pour être sûr de ne rien oublier une fois que vous aurez franchi sa porte.

Si le généraliste ne paraît pas s'intéresser à votre cas ou s'il vous décourage de jouer un rôle actif dans la prise en charge de votre santé, le mieux est de changer de médecin de famille. Mais c'est plus vite dit que fait, car il devient très difficile d'en trouver un au Canada.

Travailler en équipe

Le programme que nous préconisons dans ce livre doit, de préférence, intervenir en complément d'un suivi médical. Il va peut-être vous aider à diminuer vos médicaments. Ce programme n'est pas fait pour remplacer votre médecin. Avec lui, vous faites équipe dans l'intérêt de votre cœur. Si vous souffrez d'hypertension, de diabète ou d'autres facteurs de risque cardiaques, continuez d'aller voir le médecin régulièrement.

Quel que soit votre état de santé et même si vous êtes en pleine forme, il n'est pas inutile de faire vérifier votre tension et votre taux de cholestérol régulièrement après 40 ans.

Voici une série d'examens que peut faire votre médecin. Certains sont proposés tous les 3 ans, d'autres tous les ans, ou selon le rythme prescrit par votre médecin de famille. Les personnes âgées et les patients à risque doivent subir ces examens plus fréquemment.

■ Antécédents médicaux/auscultation

Lorsque vous allez voir le médecin pour la première fois, il vous interroge sur tous les problèmes de santé dont vous ou votre famille proche avez pu souffrir. Il s'en sert pour savoir quels sont vos antécédents familiaux sur le plan cardiaque et pour déterminer vos facteurs de risque. Lors de l'auscultation, le généraliste écoute le cœur, prend le pouls et contrôle la tension.

■ Glycémie

Cette analyse de sang permet de déceler un éventuel diabète (important facteur de risque de maladies cardiaques). Nombre de généralistes utilisent de petits appareils de mesure du glucose qui donnent un résultat instantané à partir de l'analyse d'une goutte de sang prélevée sur le doigt. On peut aussi vous proposer une simple analyse d'urine.

■ Tension artérielle

La tension est un bon indicateur de l'état de santé de l'appareil circulatoire. Il faut donc la faire contrôler tous les 2 ans après 40 ans, ou plus souvent si votre médecin le juge nécessaire. La tension peut aussi être prise par une infirmière. Et vous pouvez également la faire mesurer à la pharmacie.

■ Cholestérol

Une analyse de sang permet de mesurer le taux de lipides dans le sang (« bon » et « mauvais » cholestérol). Il suffit en général de faire vérifier son cholestérol tous les 2 ans après 40 ans. Mieux vaut pratiquer cette analyse tous les ans chez les hommes de plus de 45 ans et les femmes de plus de 55 ans qui présentent au moins deux facteurs de risque cardiaque.

■ Électrocardiogramme (ECG)

L'ECG est un examen indolore qui consiste à relier le patient par des électrodes à une machine mesurant l'activité électrique de son cœur. L'appareil trace un relevé des variations électriques qui se produisent dans le cœur à chaque battement. Le médecin ne propose cet examen qu'aux patients à risque. Un ECG au repos permet d'identifier des problèmes actuels ou passés, mais n'identifiera pas des problèmes à venir.

■ ECG à l'effort

C'est un ECG réalisé pendant que le patient est en train de réaliser un effort : marcher sur un tapis roulant ou faire du vélo. Il n'est recommandé que quand le médecin soupçonne une pathologie cardiaque qui pourrait être mise en évidence par un test d'effort ou lorsqu'il souhaite éliminer une telle hypothèse.

Il peut aussi servir à déterminer le seuil d'effort à ne pas dépasser, surtout en cas de réadaptation cardiaque ou après un infarctus.

Peu d'entre nous sont conscients des différences
entre produits frais et produits transformés.
Les premiers fournissent les nutriments nécessaires
au maintien d'une bonne santé, alors que
les seconds se révèlent parfois nuisibles.

Bien manger pour le cœur

Programme nutritionnel
30 minutes par jour

D'après le vieil adage, « une pomme par jour éloigne le médecin ». Mais que faut-il manger pour éloigner durablement le cardiologue ? Essayez le bœuf maigre relevé d'un peu d'ail, avec des légumes et un verre de vin rouge, le tout suivi de fraises servies avec du yogourt et quelques amandes effilées. Une gourmandise supplémentaire ? Ajoutez au menu un bon morceau de chocolat noir. Voilà un exemple de repas délicieux qui, selon les plus éminents nutritionnistes, « réduit considérablement les risques de maladies cardiaques ».

En lisant le programme nutritionnel proposé dans cet ouvrage, vous serez sans doute agréablement surpris : peu de restrictions, beaucoup d'aliments faciles à préparer et peu coûteux, aucune mesure draconienne à envisager.

Les pages qui suivent vous fourniront de très nombreux conseils et astuces pour apprendre à connaître et utiliser les bons produits. Vous trouverez à partir de la page 254 une quarantaine de savoureuses recettes, toutes excellentes pour le cœur, dont vous pourrez vous inspirer pour élaborer vos menus.

Dans ce chapitre, vous découvrirez quels sont les aliments qui, mangés sur une base régulière, sont garants d'une bonne santé et ceux qui ne le sont pas. Il sera aussi question de l'index glycémique et de son effet sur les taux sanguins de sucre (ou glycémie). Et puis, des trucs pour mieux contrôler la taille des portions, d'autres sur les sorties au restaurant réussies, malgré la tentation de succomber.

Mais reprenons donc au début. Voici les grandes lignes du programme nutritionnel *30 minutes par jour* :
■ les cinq groupes d'aliments essentiels pour préserver son cœur ;
■ des idées de menus pour mieux intégrer ces produits à votre alimentation ;
■ comment adapter votre nutrition si vous souhaitez perdre du poids.

Aliments bons pour le cœur

Voici les cinq groupes d'aliments essentiels
pour rester en pleine forme et conserver
un cœur sain et résistant.

En basant votre régime alimentaire sur
ces cinq groupes et en consommant
les portions quotidiennes recommandées,
vous diminuerez considérablement les risques
de maladies cardiovasculaires. L'effet
bénéfique est quasi immédiat.

1 PROTÉINES
Une force
pour le cœur

La viande de bœuf et de porc maigre ainsi
que les œufs sont riches en vitamines B,
qui font baisser le niveau d'homocystéine.
Le poisson fournit des acides gras oméga-3,
qui stabilisent le rythme cardiaque et luttent
contre la formation de caillots sanguins.
Le poulet et la dinde (sans la peau) sont
pauvres en graisses saturées (qui obstruent
les artères) et leurs protéines ont un effet
de satiété important.

Les légumineuses comme les pois
chiches, les haricots secs et les lentilles
non seulement renferment des protéines de
haute qualité, mais représentent aussi l'une
des meilleures sources de fibres solubles.
Ces fibres transportent le « mauvais »
cholestérol (LDL) pour l'éliminer de
l'organisme et contribuent à maintenir
un bon taux de glycémie.

Mais certaines denrées riches en
protéines contiennent également des
graisses saturées qui, elles, augmentent
la cholestérolémie et, partant, le risque
d'infarctus. La solution ? Dans le programme
nutritionnel *30 minutes par jour*, vous
trouverez les types de viandes et de protéines
qui vous permettront de maintenir votre
absorption de graisses saturées autour
de 7 % de votre apport calorique total. La
Fondation des maladies du cœur du Canada
recommande une consommation de graisses
quotidienne inférieure à 30 %. Voici comment
se faire plaisir avec des aliments riches en
protéines et bons pour la santé du cœur.

Le poisson : une habitude à prendre

Les poissons gras des eaux froides sont
à privilégier car ils apportent beaucoup
d'acides gras oméga-3. Les plus populaires
sont le thon et le saumon, mais n'oublions pas
le maquereau, le hareng, la sardine, l'anchois,
l'anguille et aussi la truite saumonée.

2 BONNES GRAISSES
Meilleures que l'allégé

Pourquoi utiliser du beurre rempli de graisses saturées ou grignoter des viennoiseries chargées d'acides gras « trans » alors qu'il y a des solutions au moins aussi goûteuses et tellement meilleures pour la santé ? Mettez de l'huile d'olive sur votre pain et vos légumes frais et mangez une poignée d'amandes au lieu d'un paquet de croustilles ou d'une barre chocolatée pour combler les petits creux !

L'huile d'olive et les fruits à écale sont parmi les piliers du régime méditerranéen si cher aux nutritionnistes. Ce sont de bonnes sources d'oméga-3 et ils sont riches en graisses mono-insaturées. Mangez-les à la place des graisses saturées pour faire baisser votre taux de « mauvais » cholestérol (LDL) et réduire les triglycérides. Les graisses mono-insaturées doivent faire partie de votre apport calorique quotidien. Surveillez juste les portions : huile et noix étant riches en calories, une petite quantité suffit pour atteindre un niveau satisfaisant.

Chassez les graisses saturées

Enlevez la peau du poulet et de la dinde. Plus généralement, ôtez la graisse visible de toutes les viandes. Optez pour des sauces et des vinaigrettes contenant moins de 1 g d'acides gras saturés par cuillerée à thé et remplacez la crème par du yogourt nature. Cuisinez avec de l'huile d'olive ou de canola au lieu du beurre, en réduisant toujours du quart les proportions indiquées.

Bannissez les gras « trans »

Évitez de consommer des viennoiseries et des pâtisseries dont la liste des ingrédients inclut des graisses ou des huiles qui ont subi une hydrogénation partielle (solidification afin de les rendre utilisables dans les pâtes à tartiner, biscuits, tartes, gâteaux, aliments frits...).

72

Programme Bonnes graisses

- **Au menu :** huile d'olive, huile de colza, noix.
- **Portions journalières :** une à trois de chaque.
- **Taille des portions :** ½ à 1 c. à soupe d'huile ; 25 g de noix

Retenez les mots « trans » et « hydrogéné », et regardez les étiquettes. Adoptez aussi la margarine sans acides gras « trans » ou utilisez de l'huile d'olive. Pour en savoir plus sur l'importance de réduire les graisses « trans », reportez-vous à la partie « Tout est dans la fabrication », p. 84.

Optez pour les graisses mono-insaturées

Dans tous les cas, choisissez en priorité l'huile d'olive et de canola pour préparer toutes vos vinaigrettes et marinades et pour cuisiner en général (les autres huiles contiennent des taux moins élevés de graisses mono-insaturées).

Des noix plutôt que des croustilles

À l'heure de l'apéritif ou au goûter, consommez fruits à écale et oléagineux. Ils représentent

Programme Fruits et légumes

■ **Au menu :** tous les fruits et légumes – frais, surgelés, secs ou en conserve (mais pas au sirop).

■ **Portions journalières :** trois ou quatre de fruits, quatre ou cinq de légumes.

■ **Taille des portions :** 75 g de légumes crus, cuisinés, surgelés ou en conserve ; 1 bol de salade ; 1 fruit de taille moyenne (pomme, poire, orange, banane) ; 1 grande tranche de melon, de pastèque ou d'ananas ; 2 fruits de petite taille (prune ou abricot) ; 1 tasse de fraises ou de framboises ; $\frac{1}{2}$ tasse de salade de fruits ou de légumes congelés ; 1 c. à soupe de fruits secs (raisins secs) ; $\frac{1}{2}$ tasse de jus de fruits ou de légumes ; 3 c. à soupe de haricots secs, de lentilles ou d'autres légumineuses.

un bien meilleur choix que des croustilles en raison des graisses mono-insaturées qu'ils contiennent. Consommez-les avec modération, car ils sont également riches en calories.

Choisissez-les non salés afin de garder votre tension artérielle sous contrôle. Vous en trouverez à votre goût parmi les noix (également riches en oméga-3), noisettes, pistaches, amandes, noix de cajou, noix de pécan, cacahuètes, graines de tournesol... N'hésitez pas à les utiliser aussi en cuisine, dans vos pains et vos gâteaux maison, sur vos légumes, vos salades et dans vos yogourts.

N'oubliez pas le beurre d'arachide !

Le beurre d'arachide est précieux car riche en acides gras mono-insaturés, ainsi qu'en resvératrol (un bioflavoïde que contient également le vin rouge), en fibres, magnésium et folates. Selon une étude américaine, consommer 1 c. à thé de beurre d'arachide par jour pourrait faire baisser le taux de « mauvais » cholestérol (LDL).

3 FRUITS ET LÉGUMES
Naturellement anticholestérol

Les premiers hommes vivaient surtout de la chasse, de la pêche et de la cueillette. C'est pourquoi l'organisme humain est programmé pour recevoir des doses importantes d'anti-oxydants, de phytostérols (qui réduisent le taux de « mauvais » cholestérol, ou LDL) et de fibres solubles, présents dans les fruits et légumes. Ces derniers ont un effet protecteur avéré sur le système cardiovasculaire.

Voici comment arriver à faire le plein de fruits et légumes, c'est-à-dire en en prenant 9 portions par jour, à la maison comme à l'extérieur.

Prenez un petit jus

Une orange pressée, un jus de raisin, de carotte, de tomate... peu importe, retenez seulement qu'un petit verre de jus de fruits ou de légumes (pur) compte pour une portion. N'hésitez pas non plus à utiliser ce type de jus en cuisine, dans vos salades par exemple : un peu d'huile d'olive mélangée avec du jus de fruits donne une savoureuse vinaigrette douce !

Concoctez un yogourt fouetté

Installez définitivement le mélangeur sur le plan de travail et mettez-vous à la mode du yogourt fouetté (« smoothie ») : un mélange délicieux de fruits, de jus de fruits et de yogourt. Ainsi, mélangez des fraises surgelées, du jus d'orange et une banane, une poire ou une nectarine : vous obtiendrez un cocktail de bienfaits ! Ajoutez-y du yogourt nature, parsemez de germes de blé ou de noix concassées et vous avez un parfait déjeuner.

Des fruits et légumes à portée de main

Exposez vos fruits et vos légumes : s'ils sont devant vos yeux, vous en mangerez ! Un panier de pommes ou de bananes sur la table basse du salon, un bol de tomates cerises sur la table de la cuisine, une coupe de poires sur le buffet… sans compter des cubes de melon cantaloup ou de pastèque au réfrigérateur.

La solution sachet

N'hésitez pas à vous procurer à l'épicerie des salades en sachet (bébés épinards ou salade mixte), des carottes et du chou blanc déjà râpés, des barquettes de tomates cerises… En un clin d'œil, vous préparerez une salade.

La deuxième portion

Si vous avez encore faim, ne vous privez pas, resservez-vous, mais uniquement en légumes ! Vous réduirez votre consommation de lipides et augmenterez celle de fibres.

Arc-en-ciel végétal

Amusez-vous à manger des fruits et légumes de couleurs très différentes dans la journée, des mûres aux carottes en passant par les tomates, les épinards ou l'ananas.

Soyez aventureux

Laissez-vous tenter par les fruits et légumes que vous n'achetez pas d'habitude. Cherchez des façons différentes de cuisiner au lieu de toujours préparer les plats de la même façon.

La solution congélation et conserves

Cela reste également une solution parfaite lorsque vous n'avez pas pu faire les courses ou que vous n'avez pas le temps de préparer des produits frais. Sachez par ailleurs que certains fruits et légumes surgelés contiennent même plus de nutriments que leurs homologues frais, puisqu'ils sont conditionnés dès la récolte.

Lavez et séchez : ne pelez pas

La peau contient des fibres et la pulpe qui se trouve juste au-dessous de la peau est pleine de nutriments bénéfiques.

4 CÉRÉALES COMPLÈTES
Riches en fibres

Vous diminuerez le risque de maladie cardiaque et de certains cancers simplement en mangeant des céréales complètes au petit déjeuner. Et, si vous remplacez toutes les céréales raffinées de votre alimentation par des céréales complètes, cette diminution augmente encore. Les céréales complètes regorgent de vitamines et de minéraux (vitamines B et E, sélénium, zinc, magnésium, cuivre, phosphore, fer) qui protègent le cœur, et de fibres insolubles qui facilitent la digestion. Certaines, comme l'orge et l'avoine, contiennent des fibres solubles, qui aident à faire baisser le taux de cholestérol. Voici maintenant comment incorporer 5 céréales complètes par jour à votre alimentation.

Les vertus de l'avoine le matin

Prenez du gruau au déjeuner ou une autre céréale riche en fibres, et chaque gramme de fibres diminuera votre cholestérol LDL, selon l'Association américaine du cœur. L'avoine du gruau régule encore mieux que d'autres céréales complètes le taux de cholestérol LDL.

Programme Céréales complètes

■ **Au menu :** pain entier, pâtes complètes, orge, boulgour, riz brun, céréales riches en fibres, comme l'avoine.

■ **Portions journalières :** au moins cinq.

■ **Taille des portions :** 1 tranche de pain entier, $\frac{1}{2}$ tasse de céréales cuites pour le déjeuner, $\frac{1}{2}$ tasse de riz brun, de couscous, de boulgour ou de pâtes complètes.

5 PRODUITS LAITIERS
Pour une meilleure protection des os

En consommant du lait avec vos céréales du matin, en prenant un yogourt comme collation l'après-midi et en parsemant vos pâtes de fromage léger râpé le soir, vous augmenterez votre absorption de calcium, un minéral essentiel pour un bon développement osseux. Les produits laitiers renferment également des protéines de grande qualité, des vitamines B, du zinc et du phosphore. Profitez du calcium apporté par les produits laitiers sans ajouter de graisses saturées.

Prenez l'habitude du lait écrémé

Si vous avez l'habitude de consommer du lait entier, passez au 2 % ou à l'écrémé. Utilisez du lait écrémé lorsque le goût se remarque moins (avec vos céréales, en cuisine…) et du lait demi-écrémé dans les cas où le goût vous paraît plus important, comme avec le café, le thé ou le chocolat.

Ajoutez des fruits

Si vous avez du mal à manger des yogourts nature, personnalisez-les pour les rendre plus attrayants, avec des dés de fruits (pêche, fraises et petits fruits) ou des noisettes hachées. Pensez au yogourt à la vanille avec des tranches de banane et de la cannelle.

Remplacez l'eau par un laitage

Remplacez l'eau par du lait écrémé dans la soupe. Ajoutez un pot de yogourt nature léger à vos sauces ou potages pour en adoucir le goût et en rectifier la couleur.

Parsemez de fromage

Rien de tel que du fromage léger râpé sur les pâtes. Mais vous pouvez également en mettre sur les pommes de terre, les soupes ou encore les chilis.

Faites cuire, puis congelez

Le riz brun, l'orge et le boulgour sont délicieux, mais leur temps de préparation peut parfois décourager. Faites-en cuire une grande quantité à la fois et congelez le surplus en portions individuelles.

Servez-vous de la règle de trois

Achetez du pain entier en vous assurant que le côté « entier » est bien prépondérant dans la liste des ingrédients et que 100 g ou 1 portion vous apporte au moins 3 g de fibres. Qu'il s'agisse de pain à sandwichs, de pita ou de muffins, consommez-les toujours entiers.

Programme   Produits laitiers

- **Au menu :** lait écrémé (0 %-1 %) ou demi-écrémé (2 %), yogourt léger, fromage léger.

- **Portions journalières :** deux à trois.

- **Taille des portions :** 1 tasse de lait ; 50 g (2 oz) de fromage léger ; 175 g (1 petit pot) de yogourt léger.

Menus bons pour le cœur

Maintenant que vous connaissez les aliments du programme nutritionnel *30 minutes par jour*, voici quelques idées de menus équilibrés et délicieux.

DÉJEUNERS

Voici huit exemples de petits déjeuners. Chacun vous apportera entre 300 et 500 kcal (le lait est écrémé ou à 2 %).

1 Yogourt et muffin

■ 1 tasse de morceaux de fruits frais (melon, banane, pomme, pêche et fraises) avec 1 yogourt nature léger (175 g) et 25 g (1 oz) d'amandes.
■ 1 petit muffin entier.
■ 200 ml ($^3/_4$ tasse) de lait.

2 Gruau et fruits

■ 1 bol de gruau avec 1 à 2 c. à soupe de graines de lin ou de germes de blé moulus, ou avec 2 c. à soupe de raisins secs, ou avec $^1/_2$ à $^3/_4$ tasse de petits fruits (fraises, framboises, bleuets) ou 1 petite banane en rondelles.

3 Sauté de champignons

■ Faites sauter 50 g (2 oz) de champignons dans un peu d'huile et servez avec 1 petit pain complet ou 1 muffin (avec une fine couche de margarine).

4 Le plein de céréales

■ 3 c. à soupe de céréales complètes (contenant au moins 3 g de fibres par portion) avec 150 ml ($^2/_3$ tasse) de lait, 2 c. à soupe de noix hachées et quelques fraises, framboises ou bleuets.

5 Le plein d'arachides

■ Faites griller 1 bagel de blé entier à la cannelle et tartinez chaque moitié d'un peu de beurre d'arachides. Tranchez une banane par-dessus.
■ 200 ml ($^3/_4$ tasse) de lait.

6 Muesli tropical

■ Mélangez 3 c. à soupe de muesli sans sucre avec 1 yogourt nature léger (175 g) et 1 petite mangue coupée en dés.
■ 200 ml ($^3/_4$ tasse) de lait.

7 Yogourt fouetté

■ Mélangez 250 ml (1 tasse) de jus d'orange, 75 g (3 oz) de fraises surgelées et 150 ml ($^2/_3$ tasse) de yogourt léger nature ou à la vanille.
■ 1 ou 2 tranches de pain complet avec une fine couche de margarine (1 c. à thé).

8 Œufs brouillés sur rôtie

■ 2 œufs brouillés dans un peu d'huile d'olive avec des rondelles de tomate grillée et 1 tranche de pain complet grillé.
■ 125 ml ($^2/_3$ tasse) de jus de fruits.

Les collations au travail

Pensez à apporter sur votre lieu de travail ces petits en-cas sucrés et savoureux. Si vous voulez œuvrer davantage pour la santé de votre cœur, pensez aussi à faire une petite marche dehors dans la journée !

FRUITS À ÉCALE Remplissez des petits sacs en plastique de portions de 25 g (1 oz), ce qui équivaut à environ 24 amandes, 14 cerneaux de noix, 18 noix de cajou ou 50 pistaches (dans leur coque). Veillez à toujours choisir des fruits à écale non salés.

FRUITS SECS Préparez des portions de 50 g (2 oz) de raisins, abricots, pruneaux ou canneberges séchées.

FRUITS FRAIS 1 pomme, 1 poire, 1 banane, 1 orange... ou bien 1 portion de salade de fruits (sans sucre ajouté).

CRAQUELINS DE BLÉ ENTIER 3 craquelins de blé entier constituent un en-cas parfaitement sain ; mettez-les trois par trois dans des sacs individuels.

YOGOURTS LÉGERS À garder au frais !

BARRES DE CÉRÉALES Lisez bien les étiquettes : ne vous fiez pas nécessairement à la mention « diététique », prenez celles qui sont pauvres en matières grasses, sucres et sel, mais aussi riches en fibres.

DÎNERS

Voici sept dîners sains et savoureux qui apportent chacun environ 500 kcal.

1 Soupe et petit pain

■ **Soupe toscane aux haricots** Pelez 1 oignon rouge et émincez-le finement. Faites-le revenir dans 1 c. à soupe d'huile d'olive. Ajoutez 1 gousse d'ail écrasée, 1 tige de céleri coupée en rondelles, et faites cuire pendant 5 minutes. Ajoutez 540 ml ($1/2$ boîte) de tomates en dés et 300 ml ($1^1/4$ tasse) de bouillon de légumes peu salé. Portez à ébullition, puis laissez cuire à feu doux 20 minutes. Complétez avec 4 c. à soupe de haricots (rouges et/ou blancs) en conserve. Laissez frémir encore 10 minutes.

■ 1 petit pain de blé entier.

2 Saumon (au choix)

■ **Pain pita et salade de saumon** Mélangez 1 boîte de saumon de 100 g avec 2 c. à soupe de noix hachées, 1 échalotte émincée, $1/2$ poivron rouge coupé en dés et 1 petite carotte râpée. Ajoutez 1 c. à soupe de mayonnaise légère et 1 c. à soupe de yogourt nature. Garnissez 1 pain pita avec ce mélange ou étalez-le sur 2 tranches de pain complet.

■ **Tartine chaude au saumon** Mélangez 1 boîte de saumon de 100 g avec 2 c. à soupe de céleri finement émincé et 1 petite carotte râpée. Ajoutez 1 c. à soupe de mayonnaise légère et 1 c. à soupe de yogourt nature. Étalez ce mélange sur 2 tranches de pain complet ou 1 muffin, parsemez de fromage léger râpé et placez sous le gril du four quelques minutes.

3 Tortilla mexicaine

■ Mélangez 3 c. à soupe de haricots rouges en conserve avec 3 c. à soupe de cheddar léger râpé et 3 c. à soupe de sauce salsa. Étalez le tout sur une tortilla de blé (souple) chauffée au four à micro-ondes. Ajoutez quelques feuilles de salade émincées en lanières et enroulez la tortilla.

■ 1 fruit frais.

4 Option volaille

■ **Sandwich au poulet tandoori** Coupez en dés 100 g ($3^1/2$ oz) de poulet cuit tandoori. Mélangez-le avec 3 c. à soupe de tzatziki. Étalez le tout sur 1 tranche de pain de blé entier, ajoutez du chutney à la mangue et 1 poignée de cresson et couvrez d'une seconde tranche de pain grillé.

■ **Sandwich au poulet et à l'avocat** Étalez de la moutarde à l'ancienne (avec les graines de

Idées santé pour agrémenter vos soupes, sauces et salades

Pour rendre vos plats plus savoureux et plus sains, assaisonnez-les généreusement avec ces produits.

GRAINES DE LIN MOULUES Il s'agit de la plus riche source végétale d'oméga-3, ces acides gras qui ont une action protectrice sur le cœur. Achetez-les moulues et conservez-les au réfrigérateur ou, mieux encore, au congélateur. 1 à 2 c. à soupe suffisent pour saupoudrer vos plats et salades.

FRUITS À ÉCALE HACHÉS Ajoutez-en 1 à 2 c. à soupe à vos céréales, salades, fruits et yogourts pour plus de fibres et de graisses mono-insaturées. Hachés, ils se gardent mieux au congélateur.

GERMES DE BLÉ Une excellente source de vitamine E, antioxydant qui pourrait prévenir l'obstruction des artères. Ajoutez-en 1 à 2 c. à soupe à vos céréales comme à vos pains et pâtes maison. Conservez-les au réfrigérateur ou au congélateur pour plus de fraîcheur.

CANNELLE Cette épice est réputée contrôler le taux de glucose sanguin et faire baisser le taux de cholestérol. Saupoudrez-en vos céréales, compotes, salades de fruits et yogourts fouettés.

GINGEMBRE FRAIS C'est un puissant antioxydant que vous pouvez ajouter à vos plats, salades de fruits et compotes. Gardez la racine au congélateur et râpez-en simplement quand vous en avez besoin.

AIL Il fait baisser le taux de cholestérol. Aromatisez-en vinaigrettes, viandes, légumes et sauces.

moutarde) sur 2 tranches de pain de blé entier, puis une fine couche de poulet émincé, $^1/_2$ petit avocat et 2 grosses tranches de tomate.

5 Burger végétarien

■ Faites cuire un burger végétarien à la poêle et servez-le dans un petit pain de blé entier avec 2 tranches de tomate et 2 c. à soupe de salade de chou faible en gras.

6 Salade d'hoummos

■ Mélangez 60 g (2$^1/_4$ oz) d'hoummos avec $^1/_2$ poivron rouge coupé en dés et 1 petite carotte râpée. Garnissez-en 1 pita ou 2 tranches de pain de blé entier.

7 Salade de pâtes et maquereau

■ Émiettez un filet de maquereau fumé et mélangez-le avec 4 c. à soupe de pâtes complètes, déjà cuites, 4 tomates cerises coupées en deux et de la vinaigrette à la moutarde et au miel.

SOUPERS

Voici sept repas à 600 kcal environ. Ce sont tous des repas santé délicieux, qui seront bons pour votre cœur.

1 Variations sur le thème du saumon et de la salade

Saumon grillé au four ou à la poêle 1 filet de saumon de 125 g (4$^1/_2$ oz) par personne) ou Truites grillées au citron (recette p. 272).

■ Salade rapide d'épinards Mélangez 1 bonne poignée de pousses d'épinard, 1 carotte râpée, 2 c. à soupe de noix hachées et 1 poignée de canneberges ou de raisins secs. Vinaigrette : 2 c. à soupe d'huile d'olive, le jus de 1 orange et 1 pincée de sel.

■ 125 g ($^3/_4$ tasse) de riz brun ou de boulgour cuits, ou 1 tranche de pain de blé entier.

2 Volaille au choix

Poitrine de dinde rôtie, sauce à l'ail (recette p. 274) ou Blancs de poulet farcis aux herbes (recette p. 275) ou Poulet mariné (recette p. 277).

■ 1 patate douce au four.

■ Chou-fleur à la provençale (recette p. 291), sauf si vous mangez le Poulet mariné.

Deux pizzas diététiques à souhait

Au restaurant Optez pour une pizza à pâte fine et demandez à réduire de moitié le fromage, à doubler la quantité de sauce tomate ou, mieux, de tomate fraîche concassée, et prenez toutes les garnitures de légumes.

À la maison Confectionnez des mini-pizzas en garnissant des pains pitas de blé entier de sauce tomate, de légumes précuits (éventuellement des restes), de basilic frais, d'origan, d'ail écrasé et de tomates fraîches. Utilisez du fromage mozzarella léger ou, mieux encore, du parmesan râpé.

3 Du bœuf !

Steak maigre 1 tranche de 100 g (3$^1/_2$ oz) par personne).

ou Brochettes Coupez en dés 100 g (3$^1/_2$ oz) de bœuf maigre. Mélangez 2 c. à soupe d'huile d'olive, 2 c. à soupe de vinaigre balsamique et 1 gousse d'ail écrasée. Versez sur la viande et laissez mariner 30 minutes. Enfilez les morceaux de bœuf sur une brochette, en alternant avec des dés de poivron rouge, des morceaux d'oignon, des tomates cerises et des champignons de couche. Enduisez les brochettes au pinceau avec la marinade restante, puis placez-les sous le gril pendant 8 à 10 minutes, en les tournant régulièrement.

4 Haricots et autres légumineuses

Haricots épicés (recette p. 286) ou Cocotte de doliques à œil noir (recette p. 288) ou Poulet et sa salade aux trois haricots Rincez et égouttez 1 boîte de 540 ml de haricots mélangés. Ajoutez 3 oignons verts émincés, 2 tiges de céleri finement émincées et 4 tomates cerises coupées en deux. Vinaigrette : 2 c. à soupe d'huile d'olive, 2 c. à thé de jus de citron, 1 pincée de sel, 1 gousse d'ail écrasée et $^1/_2$ c à thé d'herbes aromatiques fraîches hachées.

Versez la vinaigrette sur les haricots et servez avec de la poitrine de poulet cuite.

- ■ Salade verte avec 1 c. à soupe d'huile d'olive.
- ■ 1 petit pain ou 1 tranche de pain de blé entier.
- ■ Brocolis à la vapeur.
- ■ Tomates cerises avec 1 filet d'huile d'olive.

5 Variations sur la viande

Spaghettis bolognaise Suivez votre recette en utilisant 100 g (3$\frac{1}{2}$ oz) de viande hachée extra maigre ou mettez moins de viande et ajoutez des haricots rouges ou des lentilles.

ou Sauté d'agneau méditerranéen (recette p. 281)

ou Longe de porc farcie aux fruits secs (recette p. 283).

- ■ **Frites au four** (recette p. 292) ou patate douce au four.
- ■ Légumes vapeur.

6 Option végétarienne

Lentilles méditerranéennes aux champignons (recette p. 284)

ou Lasagnes aux légumes et aux trois fromages (recette p. 285)

ou Salade tiède au fromage de chèvre (recette p. 287).

- ■ Mesclun de salade avec 1 c. à soupe d'huile d'olive par portion.
- ■ **Orge perlé citronné** (recette p. 289).

7 Plaisir des pâtes

- ■ 1 tasse de pâtes complètes (cuites) avec au choix :
- ■ 100 g (3$\frac{1}{2}$ oz) de crevettes sautées, 1 c. à soupe d'huile d'olive, 1 gousse d'ail écrasée, jus de citron et herbes aromatiques

ou 150 ml ($\frac{2}{3}$ tasse) de sauce tomate mélangée avec 3 c. à soupe de haricots mélangés en conserve, rincés et égouttés

ou 100 g de saumon en conserve, 2 c. à thé d'huile d'olive, 1 gousse d'ail écrasée, $\frac{1}{2}$ poivron rouge coupé en dés et herbes aromatiques.

- ■ Mesclun de salade avec vinaigrette à l'huile d'olive.

DESSERTS

Voici maintenant neuf desserts de moins de 200 kcal par portion.

1 1 tasse de fraises (sans sucre ajouté) avec 1 boule de crème glacée légère ou de yogourt glacé.

2 Salade de fruits (frais, surgelés ou en conserve) saupoudrée de noix de coco râpée, noisettes et/ou noix hachées, 1 pincée de cannelle et $\frac{1}{2}$ c. à thé de cassonade.

3 **Mousse glacée aux fruits rouges** Passez au mélangeur 1 tasse de fruits rouges (frais ou surgelés) et 175 g de yogourt léger jusqu'à obtention d'une préparation lisse mais non fluide. Sucrez avec du miel ou de l'édulcorant.

4 **Pomme à la cannelle au four** Ôtez le trognon de la pomme, en laissant le fruit entier. Remplissez le trou de cannelle, raisins secs, noisettes, noix et/ou amandes et $\frac{1}{2}$ c. à thé de cassonade. Placez la pomme dans un plat allant au four à micro-ondes. Ajoutez 2 c. à soupe d'eau dans le fond, couvrez et mettez au micro-ondes environ 5 minutes.

5 Mettez 1 poignée de framboises (fraîches ou surgelées) dans une coupe et nappez de 1 c. à soupe de chocolat noir fondu.

6 **Cantaloup au coulis de framboises** (recette p. 295).

Alimentation qui fait baisser le taux de cholestérol LDL

En optant pour les choix alimentaires du programme nutritionnel *30 minutes par jour*, vous ferez baisser votre taux de cholestérol de façon naturelle. Selon les chercheurs, pour lutter efficacement contre l'excès de cholestérol sanguin, il faut réduire sa consommation d'acides gras saturés, remplacer le beurre par des huiles santé et veiller à manger beaucoup de fibres solubles (que l'on trouve notamment dans l'avoine et l'orge).

7 Poudings aux noix et aux raisins secs (recette p. 296).

8 Compote abricots-poires (recette p. 298).

9 Yogourt glacé noix-citron (recette p. 299).

BOISSONS

N'oubliez jamais que ce que vous buvez est aussi important que ce que vous mangez.

■ **L'eau** Buvez 6 à 8 verres d'eau par jour. Augmentez les doses par temps chaud. N'oubliez pas de boire avant et après un effort.

■ **Thé vert et thé noir** 1 à 3 tasses par jour. Les antioxydants que contient le thé réduisent le taux de cholestérol LDL et assouplissent les artères.

■ **Vin rouge** Le vin rouge contient un anti-oxydant qui protége l'appareil cardiaque : le resvératrol. En prendre un verre de temps en temps est bon pour la santé, mais il ne faut pas se mettre à boire sous ce prétexte.

■ **Chocolat** Le cacao renferme des antioxydants. Préparez votre chocolat chaud avec du cacao ou du chocolat noir ; ou bien mangez-en quelques carrés (25 g/1 oz).

■ **À éviter** Les boissons au cola et toutes les boissons sucrées gazeuses en général, les boissons énergétiques, les jus de fruits avec sucre ajouté. Si vous buvez du café au lait ou du cappuccino, employez du lait 2 % ou, mieux, du lait écrémé.

Selon les chercheurs, l'organisme humain a été programmé pour recevoir des doses importantes d'antioxydants et de fibres solubles, présents dans les fruits et légumes.

30 minutes par jour pour perdre du poids

Pour maigrir, il faut brûler plus de calories que l'on n'en consomme. Si c'est si simple, pourquoi donc tant de Canadiens sont-ils en surpoids ? Le stress, la fatigue, le manque de temps, la sédentarisation, les fringales font que beaucoup d'entre nous ont du mal à perdre les kilos superflus. Notre mode de vie nuit ainsi à notre propre équilibre.

En suivant le programme *30 minutes par jour*, vous mangerez les quantités appropriées et ferez l'exercice physique dont vous avez besoin. Vous découvrirez les méthodes de relaxation qui vous permettront de vous sentir mieux dans votre peau. Vous aurez les atouts en main pour engager les vrais changements auxquels vous aspirez.

Vouloir perdre du poids durablement est loin de se réduire à une question de régime alimentaire. Cela demande aussi des changements progressifs dans le mode de vie. Voici deux clés pour perdre du poids avec confiance.

Qu'est-ce qu'une calorie ?

La calorie est une unité de mesure qui correspond à la quantité de chaleur nécessaire pour faire augmenter de 1 °C la température de 1 g d'eau. Les calories que nous consommons sont exprimées en kilocalories (ou kcal), 1 kilocalorie équivalant à 1 000 calories.

1 Ne mangez que ce dont vous avez besoin

La plupart des gens ne connaissent pas leurs réels besoins énergétiques, alors qu'ils connaissent leur poids et, parfois même, leur tension artérielle. Si nous savions précisément quelles quantités manger, nous n'aurions plus à nous embarrasser d'autres calculs.

VOUS ÊTES SÉDENTAIRE Vous avez besoin d'environ 28,6 kcal par kilo de poids. Par exemple, pour une femme de 68 kg, cela correspond à 1 950 kcal par jour. Un homme de 79,5 kg aura besoin d'à peu près 2 275 kcal par jour.

VOUS ÊTES UN PEU ACTIF (moins de trois séances d'exercice physique par semaine, mais vous êtes régulièrement debout et vous bougez souvent). Vous avez besoin de 31 kcal par kilo pour maintenir votre poids. Pour une femme de 68 kg, cela correspond à 2 100 kcal et, pour un homme de 79,5 kg, à 2 450 kcal.

VOUS ÊTES ACTIF (vous faites entre 30 minutes et 1 heure d'exercice physique au moins trois fois par semaine). Vous avez besoin de 33 kcal par kilo, soit 2 250 kcal pour une femme de 68 kg et 2 625 kcal pour un homme de 79,5 kg.

Pour perdre environ 200 g par semaine, ce qui constitue un objectif réaliste pour les personnes apportant de petites modifications dans leur mode de vie, il faut consommer 250 kcal de moins par jour. Ainsi, en troquant la crème glacée au dessert contre un fruit, vous consommez déjà 125 kcal de moins. Il suffit d'une marche de 15 minutes après le dîner ou après le souper pour brûler les 125 kcal restantes. Ou bien lavez la voiture, prenez l'escalier au lieu de l'ascenseur, ramassez les feuilles mortes...

2 Ne comptez plus les calories

Il devient vite déprimant de compter les calories. Quant à compter des grammes de lipides et de glucides, n'en parlons pas ! Optez pour une approche plus simple et moins stressante : utilisez votre bon sens, celui qui vous dit qu'il faut manger un peu moins et bouger un peu plus. Faites cela tous les jours et vous perdrez du poids. Il n'existe pas de meilleure façon pour maigrir sainement et durablement. Et les meilleurs aliments pour maigrir étant également les meilleurs pour avoir un cœur sain, l'équation est gagnante ! Voici quelques règles pour changer de façon durable.

LAISSEZ-VOUS GUIDER PAR LES PORTIONS Utilisez le petit tableau de la page 101 pour vous guider et vous aider à déterminer la taille réelle des portions que vous consommez.

NE NÉGLIGEZ PAS LE DÉJEUNER Sans petit déjeuner, vous aurez tellement faim plus tard dans la matinée que vous serez tenté de manger n'importe quoi.

NE SAUTEZ AUCUN REPAS La raison principale pour laquelle on craque tard le soir, c'est qu'on ne mange pas assez durant la journée. Essayez de vous remplir le ventre d'abord avec les parties de votre repas les plus « amincissantes » : salade, légumes, bouillons. Gardez la viande et les féculents pour la fin.

BUVEZ DE L'EAU ET DU THÉ SANS SUCRE Une boisson sucrée par jour de moins (qu'il s'agisse d'une boisson gazeuse ou d'un simple café sucré) peut vous faire perdre environ 11 kg en 1 an.

TENEZ UN JOURNAL DE VOTRE ALIMENTATION PENDANT 1 SEMAINE Vous aurez une idée précise de ce que vous consommez réellement et pourrez déterminer les moments de la journée où vous mangez trop ou pas assez.

NE RESTEZ PAS SEUL Rejoignez un groupe afin de trouver le soutien nécessaire pour continuer. Impliquez votre famille et vos amis. Essayer de maigrir avec quelqu'un augmente les chances de réussir, surtout pendant les premières semaines, qui sont les plus dures.

NE MANGEZ PAS POUR DE MAUVAISES RAISONS Ne mangez pas par ennui, par habitude ou parce que vous êtes stressé. Il est étonnant de voir à quel point nous grignotons sans nous en rendre compte. Trouvez d'autres moyens de vous détendre. Le meilleur choix est une brève promenade suivie d'un verre d'eau froide ou d'une tasse de thé sans sucre.

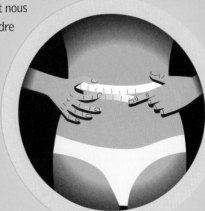

Le problème avec les aliments industriels, ce n'est pas ce qu'on y ajoute... mais surtout ce qu'on y détruit.

Tout est dans la fabrication

Sortez de votre placard des raviolis en boîte, de votre réfrigérateur un paquet de jambon et de votre congélateur un plat cuisiné. Lisez la liste des additifs alimentaires qui figurent sur les étiquettes. Faites le même exercice au supermarché avec n'importe quel aliment industriel. Presque tous comportent quelque chose qui n'était pas dans le produit initial. Ces ajouts sont peut-être sans danger à court terme, même si environ 1 % de la population présente des allergies ou des intolérances aux substances additives, mais ils ne sont certainement pas ceux dont notre corps a le plus besoin.

Personne n'aime l'idée de consommer des produits remplis de colorants et d'arômes artificiels, de gélifiants, de stabilisants et/ou de conservateurs. Pourtant, force est de constater que les aliments préparés font désormais partie intégrante de notre régime alimentaire. Nous consommons beaucoup moins de produits frais : fruits, légumes, viandes maigres, produits laitiers, céréales, pain. Nous travaillons beaucoup et nous ne prenons plus le temps de cuisiner.

L'alimentation en chaîne

La majorité des aliments industriels sont concoctés dans des laboratoires du goût, par des chimistes alimentaires dont l'objectif est de donner à ces produits une date limite de consommation aussi lointaine que possible pour une saveur maximale. Dans des usines ultrasophistiquées, les aliments sortent pour ainsi dire des chaînes de montage.

L'aspect et le goût des aliments sont améliorés par l'ajout d'édulcorants, de sel, d'arômes et de graisses artificiels, de conservateurs, de colorants et d'agents de texture. Les produits sont ensuite conditionnés dans des emballages étudiés pour vous séduire et mis en avant par des campagnes de marketing savamment orchestrées.

Mais le problème des produits industriels ne se réduit pas seulement à tous les additifs qu'on y ajoute, mais aussi aux substances que leur transformation détruit. Ils perdent ainsi des nutriments protecteurs comme les fibres solubles, les antioxydants et les « bonnes » graisses, et se chargent de substances qui mettent en danger votre système cardio-vasculaire, comme le sel, le sucre et les acides gras « trans ». Les aliments perdent aussi souvent leurs vitamines et minéraux naturels. Voilà pourquoi un régime alimentaire composé principalement de produits tout préparés est mauvais pour la santé... et le tour de taille des Canadiens.

Un des principes majeurs du programme *30 minutes par jour* est de vous aider à remettre dans votre assiette des aliments complets, naturels, sans pour autant vous obliger à passer des heures à faire les courses et à préparer les repas.

Plan d'action

Arriver à adopter ce type de régime alimentaire est plus difficile qu'il n'y paraît. La plupart d'entre nous ont pris l'habitude de manger des aliments en conserve, sachet, carton... sans même y penser. Quoi de plus normal ? Les fabricants savent créer des produits commodes, faciles d'emploi et financièrement abordables. C'est bien sûr très tentant.

Pour la santé de votre cœur, vous devez prendre au sérieux les dangers que peut représenter la consommation de ces produits. Nous allons identifier maintenant les quatre ingrédients nocifs dont il vous faut limiter la consommation. Puis, nous vous présenterons les bons aliments que vous devriez manger.

Dangers sanitaires **La technologie peut détériorer vos aliments**

Parmi les aliments que nous consommons couramment, peu ont à voir avec leur état brut. Les poissons viennent souvent de fermes d'aquaculture, les vaches sont nourries au grain plutôt qu'à l'herbe, de nombreuses variétés de fruits et légumes sont dépouillées de leurs fibres et nutriments. On y ajoute des doses dangereusement élevées de sel, de sucre et/ou de « mauvaises » graisses lors de leur transformation en conserves, jus de fruits, plats cuisinés. La technologie agroalimentaire moderne peut dégrader la qualité des aliments en :

■ ajoutant des acides gras « trans » et saturés, dangereux pour le cœur ;

■ ajoutant du sel, facteur d'hypertension ;

■ ajoutant du sucre, qui augmente le glucose sanguin ;

■ retirant des fibres naturelles ;

■ retirant des vitamines, minéraux et antioxydants ;

■ ajoutant des conservateurs, des arômes et colorants artificiels et des édulcorants comme l'aspartame ;

■ introduisant une si grande quantité d'additifs que le risque d'allergie ou d'intolérance en est augmenté ;

■ ajoutant des vitamines et des minéraux faits par l'homme dans l'unique but d'« enrichir ».

possible que les graisses « trans » représentent également un danger pour le cœur en favorisant les inflammations et en rendant les cellules insulinorésistantes.

■ **Enquête sur les étiquettes** Au Canada, la quantité d'« acides gras trans » doit figurer sur les étiquettes dans la liste des ingrédients, mais ce n'est pas toujours aussi clair. Les acides gras « trans » peuvent se cacher sous des appellations telles que « matières grasses hydrogénées » ou « huiles végétales partiellement hydrogénées ».

Vous les trouverez dans les aliments industriels comme les pâtés à la viande, les biscuits, les viennoiseries, les fritures... Mais ce n'est pas si facile de les traquer : on en rencontre aussi dans des barres aux céréales diététiques et des plats végétariens. Dans les restaurants qui servent des plats à emporter, demandez quelle sorte d'huile ils utilisent.

■ **Éliminez les gras « trans » pour une bonne raison** Les couper se traduirait par une diminution des décès par maladie cardio-vasculaire au Canada de 20 %.

8 façons d'échapper au piège des graisses « trans »

1 Choisissez des margarines molles plutôt que solides et, surtout, optez pour les marques qui contiennent peu d'acides gras « trans ».

2 Utilisez de l'huile d'olive pour cuisiner.

3 Pour agrémenter vos salades, parsemez-les de noix, noisettes et graines diverses plutôt que d'y ajouter des miettes de bacon.

4 Au lieu d'un paquet de croustilles pour combler les petites faims, optez pour des raisins secs, des fruits à écale, du gâteau de riz, du beurre d'arachide ou des bâtonnets de carotte...

5 Suivez le périmètre du supermarché pour vos achats : les produits préparés sont généralement dans les allées du centre.

6 Lorsque vous achetez des aliments industriels tels que biscuits, céréales ou desserts, privilégiez les versions allégées en matières grasses.

7 Évitez les frites dans les fast-foods ; optez plutôt pour une salade verte, une pomme de terre au four ou une salade de fruits.

8 Confectionnez vous-même vos gâteaux, gaufres et autres pâtisseries au lieu de les acheter ou de prendre les préparations toutes faites, également remplies de graisses « trans ». Faites-en alors de grosses quantités afin de pouvoir les congeler. Vous trouverez la recette des gaufres au son et aux fraises en page 260, des galettes à la tomate et au basilic en page 265, et du gâteau renversé aux pommes en page 297.

Faites vos muffins vous-même plutôt que d'utiliser une préparation avec des acides gras « trans ».

2 GLUCIDES RAFFINÉS
Dépouillés de leurs qualités nutritionnelles

Vous mangez régulièrement du pain blanc, des céréales sucrées, du riz blanc ou des pâtes blanches ? Vous utilisez de préférence du sucre blanc ? Dommage car, outre que les céréales entières sont bien meilleures pour la santé du cœur, ces aliments raffinés sont dénaturés et n'apportent que des calories dites « vides », très pauvres en vitamines et oligoéléments, ces nutriments catalyseurs indispensables à une bonne assimilation.

En préférant la version raffinée à la version complète, vous augmentez les risques d'infarctus de 30 %. Commencez par faire vos courses avec plus de discernement. Regardez bien les étiquettes. Les produits raffinés ne jouent pas uniquement un rôle néfaste pour le système cardiovasculaire, ils peuvent aussi provoquer hausse du taux de cholestérol, hypertension, insulinorésistance, diabète..., sans oublier les carences et surcharges responsables de nombreuses maladies. Voici ce que l'on sait d'eux aujourd'hui.

EXPLICATIONS

■ **De quoi s'agit-il ?** Pour rendre les céréales plus faciles à consommer, l'industrie effectue un raffinage, qui consiste à enlever l'enveloppe des grains, pour n'en garder que le cœur. Le grain perd ainsi la couleur brune du son : il blanchit et, s'il est glacé, subit ensuite un enrobage de glucose et de talc. C'est ainsi qu'à partir de 27 kg de grains de blé, l'on obtient 20 kg de farine blanche.

Mais le processus de raffinage élimine le son de blé, riche en fibres, les vitamines B, le magnésium, le phosphore, le fer et le zinc, ainsi que le germe de blé, qui renferme également tous ces nutriments plus de la vitamine E et quelques protéines et lipides. Le son et le germe de blé contiennent 90 % des nutriments du grain.

6 façons d'adopter les céréales entières

Votre objectif : une consommation de trois portions de céréales entières par jour. Voici comment vous pouvez parvenir à éviter les céréales raffinées et à les remplacer par de « bonnes céréales ».

1 Au déjeuner, optez pour les céréales riches en fibres : muesli, gruau, flocons de blé entier, blé filamenté, flocons de son, Weetabix, céréales entières raisin et noix...

2 Achetez du pain de blé entier ou des muffins multigrains et non pas de la baguette ou du pain de campagne blanc .

3 Faites vos sandwichs avec du pain entier.

4 Élargissez votre répertoire et essayez le riz sauvage, le riz brun, le boulgour, le kamut...

5 Mettez du riz sauvage ou de l'orge dans vos soupes, salades et sautés.

6 Ajoutez du riz brun ou de la chapelure de pain complet à vos préparations de viande hachée pour leur donner plus de consistance.

■ **Comment les céréales entières protègent votre cœur** Nombreuses sont les études qui montrent que les hommes et les femmes qui mangent suffisamment de céréales complètes (pain complet, gruau, riz brun...) sont de 20 à 30 % moins victimes d'affections cardiovasculaires. Ceux qui optent pour les grains raffinés font plus souvent des infarctus, présentent une insulinorésistance et souffrent d'hypertension.

Le taux de glucose sanguin augmente davantage et plus vite lorsque vous avez mangé une tranche de pain blanc ou une tasse de riz blanc que quand vous avez mangé du pain entier ou du riz brun. Cela fait grimper le niveau d'insuline et entraîne une baisse du taux de « bon » cholestérol (HDL) ainsi qu'une hausse des triglycérides et de la tension artérielle. Cela favorise également le risque de déclencher un diabète de type II.

Lors d'une étude sur l'alimentation, des nutritionnistes ont mesuré le tour de taille de 459 personnes. Chez celles qui consommaient la plus grande proportion de céréales raffinées, ils ont constaté une « prise de taille » de 1,3 cm en 1 an. Or la graisse abdominale qui entoure les organes peut perturber le fonctionnement de ceux-ci.

■ **La limite à ne pas dépasser** Limitez autant que possible votre consommation de glucides raffinés. Il faut consommer au minimum trois portions de céréales entières par jour.

■ **Enquête sur les étiquettes** Le blé entier ou une autre céréale complète devrait figurer en tête. Assurez-vous que les fibres représentent au moins 3 g pour 100 g. Méfiez-vous de l'appellation «pain brun» : cela ne veut pas dire nécessairement qu'il s'agit de pain entier !

3 SEL
Plus de saveur... mais aussi plus de problèmes

Un peu de sel sur vos œufs brouillés le matin, une pincée sur votre salade verte à midi, quelques grains sur votre poulet rôti et vos pommes de terre au souper... Au total, à peine ½ c. à thé de sel. C'est peu. Pourtant, la majorité des personnes consomment près de 2 c. à thé de chlorure de sodium (qui fait monter la pression artérielle) par jour.

S'il est si difficile de réduire les apports en sel, c'est que les trois quarts du sel que nous consommons sont cachés dans les produits préparés : soupes et légumes en conserve ; condiments comme les sauces soja et Worcestershire ; hamburgers et frites de restauration rapide ; viandes salées ou fumées comme le bacon ou le jambon. Il y en a même dans les céréales sucrées du matin !

On trouve également du sel dans les produits naturels comme le lait, le céleri ou la betterave. C'est une bonne chose car le sodium est indispensable à la vie. Il contribue à réguler la pression artérielle, à maintenir l'équilibre hydrique (régulation du niveau et de la quantité d'eau dans l'organisme), à assurer le bon fonctionnement des nerfs et des muscles (y compris le cœur). Chaque jour, nous devons aussi compenser les pertes de sodium liées aux sécrétions corporelles (sudation, larmes, lait maternel…).

Mais trop de sel peut s'avérer dangereux. Les études médicales tendent à démontrer qu'un excès de sel peut effectivement être nocif, notamment en provoquant une hypertension artérielle.

EXPLICATIONS

■ **De quoi s'agit-il ?** Depuis toujours, l'homme utilise le sel pour renforcer le goût des aliments, améliorer leur texture et prolonger leur durée de vie. Mais, aujourd'hui, les industriels ajoutent des millions de tonnes

Les chercheurs pensent que le sel est une cause majeure d'hypertension et de maladies cardiaques.

de sel par an à tous les types de denrées, du pain et des céréales pour le déjeuner aux plats cuisinés, du beurre à la margarine. Les aliments à l'état naturel contiennent environ 10 % du sel que nous absorbons ; 15 % sont ajoutés lors de la cuisson ou à table ; près de 75 % sont incorporés lors de la transformation et du conditionnement alimentaires.

■ Comment le sel attaque le cœur

L'organisme a besoin d'une concentration très précise de sodium. Tout excès pousse le corps à retenir l'eau dans les tissus afin de diluer le sel en trop dans le sang. Cela provoque une rétention de sodium et d'eau, augmentant le volume sanguin et générant l'hypertension.

Les os souffrent également d'un excès de sel, car celui-ci provoque une carence en calcium. Les os perdent de leur densité, le risque d'ostéoporose et de fractures s'accroît.

On estime que 30 à 60 % des personnes hypertendues, et 25 à 50 % des personnes en bonne santé, feraient baisser leur tension en réduisant leur consommation de sel. Pour ce faire, il s'agit surtout de limiter la consommation d'aliments industriels, de ne pas resaler à table et de manger au moins cinq portions de fruits et légumes par jour. Ces derniers constituent en effet une source naturelle de potassium, un excellent « antidote » au sodium.

■ La limite à ne pas dépasser

La dose quotidienne limite recommandée par les nutritionnistes est de 2 300 mg de sodium, ce qui correspond à 6 g de sel. Or, 75 à 80 % de notre apport quotidien en sel provient des aliments préparés. Il faut donc être extrêmement vigilant quand on fait les courses ou quand on va au restaurant.

7 façons de couper court au sel

Vous n'imaginez pas pouvoir vous passer de sel ? Détrompez-vous ! Il existe de nombreuses astuces pour réguler en douceur votre consommation. Au bout de 1 ou 2 semaines, vous verrez, cela ne vous manquera plus du tout.

1 Réduisez la quantité de sel que vous ajoutez en cuisinant. Pour vous faciliter la tâche, utilisez simplement du gros sel : une cuillerée de gros sel pèse moins lourd qu'une cuillerée de sel fin.

2 Enlevez la salière de la table. Si vous ne la voyez pas, vous ne penserez peut-être pas à resaler les plats.

3 Assaisonnez vos plats autrement : pensez aux herbes aromatiques, au poivre, au jus de citron, à la moutarde... mais aussi aux épices comme la coriandre, le cumin ou les graines de fenouil pour aromatiser vos poissons et vos légumes.

4 Choisissez les versions « sans sucre et sel ajoutés » des conserves comme les haricots rouges, les pois chiches et le maïs. Si vous n'en trouvez pas, rincez bien le contenu avant utilisation pour enlever au moins un peu de sel.

5 Les plats cuisinés, les soupes et les sauces toutes faites contiennent souvent un pourcentage de sel élevé. Mieux vaut les confectionner vous-même. Préparez de grosses quantités et congelez-en une partie.

6 Pour l'apéritif, essayez les noix et les croustilles non salées ou à teneur en sel réduite.

7 Remplacez le sel dans vos légumes cuits par du jus et du zeste de citron.

Beaucoup d'aliments contiennent du sel caché. Un excès de sel peut provoquer une hypertension.

■ **Enquête sur les étiquettes** Une étiquette « teneur réduite en sel » ne veut pas dire que le produit contient peu de sel, mais qu'il y en a 25 % de moins que dans un produit comparable. Retenez que les aliments qui renferment plus de 0,5 g de sodium (c'est-à-dire 1,25 g de sel) pour 100 g sont riches en sel. Les aliments contenant moins de 0,1 g de sodium (0,25 g de sel) pour 100 g sont pauvres en sel. Lisez attentivement le tableau des ingrédients.

■ **Ce que vous gagnez en réduisant le sel** Rien qu'en diminuant votre consommation journalière de sodium de 0,3 g (soit environ 25 g de fromage), vous pourrez réduire votre pression artérielle systolique (valeur de la pression au moment de la contraction du cœur) de 2 à 4 points, et la pression diastolique (valeur de la pression au moment de la décontraction du cœur) de 1 à 2 points.

4 SUCRES AJOUTÉS
Des douceurs chèrement payées

Si vous demandez à quelqu'un ce qui rend les aliments doux, il vous répondra le sucre. Mais les sucres ajoutés sont présents dans un nombre incroyable d'aliments, des légumes en conserve à certains pains.

En plus du sucre qu'elle ajoute aux plats préparés et aux conserves, l'industrie agroalimentaire a créé nombre de produits qui devraient être bannis de notre alimentation : sodas, bonbons, biscuits, barres chocolatées, yogourts sucrés, crème glacée, pâtes à tartiner, etc. Le sucre, caché ou non, est partout !

EXPLICATIONS

■ **De quoi s'agit-il ?** Ce sont tous les sucres que l'on ajoute aux aliments, qu'ils s'appellent glucose, fructose, maltose, amidon, sucre inverti, galactose, saccharose, sorbitol, maltodextrine ou sirop de maïs.

■ **Comment les sucres attaquent le cœur** Différentes études cliniques ont montré que plus le taux de sucre dans le sang est élevé, plus le risque de maladie cardiovasculaire

> Un excès de sucre peut favoriser le diabète et les maladies cardiovasculaires.

est également élevé. La raison en est surtout le surpoids, qui en est une conséquence directe. C'est un cercle vicieux : qui dit surpoids dit aussi risque accru de diabète (80 % des diabétiques sont en surpoids) et qui dit diabète dit risque accru de maladie cardiovasculaire...

■ **La limite à ne pas dépasser** L'OMS (Organisation mondiale de la santé) recommande de limiter l'ingestion de sucres ajoutés à 10 % de la quantité totale de calories absorbées quotidiennement, soit environ 50 g pour la majorité des femmes et 70 g pour les hommes.

■ **Enquête sur les étiquettes** Les sucres figurent sur les étiquettes sous l'intitulé « glucides » ou «hydrates de carbone ». Si vous y trouvez plus de 10 g de sucre pour 100 g de produit, c'est beaucoup. S'il y en a 2 g pour 100 g, c'est peu et c'est bien.

■ **Ce que vous gagnerez en réduisant les sucres ajoutés** En détournant les sucres ajoutés de votre alimentation, vous réduirez votre glycémie ainsi que vos taux d'insuline et de triglycérides. Il vous sera également plus facile de perdre du poids.

4 façons de réduire l'absorption de sucres ajoutés

Voici quelques conseils pour éviter une surconsommation de sucres ajoutés.

1 Si vous avez besoin de saveurs sucrées, optez pour le naturel, comme les fruits, qu'ils soient frais, surgelés, en conserve ou secs (le tout sans sucres ajoutés !). Les fruits vous apporteront en plus fibres, vitamines, minéraux et antioxydants.

2 Limitez le sucre liquide sous forme de boissons gazeuses ou de jus de fruits industriels. Essayez plutôt une version maison toute simple : de l'eau gazeuse avec un zeste de citron ou d'orange.

3 N'oubliez pas vos lunettes pour vos emplettes ! Tant de produits (compote de pomme, fèves au lard, sauce à spaghetti) contiennent des sucres ajoutés que vous aurez besoin de bien lire les étiquettes pour choisir les marques les moins sucrées.

4 Essayez de réduire (ou de supprimer) l'ajout de sucre dans vos céréales, votre yogourt, votre thé ou votre café. Vous verrez, au bout de quelques jours, vous vous serez fait au goût. Qui sait, vous finirez peut-être même par préférer le café sans sucre !

Pour rester en bonne santé, il faut une alimentation saine et équilibrée, contenant des glucides.

Glucides :
toute la vérité

Le régime *low-carb* (pauvre en glucides), popularisé aux États-Unis dans les années 1970, notamment grâce au régime Atkins, est toujours en vogue. Un nouveau vocabulaire nutritionnel est apparu, comme *net-carb*, *impact-carb*, *fit-carb*, qui signifient tous « glucides nets » en français (*carb* étant l'abréviation du terme anglais *carbohydrates*, hydrates de carbone ou glucides).

Pourtant, ce type de régime, qui consiste à réduire au minimum toutes les sources de glucides (pain, céréales, légumes et fruits inclus), est en totale contradiction avec les recommandations officielles, notamment celles de l'OMS. Les spécialistes s'accordent en général pour dire qu'il faut une alimentation saine et équilibrée pour rester en bonne santé, ce qui veut dire qu'au moins 55 % de l'apport énergétique quotidien provient de sources différentes de glucides. Pour perdre du poids, les spécialistes de la santé préconisent une alimentation riche en glucides complexes et pauvre en graisses, associée à une activité physique régulière.

La mode des régimes pauvres en glucides a connu un succès extraordinaire. Des millions de Nord-Américains et d'Européens ont suivi le régime Atkins, contre l'avis de leur médecin. Pourquoi un tel succès ? Atkins et ses confrères promettent une perte de poids facile et rapide, grâce à une glycémie réduite et plus stable. Si la consommation de glucides est très limitée, celle des lipides et des protéines ne l'est pas du tout : beurre, fromage, viande, poisson, œufs, mayonnaise... rien de tout cela n'est interdit !

Il est difficile de critiquer les régimes *low-carb* lorsqu'ils prônent une stricte limitation des glucides raffinés, c'est-à-dire les glucides qu'on trouve dans le pain blanc, le riz blanc et les croustilles. Le problème est que ces régimes excluent tous les glucides, y compris les « bons ».

En excluant les fruits, les légumes et les céréales entières, le *low-carb* prive le système cardiovasculaire de substances dont il a besoin chaque jour : fibres solubles, vitamines, minéraux et antioxydants. De plus, en les remplaçant par de grandes quantités de graisses saturées, il met sérieusement la santé du cœur et la tension artérielle en péril.

Les études ont montré qu'à long terme un régime modéré en glucides, incluant céréales entières, fruits et légumes, donnait d'aussi bons – sinon de meilleurs – résultats qu'un régime *low-carb* en termes de perte de poids. Quant aux produits industriels estampillés *low-carb*, il ne faut pas perdre de vue qu'une barre chocolatée, même estimée à 2 *net-carb* (glucides nets), reste une barre chocolatée riche en calories. Vous n'échapperez donc pas à cette équation universelle : trop de calories = prise de poids.

Mythes et réalités

Les régimes fondés sur une consommation limitée de glucides partent de la même base : les glucides créent une hausse de la glycémie parce qu'ils fournissent une importante quantité de glucose, le carburant préféré de l'organisme. Lorsque le taux de glucose monte, le pancréas sécrète de l'insuline, ce qui conduit les cellules à stocker du sucre.

Les tenants du *low-carb* avancent qu'une alimentation pauvre en glucides facilite la perte de poids parce qu'un taux de glycémie bas et constant régule la sensation de faim et diminue les fringales. La suite de la théorie *low-carb* reste également sujette à polémique.

Nouveau glossaire des glucides

Le vocabulaire des glucides n'est pas toujours simple. Glucides, sucres ou hydrates de carbone, ils se voient réserver des appellations plus détaillées par les nutritionnistes et les industriels.

■ **Glucides** Les glucides constituent l'un des trois grands composants de notre alimentation, les deux autres étant les lipides (graisses) et les protéines. Parmi les glucides que nous consommons, on trouve les amidons, les sucres et les fibres.

■ **Glucides complexes** Ce sont des glucides dont la composition est plus complexe. Ils sont assimilés et transformés plus lentement par l'organisme, car ils doivent d'abord être décomposés en sucres simples (c'est pour cela qu'on les nomme aussi sucres lents). Certains glucides complexes sont digestibles (amidons), d'autres non (fibres alimentaires ou cellulose). Les glucides complexes, dans leur forme naturelle, sont parmi les aliments les plus sains. C'est une combinaison gagnante : digestion longue et richesse en nutriments. Les nutritionnistes les appellent souvent les « bons » glucides.

■ **Glucides simples** Ce sont des glucides constitués d'une seule molécule (glucose, fructose, galactose) ou de deux molécules (saccharose, lactose, maltose). Ils sont assimilés rapidement et passent directement dans le sang. Certains aliments contiennent naturellement des glucides simples, mais la majorité provient de l'industrie. Durant le processus de simplification des glucides, les fibres, les graisses végétales et les nutriments sont souvent éliminés, ce qui explique une baisse considérable de leur valeur nutritive. On les appelle donc parfois les « mauvais » glucides.

■ **Glucides nets** Il s'agit d'un concept récent, né avec les régimes *low-carb*. Les glucides nets *(net-carb)* sont les glucides complexes, sans leurs fibres et certains de leurs édulcorants naturels. Les glucides nets auraient un effet sur la glycémie, mais la plupart des nutritionnistes considèrent ce concept comme fantaisiste et sans intérêt.

La plupart des pommes de terre se digèrent rapidement, mais vous pouvez réduire leur IG (index glycémique) en optant pour des pommes de terre nouvelles.

Ses partisans arguent que de tels régimes modifient aussi le métabolisme : l'organisme, en manque de glucides, se tournerait vers la graisse et les muscles pour produire l'énergie nécessaire à son bon fonctionnement, l'idée étant qu'il n'est plus possible ainsi à l'organisme de stocker les calories et de les transformer en graisse. Est-ce vraiment le cas ?

Ces régimes marchent... au début. La perte de poids est rapide car la restriction de glucides vide les réserves de glycogène, ce qui provoque une grande élimination d'eau. On perd donc surtout de l'eau. De nombreux nutritionnistes soulignent cependant que ce

Les subtilités de l'index glycémique

L'index glycémique (IG) classe les glucides selon leurs effets sur le taux de glucose dans le sang. Les glucides rapidement absorbés par l'organisme ont l'IG le plus élevé. Ceux qui sont absorbés lentement ont un IG bas. Consommer des glucides à IG bas peut faire baisser le taux de « mauvais » cholestérol (LDL) et augmenter le taux de « bon » cholestérol (HDL), mais cela peut aussi aider à perdre du poids et à réduire le risque de diabète, de maladies cardiovasculaires et même de certains cancers.

Le calcul de l'index glycémique des différents aliments donne des résultats assez étonnants. Les carottes cuites, par exemple, possèdent un IG beaucoup plus élevé que celui du quatre-quarts (85 contre 54). De plus, l'IG d'un aliment ne suffit pas à lui seul à déterminer son impact sur le taux de glucose. Il faut aussi prendre en compte la façon de le préparer, sa cuisson, la quantité consommée, la présence d'autres aliments ingérés en même temps (les lipides et les protéines tendant à ralentir l'absorption des glucides).

Cela semble bien compliqué et peu pratique à mettre en œuvre. Suivez donc ces quelques conseils.

■ Au déjeuner, mangez des céréales à base d'avoine, d'orge et de son, ainsi que du pain de blé entier.

■ Optez pour des fruits entiers (sauf banane, melon et ananas) plutôt que pour des jus de fruits.

■ Mangez de grandes quantités de légumes et de légumineuses (lentilles, pois chiches et haricots secs).

■ La plupart des pommes de terre se digèrent rapidement, mais vous pouvez réduire leur IG en optant pour des pommes de terre nouvelles (IG moyen) ou des patates douces.

■ Les pâtes, à condition qu'elles soient cuites *al dente* ou intégrales, possèdent un IG bas (35 et 30).

■ La présence de vinaigre peut réduire considérablement l'IG d'un repas.

■ Ajoutez un peu de lipides et de protéines. Par exemple, si vous grignotez des carottes, ajoutez un peu de beurre d'arachide.

Pour en savoir plus sur l'index glycémique, consultez les sites Internet : www.passeportsante.net ou www.eufic.org (rubrique « Nutrition », sous-rubrique « Hydrates de carbone »).

type de perte de poids suit simplement la règle numéro un en matière d'alimentation : si vous consommez moins de calories, vous perdrez du poids. En brûlant, les graisses génèrent des substances appelées cétones. Or, lorsqu'on adopte une alimentation pauvre en glucides, on produit davantage de cétones, ce qui peut diminuer l'appétit. Néanmoins, un taux élevé constant de cétones finit par épuiser les stocks osseux de minéraux, entraînant une fragilisation des os. Voici ce que l'on sait d'autre.

Ce qui a été démontré

De nombreuses études ont cherché à comparer les résultats de régimes pauvres en glucides avec d'autres régimes, notamment ceux qui sont pauvres en graisses. Il a été démontré qu'en termes de perte de poids, sur une durée de 6 mois, les deux types de régimes se valaient. Néanmoins, les promesses du régime *low-carb* concernant un changement métabolique ne semblent pas viables, surtout à long terme. Une expérience a été menée aux États-Unis sur un échantillon de 2 681 personnes ayant perdu du poids avec succès, puis ayant réussi à maintenir une perte de poids d'au moins 13,5 kg durant 1 an ou plus. Seulement 1 % d'entre elles avaient suivi un régime pauvre en glucides...

Très peu de glucides, trop de lipides

Le régime du Dr Atkins, le plus ancien des régimes *low-carb*, ne permet que 20 g de glucides par jour dans sa phase d'attaque, ce qui écarte la plupart des céréales, fruits, pommes de terre et autres légumes riches en amidon, le riz et les pâtes. Parallèlement, de grandes quantités de viande (bœuf, porc, poulet), d'œufs et de beurre sont autorisées. Ces graisses saturées contribuent à menacer le cœur en faisant augmenter le taux de cholestérol LDL, alors même que l'organisme est privé des antioxydants qui protègent les artères. Ces régimes pauvres en glucides sont aussi riches en protéines, ce qui constitue une menace pour les personnes atteintes de diabète, les protéines superflues devant être éliminées par les reins.

Peu de glucides ne veut pas dire peu de calories

Beaucoup de produits spécialement conçus pour être pauvres en glucides sapent les efforts d'un régime parce qu'ils renferment autant – sinon plus – de calories que leurs versions courantes. Nombreux sont ceux qui contiennent également plus de graisses. Un produit « sans sucre » ou « à teneur réduite en glucides » ne fait donc pas nécessairement maigrir. Souvenez-vous que, pour « alléger » un produit, le fabricant doit ajouter d'autres substances pour préserver le goût, la texture et le volume.

La malbouffe *low-carb* reste de la malbouffe

De même, ne pensez pas que manger un produit étiqueté « pauvre en glucides » soit un meilleur choix diététique qu'un fruit. Vous aurez doublement tort : vous priverez votre corps de nombre de nutriments et de fibres bons pour le cœur et vous consommerez trop de calories « vides ».

Voici un exemple : pour arriver à 40 g de glucides par jour, vous pouvez manger une pomme, une banane et une tranche de pain de blé entier. Cela équivaut à 200 kcal et, en prime, fournit force antioxydants, vitamines et minéraux. Si vous choisissez de prendre ces 40 g de glucides par le biais d'un produit « allégé en glucides », vous pouvez vous retrouver avec trois fois plus de calories et très peu de nutriments.

Tout sur les glucides

Les glucides raffinés – bonbons, pain blanc et riz blanc, par exemple – ont été dépouillés de tous les bons nutriments qui ralentissent la digestion, en sorte qu'ils font augmenter le glucose dans le sang. Dès lors, le pancréas sécrète de l'insuline afin d'aider les cellules à absorber l'excès de sucre. Ce surplus d'insuline favorise l'augmentation du cholestérol, le surpoids et l'obésité.

Les études ont mis en évidence que le fait de consommer beaucoup de glucides raffinés accroît considérablement le risque de maladies cardiovasculaires. En augmentant le taux de triglycérides et en réduisant le taux de « bon » cholestérol (HDL), une grande consommation de glucides pourrait favoriser l'hypertension et l'inflammation des artères.

Parmi les théories plus ou moins fantaisistes sur les régimes pauvres en glucides se cache une vérité importante : manger des lipides et des protéines est essentiel. Ensemble, ils contribuent à stabiliser le taux de glucose sanguin, ce qui régule la faim. Les « bonnes » graisses ne font pas augmenter le cholestérol LDL mais empêchent le taux de cholestérol HDL de baisser (ce qui est l'un des dangers des régimes pauvres en graisses). Les sources de protéines contenant peu de graisses saturées, comme le bœuf maigre, le poulet ou les œufs, fournissent des nutriments et des acides aminés qui protègent le cœur, en nourrissant notamment les cellules cardiaques.

Le plan *30 minutes par jour*

Notre programme nutritionnel vous permettra d'inclure dans votre alimentation des « bonnes » graisses, des protéines et des « bons » glucides à chaque repas.

Les « bons » glucides – les fruits, les légumes et les céréales entières – aident à conserver un cœur solide. Les études ont montré que, pour 10 g de fibres provenant de fruits par jour, le risque de développer une maladie cardiaque est réduit de 30 %. Pour 10 g de fibres provenant d'une céréale, le risque est réduit de 15 %.

C'est un bénéfice majeur, au regard de la quantité d'aliments. Pour ingérer 10 g de fibres dans la journée, il suffit de manger une pomme, une poire et deux abricots séchés, ou bien encore un bol de flocons de son et une tranche de pain de blé entier. N'oubliez pas les légumes : pour chaque portion additionnelle de ceux-ci (une portion de plus par jour sur une base quotidienne), vos risques cardiaques diminuent de 4 %.

Les fruits et légumes regorgent de substances qui aident le cœur à se maintenir en forme : des fibres pour réduire le cholestérol et le risque de caillots sanguins, des anti-oxydants, du potassium, qui réduit la tension artérielle, des folates et de la vitamine B6, nutriments qui contribuent tous à abaisser le taux d'homocystéine, un acide aminé qui peut endommager les parois des artères et précipiter la formation de caillots.

Les « bons » glucides peuvent aussi vous aider à contrôler votre poids. Les fibres que renferment les glucides complexes prolongent la sensation de satiété (elles retiennent l'eau plus longtemps dans le système digestif) ainsi que le temps de digestion et permettent d'éliminer des calories au lieu de les absorber.

Qu'est-ce qu'une bonne portion ?

La suralimentation est la principale responsable de la véritable épidémie d'obésité au Canada. D'ailleurs, la plupart d'entre nous seraient bien incapables de définir ce qu'est une « bonne » portion, saine et équilibrée. Les parts dans les restaurants et les supermarchés sont devenues de plus en plus imposantes... Et, sans s'en rendre compte, la majorité des gens se sont habitués à manger plus.

Nous confondons quantités et calories

Les aliments de la restauration rapide sont, pour la plupart, extrêmement riches en calories, et il suffit souvent d'une petite quantité pour dépasser en un seul repas l'apport énergétique quotidien conseillé. Cuisinés maison, ces mêmes plats sont beaucoup moins caloriques. De plus, ceux –

et ils sont nombreux – qui pensent que la meilleure méthode pour perdre du poids est de manger certains aliments et pas d'autres se trompent. Ce sont surtout les quantités qu'il faut surveiller ! Le nombre de calories ingérées, en effet, pèse sur la balance...

Nous finissons toujours notre assiette

Il fut un temps où l'on nous apprenait qu'il fallait manger tout ce qui se trouvait dans notre assiette, qu'on ait faim ou non. À l'époque où les portions servies étaient petites, cela ne posait pas de problème nutritionnel, mais ce n'est plus le cas aujourd'hui. En moyenne, les portions servies en Amérique du Nord sont 25 % plus grosses qu'en Europe. Les produits affichent 15 ou 30 % « gratuit », soit une plus grosse quantité achetée pour le même prix. Résultat : nous

Ne cherchez pas à « nettoyer » votre assiette.

mettons aussi ce pourcentage « en plus » dans nos assiettes. En 20 ans, la taille des hamburgers de restauration rapide est passée de 172 g à 204 g, et celle des sodas a doublé, ajoutant 50 kcal.

Un mauvais calcul Revenir du supermarché avec 30 % de produits en plus pour le même prix n'est pas nécessairement bon, ni pour votre tour de taille ni pour votre santé !

Selon le Fonds mondial de recherche contre le cancer (FMRC), l'industrie alimentaire, en commercialisant des portions de plus en plus grosses, contribue à favoriser l'obésité. Il devient important de réduire la taille des portions.

En 2003, Santé Canada a commencé une nouvelle politique d'étiquetage qui oblige les compagnies à mettre un tableau nutritionnel sur les étiquettes des produits alimentaires. Ce tableau doit indiquer le nombre de calories et faire la liste de 13 ingrédients jugés critiques ou importants par les professionnels de la santé et les consommateurs. Ceux-ci devraient porter une attention particulière aux gras saturés et à la présence de gras « trans ».

La majorité des régimes à succès en témoignent : c'est en diminuant la taille des portions qu'on parvient à maigrir.

De la réduction des portions

Voici comment réduire les portions tout en mangeant à satiété.

Patientez 10 minutes Votre estomac a besoin de ce temps pour communiquer à votre cerveau qu'il est plein. Avant de vous resservir, attendez donc un peu. Pendant ce temps, continuez à discuter ou, si vous êtes seul, lisez le journal ou faites un sudoku. Si vous avez encore faim après l'attente, resservez-vous en légumes ou en salade.

Ne « nettoyez » pas votre assiette Manger une portion saine (voir « Le guide des portions parfaites » ci-contre) est une bien meilleure stratégie. Il vaut mieux gaspiller un peu de nourriture (ou garder les restes pour le lendemain) que surcharger son organisme.

Ne mangez jamais directement dans le plat ou la barquette Si vous avez acheté un repas à emporter, sortez-le de son emballage et mettez-le dans une assiette. Assurez-vous d'abord que c'est une portion « parfaite ».

Si vous aimez les grandes portions... Empilez généreusement sur votre assiette des légumes et/ou une salade verte légèrement assaisonnée, ou mangez un grand bol de soupe à base de bouillon de légumes. Ces aliments riches en eau et pauvres en graisses ne contiennent pas beaucoup de calories. Une grosse portion ne pose alors pas de problèmes.

Lorsque vous commandez quelque chose ou que vous faites vos courses, choisissez toujours la plus petite taille, qu'il s'agisse d'aliments ou de boissons (à l'exception des légumes sans matière grasse ajoutée). Prenez le petit sandwich crudités au lieu de la demi-baguette jambon-fromage, par exemple. Les calories que vous n'achetez pas ne finiront pas autour de votre taille.

Optez pour les portions individuelles

Oubliez les formules familiales : choisissez les crèmes glacées individuelles au lieu des pots de 2 litres, faites des gâteaux individuels plutôt qu'un grand, achetez des petits sacs de croustilles. Lisez les étiquettes : certains produits semblent conditionnés pour une personne mais sont en fait pour deux ou trois.

Rangez les restes Lorsque vous avez fini de manger, votre assiette est vide, mais les plats contiennent encore des restes qui vous tentent. La solution est de ranger les plats après vous être servi. Vous serez ainsi moins enclin à vous resservir.

Terminez le repas par des légumes ou un fruit Lors de la période transitoire qui vous mènera à des portions plus petites, vous aurez sans doute encore un peu faim en fin de repas. N'hésitez pas à manger une grande quantité de céleri, carottes, poivrons, tomates ou salade verte avec votre plat principal. De même, il n'existe pas de moyen plus sain pour ajouter du « volume » à un repas que de le terminer par une pomme, une orange ou quelques tranches de pastèque.

Le guide des « portions parfaites »

On tend à sous-estimer la taille des portions – et donc le nombre de calories – d'au moins 25 %. Cela signifie que vous consommez peut-être des centaines de calories en trop chaque jour sans le savoir. Voici deux moyens d'évaluer correctement la taille des portions. Le premier utilise comme point de comparaison un objet usuel, le second la main, afin que vous puissiez vous servir de ce système partout.

LA PORTION PARFAITE	ÉQUIVALENT OBJET	ÉQUIVALENT MAIN
90 g (3 oz) de viande	1 petit paquet de mouchoirs	La paume ouverte
90 g (3 oz) de poisson	1 chéquier	La paume ouverte
3 à 4 c. à soupe de haricots secs	1 balle de tennis	Une main creuse
40 g (1½ oz) de fromage	3 dés	Le pouce
2 c. à soupe bombées de riz ou de pâtes	1 moule à petit gâteau	Une main creuse ouverte
1 portion de purée de pommes de terre	1 dessous-de-verre	La paume
1 petit pain	1 pain de savon	La moitié de la paume
1 petite brioche	La partie arrondie d'une ampoule électrique	⅓ de la paume
8 cm de part de gâteau	1 paquet de cartes de jeu	Environ ¾ de la paume
1 c. à thé de beurre ou de margarine	1 timbre-poste	Le bout du pouce
1 c. à soupe d'huile ou de vinaigrette	Le fond d'une tasse de café	Le centre de la main creuse
1 portion de croustilles	1 balle de tennis	Une main creuse
1 portion de fruits à écale ou de fruits secs	1 balle de golf	Une petite main creuse

Les « superaliments » à la rescousse

De succulentes fraises trempées dans du chocolat noir, du saumon grillé, une purée de patates douces légèrement saupoudrée de cannelle, une salade de pousses d'épinard aux noix et aux canneberges : cuisine de gourmet, certes, mais dont la qualité principale est assurément de fortifier le cœur des bonnes graisses aux fibres, en passant par de puissants antioxydants et des vitamines et minéraux essentiels.

Les dix-huit aliments dont il est question dans cette partie ont pour point commun de réduire significativement les risques de maladies cardiaques. Ils raviront vos papilles tout en combattant les sept principaux ennemis du cœur. Plus précisément, ces « superaliments » vous aideront à :
- réduire le risque d'athérosclérose, qui obstrue les artères ;
- combattre le cholestérol ;
- réguler la pression artérielle ;
- neutraliser les dangereux radicaux libres ;
- atténuer les inflammations ;
- stabiliser la glycémie à un taux bas pour réduire le risque de syndrome métabolique ;
- maigrir si vous les consommez régulièrement et dans les bonnes proportions.

Nul besoin d'aller dans une boutique spécialisée pour trouver ces aliments. Il suffit de vous concentrer sur les rayons des produits frais au supermarché (fruits et légumes, viande, poisson et produits laitiers) et/ou, bien sûr, de faire un tour au marché deux ou trois fois par semaine.

De même, nous avons rassemblé pour vous les façons les plus rapides et les plus savoureuses de préparer ces aliments santé, des recettes types qui sont des valeurs sûres comme des idées nouvelles. Manger sainement ne requiert pas nécessairement beaucoup de temps. Il est tout aussi rapide d'attraper une tranche de pastèque ou un paquet de noix qu'un sac de croustilles. Vous aurez le goût et la récompense santé en plus.

Manger souvent des pommes aide à maîtriser son poids, car elles sont pauvres en calories mais riches en antioxydants et en fibres.

1 AMANDES

■ **Supernutriments** Acides gras mono-insaturés, magnésium, calcium, potassium, fibres.

■ **Portions** 30 g (1 oz) – environ 24 amandes : 160 kcal.

■ **Effets bénéfiques** Une seule portion de ces « croquants » protéinés apporte 9 g de graisses mono-insaturées, qui contribuent à diminuer le taux de « mauvais » cholestérol (LDL) et à augmenter le taux de « bon » cholestérol (HDL). Si, deux fois par jour, vous prenez des amandes au lieu d'un beigne, de croustilles ou d'une barre chocolatée, vous pourrez réduire votre taux de cholestérol LDL de 10 %. Une portion d'amandes constitue aussi 10 % de vos besoins quotidiens en calcium et 25 % en magnésium.

Bonus Vous consommerez également 60 % de vos besoins en vitamine E, un antioxydant qui protège les artères, ainsi que 2 g de fibres. Attention, cependant, à vous limiter à une poignée d'amandes, un conseil qui vaut pour les fruits à écale en général, car ils sont tous assez caloriques.

2 POMME

■ **Supernutriments** Antioxydants, fibres.

■ **Portions** 1 pomme moyenne : 50 kcal.

■ **Effets bénéfiques** Les granny-smith, royal gala et rouge délicieuse sont parmi les variétés les plus riches en antioxydants, grâce à leur forte teneur en quercétine, un flavonoïde présent dans les végétaux ; les flavonoïdes sont des substances chimiques qui combattent les radicaux libres et l'inflammation.

Bonus Les pommes sont une bonne source de pectine, une fibre soluble. Selon une récente étude, ceux qui mangent deux pommes par jour accumulent moins de particules LDL oxydées que ceux qui n'en mangent pas. Où l'adage « une pomme par jour éloigne le médecin » se vérifie !

Bonnes idées **Amandes**

■ Glissez une portion d'amandes dans votre sac ou votre mallette. Vous aurez ainsi à portée de main un en-cas sain à déguster dans la journée.

■ Parsemez vos salades et crudités, sautés, salades de fruits et céréales d'amandes effilées.

■ Ayez toujours des amandes effilées dans le congélateur (pour plus de fraîcheur) afin de pouvoir les utiliser en cuisine.

Bonnes idées **Pomme**

■ Ajoutez des dés de pomme à vos céréales.

■ Pour une collation sur le pouce, coupez une pomme en quartiers, saupoudrez-les de 2 c. à thé de cannelle et mettez-les dans un petit sac plastique refermable. Ce petit en-cas a le goût de la tarte aux pommes... sans le sucre ni la pâte.

■ Pour faire une pomme au four rapidement, évidez une pomme, sans la peler, et remplissez le trou avec des raisins secs et des noix. Saupoudrez de cannelle. Placez la pomme dans un plat creux, ajoutez 2 c. à soupe d'eau et de jus de pomme. Faites cuire 5 minutes au four à micro-ondes.

3 AVOCAT

■ **Supernutriments** Acides gras mono-insaturés, acide folique (vitamine B_9), vitamine E, potassium.

■ **Portions** ½ avocat de taille moyenne : environ 150 kcal.

■ **Effets bénéfiques** Des études ont montré que manger un avocat par jour pendant 1 semaine faisait baisser le taux de cholestérol total de 17 % (les taux de « mauvais » cholestérol et de triglycérides chutaient tandis que le taux de « bon » cholestérol augmentait), peut-être grâce à la forte teneur en acides gras mono-insaturés de l'avocat. Celui-ci contient aussi un autre nutriment, le bêta-sitostérol, dont l'effet est bénéfique sur le taux de cholestérol. Mais notez que les avocats sont caloriques. En manger de grandes quantités peut mener à une prise de poids si l'énergie absorbée n'est pas dépensée.

Bonnes idées — Avocat

■ Utilisez l'avocat à la place d'autres graisses (fromage et beurre, principalement) plutôt que de faire figurer un demi-avocat au menu tous les jours. Mais attention, même si les graisses de l'avocat sont de bonnes graisses, un seul avocat en contient près de 30 g (autant qu'un steak haché) et il est très riche en calories.

■ Écrasez de l'avocat sur du pain de blé entier.

■ Mélangez une purée d'avocat avec du jus de citron et un peu de coriandre fraîche hachée. Servez avec des tortillas allégées.

■ Mettez de l'avocat dans les salades vertes.

■ Garnissez vos sandwichs de quelques tranches d'avocat et n'y ajoutez ni beurre ni mayonnaise.

Bonnes idées — Banane

■ En goûter, une tranche de pain de blé entier, du beurre d'arachide et des tranches de banane.

■ Passez au mélangeur une banane et un peu de lait ou de yogourt nature.

■ Ajoutez des morceaux de banane à votre gruau au cours de la cuisson.

■ Congelez des bananes bien mûres épluchées : c'est excellent pour remplacer les glaces en bâtonnets.

4 BANANE

■ **Supernutriments** Potassium, vitamine B_6.

■ **Portions** 1 banane moyenne : 95 kcal.

■ **Effets bénéfiques** Des chercheurs ont montré que manger deux bananes par jour permettait de réduire la pression artérielle jusqu'à 10 %, grâce au potassium de ce fruit qui dilate les artères. Le potassium contribue également à réguler le taux de sodium et la quantité d'eau dans le sang (leur élévation augmente la pression artérielle). Attention toutefois, si vous êtes diabétique, contrôlez votre glycémie avant de manger des bananes : leur forte teneur en glucides peut accroître votre taux de glucose sanguin.

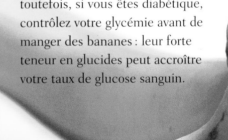

Grâce au congélateur, il est possible de savourer au moins une variété de baies tous les jours.

5 BAIES

■ **Supernutriments** Antioxydants, fibres, vitamine C.

■ **Portions** ½ tasse : environ 25 kcal.

■ **Effets bénéfiques** Des canneberges aux fraises, en passant par les framboises, les mûres et les bleuets, ces petits fruits charnus figurent en première ligne sur toutes les listes d'aliments riches en antioxydants. Chaque baie juteuse renferme des composants végétaux bénéfiques comme la quercétine, le kaempférol ou les anthocyanines (pigments qui donnent aux baies leur riche couleur) ; ils agissent comme des antioxydants et ont le pouvoir de réduire l'oxydation des particules LDL et l'inflammation. Les baies contiennent également de l'acide salicylique, la substance anti-inflammatoire que l'on trouve dans l'aspirine.

Grâce au congélateur, il est possible de savourer au moins une variété de baies tous les jours, quelle que soit la saison.

Bonnes idées Baies

■ Ayez toujours des baies dans le congélateur et mettez-en dans vos produits laitiers, vos céréales et vos salades de fruits.

■ Passez au mélangeur des baies congelées, du lait écrémé et, éventuellement, un édulcorant pour un délicieux lait fouetté.

■ Ajoutez des baies à vos salades vertes assaisonnées de vinaigrette citronnée ou faites une salade composée uniquement de baies.

■ Préparez un dessert gourmand : des framboises ou des fraises trempées dans 25 g (1 oz) de chocolat noir fondu.

■ Ajoutez des baies à vos préparations. Les bleuets sont délicieux dans les petits pains moelleux et les framboises donnent une touche unique aux petits gâteaux ; mangez-en avec les crêpes et les gaufres. Les baies se marient aussi très bien avec certains plats de volaille.

6 BROCOLI

■ **Supernutriments** Antioxydants, calcium, acide folique (vitamine B$_9$), glucoraphanine.

■ **Portions** Une tête moyenne : 50 kcal.

■ **Effets bénéfiques** Non seulement une portion de brocoli est-elle très faible en calories, mais elle est riche en nutriments bons pour le cœur : 75 mg de calcium, 1,2 mg de fer, 5 g de protéines et 3,5 g de fibres. Ces nutriments sont conservés si la cuisson se fait à la vapeur ou au wok ; ils s'éliminent si le brocoli est bouilli. Les flavonoïdes du brocoli réduisent l'inflammation et combattent la formation de caillots sanguins. Les études montrent aussi que l'incidence de cancers diminue chez les gros mangeurs de brocoli.

Bonnes idées — Brocoli

■ Parsemez vos sautés, soupes et salades de bouquets de brocoli finement hachés.

■ Faites cuire le brocoli de préférence à la vapeur, et agrémentez-le de parmesan râpé et d'un filet d'huile d'olive.

■ Si vous ne cuisinez pas tout le brocoli frais le jour même, blanchissez le reste et conservez-le au réfrigérateur.

■ Préparez une purée de brocoli avec de l'huile d'olive, de l'ail et du poivron rouge, et utilisez-la comme sauce pour des pâtes.

9 façons originales d'utiliser LA CANNELLE

Un peu de cannelle – ½ c. à thé chaque jour – pourrait diminuer significativement votre glycémie et votre taux de triglycérides et de cholestérol total. Des chercheurs ont en effet observé une baisse de ces taux pouvant aller de 12 % à 30 %.

La cannelle augmente la sensibilité à l'insuline des cellules du foie et des muscles, provoquant une diminution de l'insulinorésistance et du taux de lipides sanguins ainsi que de la glycémie. Voici quelques façons d'intégrer cette épice chaude et bienfaisante à votre régime alimentaire.

1 Saupoudrez-en votre café ou lait du matin.

2 Doublez les doses qui figurent dans les recettes de gâteaux et de pâtisseries.

3 Remplacez sel et poivre par une pincée de cannelle sur les patates douces.

4 Fabriquez un sucre à la cannelle avec 0 % de glucides en mélangeant 2 parts de cannelle et 1 part d'édulcorant en poudre. Utilisez-le sur les gâteaux, crêpes et gaufres, mais aussi dans les yogourts.

5 Ajoutez-en à vos tajines, chilis et currys pour une saveur authentique.

6 Préparez un riz sucré pour le déjeuner avec un reste de riz brun auquel vous ajouterez des raisins secs, des noisettes et de la cannelle.

7 Mettez-en dans les marinades des viandes de bœuf, de porc ou d'agneau.

8 Farcissez un poulet avec des pommes coupées en dés, de la cannelle, de l'oignon émincé et un peu de sauge.

9 Dans un plat allant au four, mélangez 200 g (8 oz) de noix de pécan, 3 c. à thé d'huile de canola, 2 c. à thé de cannelle et 1 c. à thé de sucre ou de substitut. Faites cuire à 350 °F (180 °C) pendant 8 à 10 minutes.

7 CAROTTE

■ **Supernutriments** Bonne source de bêta-carotène, antioxydant protecteur des artères.
■ **Portions** ½ tasse cuite : 30 kcal.
■ **Effets bénéfiques** Les carottes regorgent de bêta-carotène, antioxydant qui lutte contre les particules LDL oxydées, obstructives pour les artères. Seuls des aliments comme les carottes peuvent apporter une telle protection pour le cœur, les antioxydants en comprimés étant jusqu'ici inefficaces.

L'absorption du bêta-carotène est meilleure quand les carottes sont cuites. Les carottes constituent également une bonne source de potassium et de magnésium, qui agissent contre l'hypertension ; de folates, qui font baisser le taux sanguin d'homocystéine ; de vitamine B_6 et d'antioxydants (alpha-carotène, lutéine et zéaxanthine).

Bonnes idées — Carotte

■ Ayez toujours sous la main un bol de mini-carottes en cas de petite fringale.

■ Achetez des carottes déjà râpées ou émincées, tellement faciles d'emploi.

■ À l'apéritif, servez des bâtonnets de carotte, avec éventuellement une sauce allégée.

■ Ajoutez des carottes finement râpées à la pâte de vos muffins ou à vos salades.

■ Faites cuire des petites carottes au four à micro-ondes, ajoutez 1 c. à thé de miel et parsemez de persil haché. Ce plat de légumes se marie très bien avec la volaille et le veau.

■ Faites rôtir des carottes au four avec des panais et des oignons grelots, arrosez d'un filet d'huile d'olive, parsemez d'herbes aromatiques.

Le CHOCOLAT, un aliment santé ?

On trouve jusqu'à 41 mg de flavonoïdes, de puissants antioxydants, dans 25 g (1 oz) de chocolat noir. C'est plus que dans une tasse de thé vert, une pomme ou un verre de vin rouge. De nombreuses études sont venues confirmer ces dernières années les effets bénéfiques du chocolat. On sait qu'il fluidifie le sang, réduit les caillots sanguins, régule le tonus vasculaire ainsi que les réponses inflammatoires et immunitaires de la paroi des vaisseaux sanguins.

Pour un bénéfice optimal, choisissez celui qui contient le plus de cacao (au moins 70 %). N'oubliez pas non plus que, même si le chocolat est riche en antioxydants, il l'est aussi en graisses et en sucres. Le chocolat noir contient plus d'antioxydants et de glucides que le chocolat au lait, mais moins de lipides. Limitez-vous à 25 g (1 oz) de chocolat noir par jour. Voici quelques suggestions.

■ Ajoutez le pouvoir des agrumes à celui du chocolat : trempez des quartiers d'orange dans du chocolat fondu.

■ Utilisez de la poudre de cacao pur lorsque vous cuisinez ou quand vous préparez des boissons chocolatées. Elle renferme plus d'antioxydants que le chocolat en morceaux.

Bœuf maigre

■ Achetez du bœuf maigre ou extra-maigre. Ôtez tout le gras visible.

■ Faites sauter à la poêle des lanières de bœuf, des oignons, de l'ail et du basilic frais dans un fond d'huile d'olive. Servez avec du riz brun.

■ Ajoutez de la viande de bœuf hachée (à moins de 5 % de matières grasses) à une sauce tomate et servez cette bolognaise maison avec des pâtes.

■ Faites des brochettes en alternant dés de viande de bœuf et dés de légumes variés.

■ Idée sandwich : pain complet, fines tranches de bœuf rôti, poivrons et oignons grillés.

■ Parsemez vos pièces de bœuf de grains de poivre concassés avant la cuisson.

8 BŒUF MAIGRE

■ **Supernutriments** Vitamines B_6 et B_{12}, acide stéarique, fer et zinc.

■ **Portions** 100 g (3½ oz) : 177 kcal.

■ **Effets bénéfiques** 100 g de bœuf couvrent plus de 100 % de l'apport nutritionnel de référence (ANREF) en vitamines B_6 et B_{12}. L'organisme a besoin de ces deux vitamines pour convertir l'homocystéine, qui peut être nocive (des taux élevés d'homocystéine sont associés à un risque accru d'infarctus, d'accident vasculaire cérébral et d'ostéoporose). Le bœuf est source d'acides gras saturés, mais sachez que l'acide stéarique représente un tiers de ces graisses et que cet acide a un effet neutre, voire bénéfique, sur le taux sanguin de cholestérol.

UN RÉGIME BIEN ÉQUILIBRÉ
devrait contenir du bœuf maigre

Le bœuf contient un acide gras appelé acide linoléique conjugué (ALC). Il semble que l'ALC améliore la propotion entre le cholestérol LDL ou «mauvais cholestérol» et le cholestérol HDL ou «bon cholestérol », du moins chez l'animal. Les études animales montrent aussi que l'ALC peut retarder le développement de l'athérosclérose et peut-être même aider à perdre du poids.

9 AIL

■ **Supernutriments** Contient de l'allicine et d'autres composés sulfurés qui pourraient contribuer à réduire la tension artérielle et l'excès de cholestérol.

■ **Portions** 1 à 2 petites gousses, soit environ 4 g (⅛ oz) : 4 kcal.

■ **Effets bénéfiques** Une consommation régulière d'ail est bénéfique pour le cœur. Beaucoup d'herboristes et de naturopathes considèrent que l'ail est un aliment miracle, qui donne de la saveur aux plats (pour très peu de calories) et permet ainsi d'ajouter moins de sel aux aliments, mais surtout contribue à réduire la pression artérielle et à enrayer la production de « mauvais » cholestérol (LDL) par le foie. Du reste, en Allemagne par exemple, l'ail transformé entre dans la composition d'un médicament contre l'hypertension.

HYDRATEZ votre cœur

L'eau est bonne pour le cœur, notamment parce qu'elle passe tout de suite dans le sang, qui reste ainsi bien fluide. Les autres liquides ont besoin du processus de digestion qui absorbe le liquide du sang. Ce dernier s'en trouve épaissi, ce qui augmente le risque de formation de caillots.

L'eau est aussi naturellement une bonne source de minéraux, notamment l'eau dite dure (une eau est dure lorsqu'elle est fortement chargée en ions calcium [Ca++] et magnésium [Mg++]). Si vous habitez une région où l'eau est dure et si vous utilisez un adoucisseur d'eau, veillez à garder au moins un robinet d'eau dure pour boire et cuisiner.

L'eau dure s'avère être la meilleure pour la santé. Il semble même que les populations alimentées en eau naturellement dure sont moins sujettes à l'infarctus du myocarde. L'eau en bouteilles, si elle est riche en minéraux, peut également avoir des effets bénéfiques sur les lipides sanguins.

Une consommation régulière d'ail est bénéfique pour le cœur. L'OMS reconnaît l'usage de l'ail comme adjuvant aux mesures alimentaires contre l'hypercholestérolémie et en prévention des troubles vasculaires.

Manger des haricots secs quatre fois par semaine pourrait réduire vos risques de maladie coronarienne de 20 à 30 %.

Bonnes idées — Haricots rouges

■ Rincez bien les haricots rouges en conserve avant de les ajouter à vos plats afin d'en éliminer l'excès de sel.

■ Composez une salade avec trois sortes de légumineuses en conserve : haricots rouges, haricots blancs et haricots noirs. Ajoutez des tomates et des oignons émincés. Assaisonnez avec de l'huile d'olive, du jus de citron et du poivre.

■ Mettez en purée des haricots rouges cuits avec de l'ail, du cumin et du piment, pour une trempette ou une tartinade.

10 HARICOTS ROUGES

■ **Supernutriments** Fibres solubles, folates, potassium, magnésium.
■ **Portions** ½ tasse : 118 kcal.
■ **Effets bénéfiques** En mangeant des haricots secs quatre fois par semaine, vous pourriez réduire le risque de maladie coronarienne de 20 à 30 %. Les haricots rouges, notamment, sont riches en fibres solubles (6 g pour 100 g), qui réduisent le taux de LDL, en folates, qui contrôlent l'homocystéine, et en potassium et magnésium, qui régulent la pression artérielle.
Bonus Grâce à leur richesse en fibres et en protéines, les haricots rouges évitent les baisses ou hausses soudaines du taux de glucose dans le sang, lesquelles peuvent augmenter le risque de syndrome métabolique et de prise de poids.

11 NOIX

■ **Supernutriments** Contiennent plus d'oméga-3 que tout autre fruit à écale.
■ **Portions** 25 g (1 oz), soit 14 cerneaux de noix : 160 kcal.
■ **Effets bénéfiques** Une portion de noix renferme 2,6 g d'acide alpha-linolénique (AAL), un oméga-3 qui prévient la formation de caillots sanguins et améliore la santé cardiaque. Les noix sont également riches en vitamine B_6, qui aide à contrôler l'homocystéine. Lors d'une étude, des personnes ayant mangé 40 g (1½ oz) de noix par jour pendant 6 semaines ont vu leur taux de cholestérol LDL baisser de 27 %. Ces fruits à écale apportent aussi de l'arginine, un acide aminé qui aide l'organisme à produire de l'acide nitrique, une molécule dilatant les vaisseaux sanguins.

Bonnes idées — Noix

■ Passez au mélangeur des noix avec de l'huile d'olive et une bonne pincée de cannelle. Étalez sur des fruits coupés en tranches dans un plat allant au four. Faites cuire 45 minutes à 350 °F (180 °C), pour un dessert succulent et sain.

■ Gardez un sachet de noix hachées au congélateur pour pouvoir en parsemer à volonté céréales, pains et pâtisseries, salades et crêpes.

■ Offrez-vous une petite collation santé où que vous soyez : emportez 14 cerneaux de noix dans un petit sac en plastique.

ARACHIDES : des superstars à toute heure

Une poignée d'arachides grillées non salées apporte 62 mg de phytostérols, des composés végétaux qui empêchent l'organisme d'absorber le « mauvais » cholestérol (LDL). Cela explique peut-être pourquoi les personnes qui mangent régulièrement des arachides ou du beurre d'arachide et d'autres fruits à écale ont un risque d'infarctus de 30 à 50 % moins important. Les arachides sont également une bonne source de folates, qui réduisent l'homocystéine.

12 FLOCONS D'AVOINE

■ **Supernutriments** Fibres solubles qui font baisser le cholestérol, sucres lents qui évitent les hausses brutales de la glycémie.

■ **Portions** ½ tasse de flocons au naturel : 150 kcal.

■ **Effets bénéfiques** Les fibres solubles de betâ-glucane présentes dans les flocons d'avoine abaissent le taux de cholestérol LDL, sans réduire celui de « bon » cholestérol, ni augmenter celui de triglycérides. Manger un bol de gruau au petit déjeuner tous les jours pourrait faire baisser le taux de cholestérol de 2 à 3 %. Les fibres solubles contribuent à réduire la pression artérielle.

Bonnes idées — Flocons d'avoine

■ Soyez créatif : préparez un gruau classique avec du lait écrémé, puis parfumez-le avec du miel, de la vanille, de la cannelle, de la cardamome, des fruits frais ou secs, des noix ou des noisettes...

■ Épaississez soupes et sautés en y ajoutant une poignée de flocons d'avoine.

■ Pour préparer un crumble diététique, faites une pâte avec des noix hachées, un peu d'huile de canola, des flocons d'avoine et un peu de cassonade. Placez les fruits coupés en morceaux dans un plat allant au four, couvrez-les de pâte et faites cuire à 350 °F (180 °C) pendant 30 à 45 minutes.

■ Dans la farce des volailles, remplacez la moitié de la quantité de chapelure ou de mie de pain par des flocons d'avoine. Vous obtiendrez une farce plus légère, avec une texture plus agréable.

■ Dans la pâte à crêpes, remplacez un tiers de la farine par des flocons d'avoine que vous broierez finement au mélangeur.

13 SAUMON

- **Supernutriments** C'est l'aliment le plus riche en acides gras oméga-3.
- **Portions** 100 g (3½ oz) de saumon grillé : environ 200 kcal.
- **Effets bénéfiques** Parmi les poissons gras riches en oméga-3, le saumon est roi. Une portion contient près de 2 g d'acide eicosapentanoïque (EPA) et d'acide docosahexanoïque (DHA), deux oméga-3 essentiels pour réduire le « mauvais » cholestérol (LDL) et l'inflammation, mais aussi lutter contre l'athérosclérose et la formation de caillots sanguins. Les nutritionnistes recommandent de consommer au moins une ou deux portions de poisson gras par semaine, en précisant qu'en plus d'être une excellente source d'acides gras oméga-3, le poisson est riche en éléments nutritifs.

♥ Bonnes idées — Saumon

La majorité des Canadiens n'absorbent pas suffisamment d'acides gras oméga-3 dans leur alimentation. Manger du saumon est un bon moyen pour remédier à cela.

- Optez pour du saumon en conserve. Mettez-en dans les salades et les pâtes ou mélangez-le avec de la purée pour en faire des boulettes de poisson. Avec le saumon en boîte, inutile d'enlever les petites arêtes : la pasteurisation les a rendues molles et elles se mangent facilement, ce qui est intéressant car elles sont riches en calcium.

- Ayez toujours quelques filets de poisson au congélateur. N'oubliez pas de les séparer par de la pellicule plastique ou par du papier ciré avant de les congeler, ce qui vous permet ensuite de les sortir un par un, selon les besoin.

- Le poisson se cuit et se décongèle très vite (surtout au four à micro-ondes). N'hésitez pas à en proposer à vos invités de dernière minute ou faites-en les soirs où vous rentrez tard.

- N'oubliez pas les sardines en boîte, très pratiques et constituant une bonne source d'oméga-3. Étalez-en sur une tranche de pain grillé en guise de collation.

La vérité sur le mercure et autres dioxines

La plupart des poissons contiennent des traces de méthylmercure. Les quantités que renferment les espèces propres à la consommation sont trop faibles pour représenter un véritable risque pour la santé, sauf dans les cas du requin, de l'espadon, du maquereau et de certaines espèces de thon, car ces prédateurs se situent en fin de chaîne alimentaire. Voici les recommandations de Santé Canada :

- Limiter la consommation d'espadon, de requin et de thon frais ou congelé à une fois par semaine pour tous les adultes.

- Pour les femmes enceintes ou qui veulent le devenir, et pour les enfants de moins de 5 ans, limiter la consommation de l'espadon, du marlin, du requin et du thon frais ou congelé à une fois par mois.

Parmi les poissons et fruits de mer qui contiennent le moins de mercure se trouvent : la plie, l'églefin, la goberge, les crevettes, les sardines, le saumon sauvage, le crabe et les pétoncles.

... moins de gras saturés que la viande et des doses santé de fibres, de vitamines et de minéraux.

Le soja pour débutants

Les aliments à base de soja, du lait aux noix de soja, peuvent faire baisser le cholestérol LDL si nocif pour le cœur grâce à deux phytoestrogènes : la génistéine et la daïdzéine. Le soja n'est plus un aliment pour végétarien seulement si bien que la Fondation des maladies du cœur du Canada recommande de le faire entrer dans notre alimentation : les étiquettes de plusieurs produits du soja portent le symbole Visez santé[md] de la fondation.

Cependant, la communauté scientifique n'est pas unanime sur le soja. Alors que certains experts recommandent d'en consommer deux à quatre portions par semaine, l'Association américaine du cœur a publié en 2006 une étude sur les bienfaits du soja qui a duré 10 années. Elle conclut que les aliments et les suppléments à base de soja ne font pas baisser le taux de cholestérol. Cependant, les experts en nutrition trouvent que c'est une bonne chose de manger des produits du soja, car ils contiennent moins de gras saturés que la viande et des doses santé de fibres, de vitamines et de minéraux.

Voici quelques produits à base de soja que vous pouvez préparer.

EDAMAME C'est le nom japonais des haricots de soja frais. Ils ressemblent beaucoup aux petits pois par leur taille, leur forme, leur couleur et leur aspect (gousses quasi identiques). Généralement, on les achète congelés et on les fait cuire à la vapeur. Ils sont délicieux et ressemblent à un légume habituel.

SOUPE MISO Cette soupe, à base de haricots de soja, figure souvent au menu comme entrée au Japon. Elle se vend en sachet, auquel il suffit d'ajouter une tasse d'eau chaude. C'est vraiment pratique pour les repas du midi au bureau.

LAIT DE SOJA ENRICHI EN CALCIUM
Riche en protéines, calcium et isoflavones (les phytoestrogènes qui agissent comme l'hormone de l'estrogène dans le corps), le lait de soja peut remplacer le lait de vache dans le café, le thé ou avec les céréales, ce qui est appréciable en cas d'allergie aux protéines animales.

NOIX DE SOJA Les noix de soja grillées sont une des sources les plus riches d'isoflavones. Mangez-en une poignée pour calmer une fringale ou pour une collation ou mettez-en dans vos salades.

STEAKS DE SOJA Les étals des supermarchés proposent hamburgers, saucisses, pâtés et autres préparations de soja. Regardez tout de même la liste des ingrédients avant d'acheter : certains aliments à base de soja sont très riches en lipides et en graisses « trans ».

PROTÉINES DE SOJA (OU VÉGÉTALES) TEXTURÉES (PVT) Ces protéines sont faites à partir de farine de soja déshydratée et compressée, puis découpée en morceaux. Elles ont une texture spongieuse et une consistance proche de la viande hachée. Pour les consommer (généralement à la place de la viande hachée), il faut les réhydrater – elles triplent alors de volume. Sous forme séchée, elles se conservent plusieurs mois.

14 ÉPINARDS

■ **Supernutriments** Acide folique (vitamine B_9), magnésium, potassium.
■ **Portions** ½ tasse cuits : 22 kcal.
■ **Effets bénéfiques** ½ tasse d'épinards cuits contiennent 130 µg (microgrammes) d'acide folique. Un apport quotidien de 300 µg d'acide folique peut réduire les risques cardiovasculaires de 13 %. Dans ½ tasse d'épinards cuits, il y a aussi 440 mg de potassium, régulateur de la pression artérielle (ce qui représente environ un tiers de l'apport journalier recommandé).

Bonnes idées Épinards

■ Vous manquez de temps pour nettoyer des épinards frais ? N'hésitez pas à acheter un sachet de pousses d'épinard prêtes à l'emploi. Ajoutez-y un filet d'huile d'olive et un peu d'ail haché, et faites-les cuire au four à micro-ondes quelques minutes seulement.

■ Pour une salade savoureuse, mélangez des pousses d'épinard, des noix, des canneberges et du poulet émincé.

■ Ajoutez des feuilles d'épinard à toutes vos soupes. Mettez-les juste avant d'éteindre le feu, car les feuilles cuisent et flétrissent rapidement.

■ Mettez des pousses d'épinard dans vos sandwichs à la place de la laitue.

■ Rendez un souper à base de saucisses grillées plus sain en éparpillant dessus des pousses d'épinard, des pignons de pin et des raisins secs, puis arrosez-les d'un filet de vinaigre balsamique. Servez avec des pommes de terre cuites au four ou en purée avec du lait 2 %.

15 DINDE

■ **Supernutriments** Protéines, vitamines B_6 et B_{12}, niacine.
■ **Portions** 100 g (3½ oz) : 153 kcal.
■ **Effets bénéfiques** N'attendez pas Noël pour manger de la dinde ! 100 g de filet de dinde apportent 50 % de l'apport journalier recommandé en protéines, et seulement la moitié des graisses saturées que l'on trouve dans la plupart des pièces de bœuf. La dinde est également riche en niacine, qui fait baisser le taux d'homocystéine, et en vitamines B_6 et B_{12}, qui aident l'organisme à transformer protéines, lipides et glucides en énergie. Aujourd'hui, nul besoin d'acheter une volaille entière pour vous régaler, la dinde se vend en petites portions et différentes découpes.

Bonnes idées Dinde

■ Hachez la viande de dinde pour confectionner des plats habituellement à base de bœuf haché (chili, pain de viande).

■ Au lieu de faire rôtir un poulet entier, mettez une poitrine de dinde au four. Avec les restes, faites-vous une salade, en mélangeant avec des pommes coupées en dés, des noix, du céleri et des grains de raisin.

■ En salade festive, présentez sur des pousses d'épinard la viande des dés de dinde, des tranches de patate douce cuite, des noix et des canneberges. Arrosez d'un filet d'huile d'olive.

■ Gardez des escalopes de dinde emballées au congélateur. Il est facile de les cuisiner quand on a peu de temps. Faites-les revenir à la poêle dans un peu d'huile d'olive avec vos aromates préférés.

Les produits bio sont-ils plus sûrs ?

Un produit « certifié biologique » n'est pas plus nutritif qu'un autre. Par ailleurs, un poulet biologique peut être contaminé par la salmonelle tout comme un poulet élevé en batterie.

Il est certain que les pesticides, herbicides, fongicides et insecticides synthétiques font courir des dangers aux agriculteurs qui les utilisent, car leur contact est nocif pour la santé. Mais on n'a pas encore fait la preuve que les aliments produits de cette façon étaient nocifs pour le consommateur. On ne peut donc affirmer que manger des aliments courants est risqué alors que les aliments biologiques auraient des avantages santé prouvés. Mais, du point de vue de l'environnement, les méthodes utilisées en agriculture biologique sont bien meilleures : elles empêchent l'érosion du sol et protègent la nappe phréatique et la vie sauvage.

16 TOMATE

■ **Supernutriments** Lycopène, fibres, vitamine C.

■ **Portions** 1 tomate moyenne (113 g, 4 oz) : 26 kcal. 150 ml de sauce tomate maison : 70 kcal.

■ **Effets bénéfiques** La tomate, qu'elle soit fraîche, séchée ou en sauce, est riche en nutriments bons pour la santé. Selon une récente étude, sept portions par semaine réduiraient le risque de maladie cardio-vasculaire. Cela pourrait s'expliquer par la présence de lycopène, un antioxydant dont la tomate est riche, ou par sa teneur en vitamine C, potassium et fibres. Notez que, curieusement, les tomates cuites pendant 30 minutes contiennent un taux de lycopène bien plus élevé que les tomates crues. Quant aux tomates séchées, ¼ tasse renferme plus de potassium qu'une banane de taille moyenne.

Bonnes idées — Tomate

■ N'hésitez pas à essayer toutes les variétés de tomates à disposition au marché : rondes, en grappe, cerises, jaunes...

■ Assaisonnez vos plats avec des tomates séchées : ajoutez-en une petite poignée dans votre sauce. Elles sont également succulentes cuisinées avec un peu d'ail écrasé, un filet d'huile d'olive et un peu de vin blanc.

■ Pour un chili rapide, mettez ces ingrédients dans un bol allant au four à micro-ondes : haricots rouges (conserve) rincés et égouttés, sauce tomate, maïs, un peu de cumin et d'origan.

■ Votre potager regorge de tomates ? Videz les plus grosses et remplissez-les d'une salade de thon ou de saumon. Vous pouvez aussi les ébouillanter puis les peler et les mettre au congélateur pour vos soupes et sauces hors saison, ou faire des coulis, des conserves...

17 PATATES DOUCES

■ **Supernutriments** Bêta-carotène, fibres, antioxydants.

■ **Portions** 1 patate douce moyenne de 150 g (5½ oz) cuite : 173 kcal.

■ **Effets bénéfiques** Une patate douce constitue presque un repas en soi. Elle renferme des protéines, des fibres, du bêta-carotène – qui protège les artères –, du potassium – qui régule la tension artérielle – et des antioxydants comme les vitamines C et E. Contrairement à la pomme de terre, la patate douce se digère lentement et possède un index glycémique (IG) bas.

Bonnes idées — Patates douces

■ Lavez et percez la peau de 2 patates douces et passez-les au four à micro-ondes pendant 6 à 8 minutes. Faites-en une purée avec un peu d'huile d'olive pour un régal salé, ou un peu de cannelle et de cassonade pour un régal sucré.

■ Épluchez une patate douce et coupez-la en dés dans un plat allant au four, arrosez d'un filet d'huile d'olive. Enfournez à 450 °F (230 °C) et remuez de temps à autre jusqu'à brunissement.

■ Voici une alternative saine aux traditionnelles croustilles : tranchez finement 4 patates douces et tournez-les dans 3 c. à soupe d'huile de canola. Étalez-les sur du papier cuisson et enfournez à 425 °F (220 °C) pendant 20 minutes. Pour des croustilles sucrées, saupoudrez de cannelle ; pour des croustilles salées, saupoudrez d'un mélange de 1 c. à thé de cumin, 1 c. à thé de sel et ½ c. à thé de poivre rouge.

L'art et la science du THÉ

D'innombrables études tendent à prouver que le thé, qu'il soit vert ou noir, protège le cœur. On sait en effet que les antioxydants du thé vert appelés catéchines contribuent à réduire les effets du « mauvais » cholestérol (LDL), à faire baisser le taux de triglycérides et à augmenter la production du « bon » cholestérol (HDL).

Selon une étude hollandaise, le risque d'infarctus pourrait être réduit en buvant 3 tasses de thé noir par jour. Les théaflavines, antioxydants que l'on trouve même dans les thés en sachets basiques du supermarché, pourraient contribuer à faire baisser le taux de « mauvais » cholestérol de 16 à 24 %. Le thé noir rendrait aussi les artères plus souples.

QUEL THÉ ? Laissez vos papilles décider pour vous. Le thé vert est moins « travaillé », il contient moins de caféine et a un goût plus subtil que le thé noir. Si vous n'avez pas l'habitude d'en boire, essayez une version de thé vert parfumé (aux fruits, au miel, aux épices). Mais si vous buvez plutôt du thé noir, là encore, n'hésitez pas à essayer différentes variétés. Pensez aussi à préparer du thé glacé : placez 3 sachets de thé dans 2 tasses (500 ml) d'eau froide, couvrez et laissez au réfrigérateur toute la nuit. Servez avec des glaçons, un peu de menthe fraîche et une rondelle de citron.

18 PASTÈQUE

■ **Supernutriments** Lycopène et potassium.
■ **Portions** 1 tranche de taille moyenne d'environ 200 g (8 oz) : 62 kcal.
■ **Effets bénéfiques** Même si pastèque (ou melon d'eau) rime généralement avec été, on en trouve aujourd'hui quasiment toute l'année (parfois coupée en cubes). Une tranche de pastèque de 200 g contient 275 mg de potassium (qui fait baisser la tension artérielle). La pastèque renferme également beaucoup de lycopène, un antioxydant dont la présence dans le sang réduirait, selon différentes études, le risque de développer une maladie cardiaque.

Bonnes idées — Pastèque

■ Ajoutez des dés ou des petites boules de pastèque à vos salades de fruits. (Achetez une cuillère parisienne, très pratique pour prélever des boules dans la chair.)

■ Congelez des morceaux de pastèque et passez-les au mélangeur (avec un peu de sucre) pour faire un sorbet à la pastèque tout frais.

■ Confectionnez des brochettes froides en alternant boules de pastèque, dés de dinde cuite et dés de fromage allégé.

■ Ajoutez des morceaux de pastèque à vos salades vertes comme à vos salades de poulet.

Quatre changements bons pour le cœur

Voici quatre conseils nutritionnels faciles à suivre et qui vous permettront de réduire sensiblement le risque de développer une maladie cardiaque.

1 Cuisinez avec de l'huile d'olive ou de canola. L'huile de canola est riche en acides gras oméga-3, alors que d'autres huiles végétales contiennent des taux élevés d'acides gras oméga-6, qui peuvent favoriser l'inflammation (un marqueur potentiel de maladie cardiaque). Les autres huiles n'offrent pas non plus autant de graisses mono-insaturées (qui protègent le « bon » cholestérol HDL) que l'huile d'olive. Lorsque vous préparez du pain ou des gâteaux, essayez d'utiliser moins de beurre ou de margarine, en remplaçant la moitié de la quantité indiquée par de l'huile de canola.

2 Optez pour les féculents bruns. Achetez du riz brun, des céréales entières, des pâtes de blé entier au lieu de prendre les versions raffinées. Vous consommerez ainsi des fibres et des antioxydants comme la vitamine E, et vous contribuerez à réguler votre glycémie et, par là même, la sensation de faim, en faisant diminuer le risque de diabète et de maladie cardiaque.

3 Ajoutez toujours des légumes à vos recettes. Rajoutez-en aussi lorsque vous préparez des soupes en conserve. Et doublez les portions de légumes indiquées pour les soupes, ragoûts, tajines...

4 Gardez des fruits frais tout préparés (épluchés et coupés en dés, en lamelles, en bâtonnets...) dans une boîte hermétique au réfrigérateur et, lorsque vous avez un creux, sortez la boîte plutôt que de vous précipiter sur le paquet de biscuits.

Cuisine santé

Dîner au restaurant ou chez des amis est un moment très agréable. Malheureusement, cela se traduit souvent par une plus grande consommation de calories, de lipides et de sel. À la maison, il est plus facile de faire attention à ce que l'on mange.

Mais, même en prenant tous nos repas à la maison, il arrive que le déjeuner, le dîner ou le souper ne soit pas absolument sain et bénéfique pour la santé. Parmi les excuses évoquées : un emploi du temps chargé, une famille qui a faim et qui veut manger dans la minute, et la tentation de recourir aux plats cuisinés du commerce.

Les astuces proposées dans cette partie n'allongeront pas le temps que vous consacrez à la préparation des repas (il se pourrait même que vous passiez moins de temps dans la cuisine !). En plus, la plupart des solutions apportées pèseront moins lourd dans votre budget puisqu'il s'agit d'aliments peu transformés, bien moins chers que les collations et les plats cuisinés industriels.

Pensez à une mijoteuse

Entrer dans la cuisine un jour de grand froid et être accueilli par les chauds arômes d'un ragoût ou d'une soupe mijotant tout doucement fait partie des plaisirs simples de la vie. Un plaisir facilement accessible si vous investissez dans une cocotte mijoteuse. Elle transformera quelques ingrédients de base en un plat convivial pendant que vous vaquez à vos autres occupations.

Les plats les plus réussis en cocotte mijoteuse sont ceux avec beaucoup de liquide : soupes, pot-au-feu, ragoûts... La basse température de cuisson (entre 160 et 275 °F [70 et 140 °C]) attendrit les viandes et volailles maigres.

Préparez tout le matin : mettez les légumes en premier (ils ont besoin d'être plus près de la source de chaleur), puis la viande (en dés), du bouillon de volaille dégraissé, de l'ail, des herbes aromatiques fraîches et un peu de vin rouge ou blanc. Couvrez et laissez mijoter à feu bas pendant 8 heures, à feu élevé pendant 5 heures.

STRATÉGIE 1

PRIVILÉGIEZ LES FRUITS ET LÉGUMES PRÊTS À L'EMPLOI, FRAIS OU CONGELÉS

LA SOLUTION POUR ÉVITER les plats cuisinés où ne figurent ni légumes ni fruits parce que vous n'avez pas le temps ou l'énergie de faire les courses, préparer les aliments et les cuisiner.

BONUS POUR LE CŒUR Les légumes et les fruits congelés contiennent autant, sinon plus, de nutriments que les frais car ils sont généralement conditionnés dès la récolte, au moment où ils renferment le plus de substances nutritives. Quant aux fruits et légumes frais en sachets prêts à l'emploi, ils sont souvent aussi nutritifs.

LE PLAN Remplissez réfrigérateur et congélateur de fruits et légumes préparés (lavés, blanchis, découpés...). Avec un choix varié sous la main, il est facile d'augmenter la part de légumes dans votre alimentation. Pour le surgelé, pensez aux carottes en rondelles, aux brocolis et au chou-fleur, aux poivrons... Pour le frais, profitez des sachets tout prêts que l'on trouve aujourd'hui dans les supermarchés. Les baies surgelées n'ont même pas besoin d'être décongelées. Sortez-les avant de passer à table ou mélangez-les à d'autres fruits à température ambiante, et elles seront prêtes à déguster pour le dessert.

STRATÉGIE 2

FAITES UN STOCK DE PRODUITS SAINS EXPRESS

LA SOLUTION POUR ÉVITER les soirs où vous êtes vraiment trop fatigué pour penser au souper et où vous n'avez rien préparé.

BONUS POUR LE CŒUR Les fibres contribuent à réduire le taux de cholestérol, les épices et aromates ont une teneur élevée en antioxydants, les « bonnes » graisses protègent contre l'athérosclérose.

LE PLAN Réfléchissez comme un chef et prévoyez. Vous pourrez vous asseoir à table devant une omelette aux épinards accompagnée d'une salade épinards-mandarine-noix de pécan ; ou bien des pâtes avec une sauce aux palourdes et aux champignons, accompagnées d'un verre de vin rouge – le tout prêt en une quinzaine de minutes. La clé du succès : votre imagination et un stock d'aliments sains et rapides à préparer (des œufs riches en oméga-3, des pâtes entières, du riz et du pain de blé entier, des fruits à écale, des haricots secs en conserve, du fromage allégé...).

Vous serez capable de concocter rapidement quelque chose de bon, même les soirs de grande fatigue. Voici quatre recettes express.

■ **Soupe repas** Faites chauffer une soupe toute faite et ajoutez-y des légumes surgelés et des haricots en conserve bien égouttés et rincés. Servez avec du pain de blé entier grillé. Puis servez une salade de fruits en conserve (sans le sirop) mélangés à des baies surgelées et arrosés de jus d'orange.

■ **Salade de poulet sur pousses d'épinard** Mettez les pousses d'épinard sur une assiette. Ajoutez des rondelles de carotte, des tomates cerises, du blanc de poulet cuit découpé en lanières, un filet d'huile d'olive et de vinaigre balsamique. En dessert, une tranche de melon.

■ **Pâtes aux haricots blancs** Faites cuire des pâtes de blé entier *al dente*, égouttez-les et mettez-les dans un grand plat. Ajoutez 1 c. à soupe d'huile d'olive ou de pistou, du parmesan, du poivre et des haricots blancs en conserve, rincés et réchauffés dans un fond d'eau. Servez ces pâtes avec des brocolis cuits à la vapeur et terminez par un fruit.

■ **Sandwich chaud de dinde** Disposez une tranche de dinde sur une grande tranche de pain de blé entier et recouvrez-la de sauce aux canneberges et d'une tranche de fromage léger. Mettez au four à micro-ondes jusqu'à ce que le fromage soit fondu. Servez avec une salade verte. Terminez le repas par des baies et une boule de crème glacée légère.

LES ALIMENTS INDISPENSABLES dans le réfrigérateur, le congélateur et le garde-manger

Avec ces produits, vous pourrez toujours préparer rapidement un repas à la fois sain et délicieux.

AU RÉFRIGÉRATEUR

■ **Condiments** (ketchup, moutarde, mayonnaise légère, raifort, pistou, olives, câpres, poivrons rouges grillés en bocal, cornichons, chutney, sauce aux canneberges, gingembre...)

■ **Œufs** (cherchez des marques qui offrent des taux élevés d'acides gras oméga-3)

■ **Fruits frais en quantité**

■ **Légumes frais en quantité** (y compris préparés et prédécoupés)

■ **Lait 2 % et/ou écrémé**

■ **Yogourts légers**

■ **Parmesan**

■ **Fromage allégé à teneur réduite en sel**

AU CONGÉLATEUR

■ **Poisson** (en filets, en darnes)

■ **Fruits** (surtout des baies)

■ **Légumes**

■ **Pièces de viandes maigres et de volailles**

DANS LE GARDE-MANGER

■ **Riz brun**

■ **Conserves de légumineuses** (haricots blancs, rouges, noirs, lentilles, pois chiches, fèves...)

■ **Fruits en conserve** (sans sucres ajoutés)

■ **Saumon en conserve** (le saumon rouge est le plus savoureux)

■ **Tomates en conserve**

■ **Huiles de canola et d'olive**

■ **Fruits secs** (surtout raisins)

■ **Ail** (frais et/ou en bocal)

■ **Cubes de bouillon de légumes, de volaille ou de bœuf**

■ **Oignons**

■ **Sauces pour les pâtes** (ne contenant pas plus de 7 g de lipides pour 100 g)

■ **Beurre d'arachide**

■ **Vinaigrettes** (à l'huile de canola ou d'olive)

■ **Pâtes de blé entier**

■ **Céréales entières** (y compris flocons d'avoine)

FAITES DE PETITS CHANGEMENTS

LA SOLUTION POUR ÉVITER d'adopter un régime alimentaire qui pourrait être légèrement plus nutritif : plus de fruits et de légumes, plus de fibres, plus de bonnes graisses, plus de produits laitiers...

BONUS POUR LE CŒUR Ces changements étant légers, vous pourrez facilement les intégrer à votre régime alimentaire quotidien, fournissant ainsi à votre système cardio-vasculaire un apport régulier d'antioxydants, de bonnes graisses, de vitamines et de minéraux.

LE PLAN Pour manger sainement sans pour autant mettre la cuisine en désordre et perturber vos habitudes.

■ Garnissez salades de fruits, salades vertes et légumes de noix hachées pour une dose supplémentaire d'acides gras mono-insaturés. Ajoutez-en aussi une poignée à la pâte de vos muffins, pains, crêpes et un peu dans vos yogourts. Pour en accentuer la saveur, faites griller les noix à la poêle quelques minutes.

■ Ajoutez de l'avocat, riche en graisses mono-insaturées, à vos salades. Oubliez les lardons et les croûtons, remplis de graisses saturées et de graisses « trans ».

■ Au lieu d'une coupe de crème glacée avec quelques fraises, dégustez un bol de baies variées avec quelques cuillerées à soupe de yogourt à la grecque léger ou de sorbet. Vous triplerez la quantité d'antioxydants et réduirez de 50 % celle de graisse et de sucre.

■ Servez les légumes avec un filet d'huile d'olive ou de canola. Les lipides aident à assimiler les antioxydants, vitamines et minéraux contenus dans les légumes.

■ Cuisinez en couleurs. Servez des fruits et légumes aux couleurs contrastées : des poivrons rouges avec des brocolis, des carottes avec des petits pois, des bleuets avec des pêches... Selon certaines recherches, les antioxydants des fruits et légumes sont plus efficaces lorsqu'on les combine.

■ Mettez du saumon en conserve à la place du thon dans vos salades. Contrairement au thon, le saumon ne perd aucun de ses acides gras oméga-3 lorsqu'il est mis en conserve.

■ Ajoutez toujours des légumineuses à vos plats : des pois chiches dans vos salades, des haricots rouges dans vos sauces pour les pâtes... Leurs fibres régulent l'appétit.

■ Ayez toujours un bocal d'ail et de gingembre en purée dans le réfrigérateur, et mettez-en au moins une fois par semaine dans vos légumes, viandes et potages. L'ail contribue à réduire le taux de cholestérol et la formation de plaque dans les artères. Le gingembre combat l'inflammation et la formation de caillots sanguins.

■ Augmentez votre consommation de fer en cuisinant dans des poêles et des casseroles en fonte. Ce sont les plats mijotés qui absorbent le plus de fer, mais même les œufs brouillés cuits dans une poêle en fonte vous apporteront deux fois plus de fer qu'ils n'en contiennent. L'organisme a besoin de suffisamment de fer pour apporter l'oxygène aux cellules, y compris celles du cœur.

■ Prenez l'habitude de saler deux fois moins. Remplacez le sel par de l'ail ou d'autres aromates riches en antioxydants.

Vous pouvez manger des plats délicieux qui satisfont autant votre cœur que vos papilles.

Manger dehors sans nuire à sa santé

On estime que, au Canada, un repas sur trois est pris en dehors de la maison. Or, si lorsque vous préparez vous-même à manger, vous savez à peu près ce qui se trouve dans votre assiette, vous pouvez contrôler la quantité de sel et la taille des portions... c'est beaucoup plus difficile à faire quand vous êtes dehors.

Les repas servis au restaurant peuvent être remplis de graisses et de sel cachés. Les repas à emporter des chaînes de restauration rapide contiennent souvent des graisses « trans ». Enfin, les offres « double portion » constituent une tentation à laquelle il est difficile de résister. On finit par manger plus et moins sainement qu'en temps normal.

Avec le programme *30 minutes par jour*, vous pourrez aller au restaurant et acheter des plats à emporter aussi souvent que vous le désirez. En adoptant quelques petites astuces, vous pourrez tranquillement, sans remords et sans stress, déguster vos repas au restaurant, qu'il s'agisse d'un dîner d'affaires, d'un souper en amoureux ou de la pizza familiale du week-end.

Avant de commander

Préparez-vous psychologiquement avant d'entrer dans le restaurant ou de commander votre plat à emporter. Vous éviterez ainsi d'être pris de court car vous aurez auparavant envisagé toutes les options possibles.

Visualisez votre repas Avant de téléphoner pour réserver ou pour passer une commande, imaginez-vous devant votre assiette. Pensez à toutes les options saines qui figurent sur la plupart des menus : les pizzas à pâte fine avec un supplément de légumes, les salades originales et succulentes ou le poisson grillé délicieusement préparé dans un restaurant de poissons et de fruits de mer.

Régalez-vous avec des plats que vous ne prépareriez pas vous-même, peu importe qu'il s'agisse d'une soupe glacée de betteraves ou de saumon sauvage, ou bien encore de légumes croquants à la chinoise.

Et, si jamais vous avez une irrépressible envie de prendre un dessert, partagez-le avec l'un des autres convives. Vous dégusterez cette petite touche de sucré dont vous avez besoin sans avoir forcément tout à manger.

Ne vous privez pas aux autres repas

Manger moins pendant la journée en prévision d'un bon repas au restaurant peut sembler raisonnable, mais cela comporte un inconvénient de taille : en arrivant, vous serez affamé et vous vous jetterez sur les plats avec un appétit dévorant... et déraisonnable ! Mieux vaut manger normalement aux autres repas et prendre une petite collation 1 heure avant d'aller au restaurant pour calmer votre appétit (un fruit, un yogourt ou une tranche de pain de blé entier). Une telle collation contient généralement moins de calories et plus de nutriments que la plupart des amuse-bouche servis au restaurant.

Marchez pour aller au restaurant Si la distance le permet, allez au restaurant à pied. Vous pouvez aussi faire un petit tour avec les autres convives après le repas pour mieux digérer. Vous brûlerez ainsi quelques calories supplémentaires et mettrez davantage l'accent sur le côté social d'une telle sortie.

REPAS À EMPORTER : FAITES LE BON CHOIX Plus de saveur, moins de calories et de graisses

PIZZA Tout est dans la garniture, qui doit être saine : évitez les lardons, merguez, saucisses et autres pepperonis. Les fruits de mer, la tomate et les légumes sont les meilleures options. La version à pâte fine est à préférer.

CHINOIS Évitez tout ce qui est frit : rouleau impérial, beignets de crevettes... Quant aux plats à l'aigre-doux, ils peuvent contenir jusqu'à 8 c. à thé de sucre. De même, le riz blanc est à préférer au riz cantonais.

THAÏ Évitez les plats au lait de coco, riches en graisses saturées, les beignets et autres fritures. Optez pour l'un des nombreux plats de poisson et de fruits de mer généralement proposés dans ce type de restaurant. Vous pouvez également mettre des nouilles et des vermicelles au menu.

KEBAB C'est bon... mais pas pour la santé ! La viande de mouton est riche en graisses saturées, les frites sont remplies de graisses « trans », et que dire de la sauce ! Si vous ne pouvez pas faire autrement, optez pour la version viande de volaille avec des crudités, sans sauce ni frites.

BOULANGERIE Évitez les feuilletés, les quiches aux lardons et autres tourtes grasses, et optez pour un sandwich jambon-crudités classique ou bien un pain suédois au saumon. Accompagnez votre sandwich d'eau ou d'un jus de fruits frais et prenez un produit laitier au dessert.

Se priver aux autres repas parce qu'on doit souper le soir au restaurant n'est pas une bonne idée.

FAST-FOOD Le guide de survie

Les chaînes de restauration rapide commencent peu à peu à prendre au sérieux la santé de leurs clients (tout en soignant leur propre image !). Il devient donc plus facile d'y trouver des salades, des desserts aux fruits et des aliments allégés en calories et en graisses saturées. Faites cependant attention, car tout n'y est pas toujours aussi « diététiquement correct » que l'on veut bien vous le faire croire.

SOYEZ VIGILANT Il n'est pas simple d'éviter les pièges nutritionnels dans ce type d'endroit. Voici comment limiter votre consommation de calories, de graisses et de sel, et favoriser les fruits, légumes, protéines et produits laitiers.

INFORMATION La plupart des grandes chaînes indiquent aujourd'hui en détail la composition de leurs repas, soit directement sur les cartons, soit sur des affichettes ou des dépliants. Jetez-y un coup d'œil pour avoir une idée précise de ce que vous mangez (surtout au niveau des calories et des lipides).

CHOIX INTELLIGENTS Si vous optez pour un hamburger, prenez-le simple, sans fromage. Et n'allez pas croire qu'un burger au poulet ou au poisson soit moins gras, c'est loin d'être toujours le cas. Au lieu de tremper vos frites dans la mayonnaise, choisissez le ketchup, bien moins gras et calorique, et riche en lycopène. Un burger végétarien contient autant de graisses et de calories qu'une version carnée, mais il apporte plus de fibres, ce qui est bénéfique pour le système digestif. Les quelques feuilles de salade flétries et rondelles de cornichon étiques qui se cachent dans les hamburgers n'apportent pas grand-chose, alors commandez une salade en accompagnement. Renoncez au soda (même en version « diète ») et au grand lait frappé, et optez pour un jus d'oranges, qui vous apportera de la vitamine C, ou buvez de l'eau.

Au restaurant

Lorsque vous passez votre commande, n'hésitez pas à poser des questions ni à demander quelques changements afin de vous assurer que votre repas corresponde bien à ce que vous souhaitez. Le serveur est le lien entre la table et la cuisine, faites-en un allié. Cela contribuera à vous éviter des calories inutiles et vous permettra de savourer votre repas sans mauvaise conscience.

Éloignez la corbeille à pain En faisant abstraction du pain et du beurre, vous consommerez 500 kcal de glucides raffinés en moins. Autrement dit, vous éviterez l'envol de votre glycémie et de votre taux d'acides gras saturés, obstructeurs pour les artères. Dans tous les cas, ne prenez pas plus d'un morceau de pain, et sans beurre.

Commencez par de l'eau Limitez-vous à un ou deux verres de vin ou de bière durant le repas. Pour beaucoup de gens, l'alcool mène à l'envie de grignoter. Si vous prenez un apéritif ou un verre de vin en attendant l'arrivée des plats, il y a de fortes chances pour que vous vous tourniez quand même vers la corbeille à pain.

Posez plein de questions Est-ce que le poulet dans la salade est grillé avec ou sans matières grasses ? Qu'est-ce qu'il y a dans la purée ? Est-il possible d'avoir des légumes à la place des frites ? Pouvez-vous faire griller le poisson ? La plupart des bons restaurants feront un effort pour vous faire plaisir et, même si cela vous coûte un peu plus cher, vous y serez gagnant.

Demandez que l'on serve les sauces et vinaigrettes à part Vous n'avez pas forcément besoin de beaucoup de sauce ou de vinaigrette sur votre salade. Lorsque cela est possible, choisissez-les à base d'huile d'olive et non de crème. Mettez-en juste un peu sur votre salade ou bien trempez simplement votre fourchette dans la vinaigrette avant chaque bouchée.

Commandez une entrée raisonnable Évitez les entrées surchargées en calories, comme le pâté et les fritures. Mieux vaut une entrée à base de légumes ou de fruits : un potage, une salade, du melon, du saumon fumé ou des fruits de mer.

Grandes portions : le piège à éviter

Savez-vous que certains fabricants de vaisselle ont dû revoir la taille de leurs services afin de s'adapter aux nouvelles demandes des restaurateurs ? Les portions y sont en effet entre deux et sept fois plus grosses qu'il y a une vingtaine d'années. Voici comment manger de plus petites portions au restaurant.

■ Regardez les portions que l'on sert aux autres clients. Si les plats vous semblent volumineux, contentez-vous de prendre deux entrées, une à base de légumes, une autre à base de protéines.

■ Décidez-vous pour une entrée ou un dessert, mais pas les deux. Ou, mieux encore, renoncez à l'entrée et partagez le dessert.

■ Si les portions sont grosses, vous pouvez choisir de partager le plat principal et de prendre une salade verte en accompagnement.

■ Demandez au serveur quels légumes sont servis avec votre plat et, s'ils vous plaisent, demandez à ce qu'on vous en mette plus, quitte à manger moins du reste.

■ Retournez en enfance. Cela est rarement possible dans les restaurants gastronomiques mais, dans la restauration rapide, personne ne verra d'inconvénient à ce que vous preniez un menu enfant. Aujourd'hui, la taille d'un menu enfant est la même que celle d'un menu adulte il y a 20 ans. Un petit hamburger, une petite portion de frites, un petit lait frappé ou un jus d'orange suffisent pour se sentir rassasié et ne contiennent qu'une fraction des calories que renferme un menu adulte « super » ou « méga ». Certes, ce choix n'a rien de très diététique ni nutritif, mais il peut constituer un bon compromis si vous devez accompagner un enfant au fast-food, par exemple.

Dans les cuisines des restaurants

Pourquoi les plats sont-ils souvent plus savoureux au restaurant ? Voici quelques secrets des restaurateurs pour améliorer les qualités gustatives de leurs plats, parfois au détriment des qualités nutritionnelles.

BEURRE Dans les soupes et les sauces, sur la viande, sur les légumes : ils en mettent partout. Pour rendre les aliments plus riches et délicieux, il n'y a rien de plus rapide et de plus simple que d'ajouter du beurre (du pur gras saturé). La plupart des restaurateurs en utilisent des quantités importantes.

HUILE Une autre façon de rendre les aliments plus savoureux est d'employer beaucoup d'huile, parfois de l'huile d'olive, parfois une huile de noix plus exotique. Dans les restaurants plus basiques, il s'agit plutôt d'une huile végétale ordinaire. Les aliments frits y semblent très bons parce qu'ils sont gorgés d'huile.

GRAISSES ANIMALES Méfiez-vous quand le serveur vous vante le côté juteux et savoureux de sa viande, et souvenez-vous que la saveur en question se traduit principalement par des graisses fondues. Les sauces « au jus » contiennent ainsi un grand nombre de calories et ne font guère de bien à votre cœur.

SEL Chez vous, vous pouvez limiter ou, mieux, éviter totalement le sel. Dans les restaurants, impossible de contrôler cet usage. Le sel est ajouté pour accentuer les saveurs, certes, mais aussi pour vous donner soif, tout simplement.

SUCRES Avez-vous déjà remarqué que les légumes au restaurant sont souvent délicieusement sucrés ? Il n'y a là aucun mystère : on y a ajouté du sucre afin de rendre leur goût plus agréable. Quant aux desserts, mousse au chocolat, crème brûlée ou tarte aux pommes, ils sont la plupart du temps très sucrés aussi.

Bien manger dans tous les restaurants : suivez le guide

CHINOIS

CHOISISSEZ Les potages à base de bouillon ; les rouleaux de printemps (crus) ; les dim sum à la vapeur ; les omelettes ; les salades (vinaigrette à part) ; les légumes vapeur ; le riz blanc ; les plats à base de poisson, de poulet, de fruits de mer ou de légumes ; les nouilles sautées. Au dessert : ananas frais, litchis ou sorbets.

ÉVITEZ Les aliments frits, comme les pâtés impériaux, les beignets et les raviolis frits en entrée ou les beignets en dessert. Le riz cantonais, les plats à l'aigre-doux, tout ce qui est « croustillant », au caramel...

INDIEN

CHOISISSEZ Les papadams avec une sauce raïta ; les tandooris, les tikkas (sauf tikka masala), les karias et les bhunas ; les plats à base d'épinards ; les plats végétariens.

ÉVITEZ Les plats très gras comme les bhajis, les pakoras, les samossas (beignets), les pains faits avec des graisses ajoutées comme les nans, peshawis, parathas et puirs ; les plats crémeux (kormas, masalas, dhansaks) ; le riz pilaf, frit ou biryani ; le poulet au beurre.

ITALIEN

CHOISISSEZ Le melon ; les antipastis de légumes ; le minestrone ; le carpaccio de poisson ; les pâtes avec une sauce à base de tomates ; les plats de poulet ou de poisson grillés ; les pizzas sans fromage (ajoutez éventuellement vous-même du parmesan), sans saucisses ni merguez, sans croûte garnie et avec beaucoup de légumes.

ÉVITEZ Le pain à l'ail ; les calamars frits ; les scampis ; les pâtes avec sauces blanches, à base de fromage et au pistou ; les pizzas avec une garniture trop grasse ; les viandes panées ; le tiramisu ; la panna cotta. Attention à la taille des portions : les restaurants italiens sont connus pour leurs assiettes généreuses...

JAPONAIS

CHOISISSEZ Les sushis et sashimis ; les makis ; la soupe miso ; les yakitoris ; les tatakis ; le poisson vapeur ; la salade wakame.

ÉVITEZ Les tempuras et agemonos (aux légumes, au poulet ou aux fruits de mer) et autres fritures, comme le tofu frit ou le tonkatsu.

FRANÇAIS

CHOISISSEZ Les crudités et les salades (vinaigrette à part), les potages, les légumes ; les viandes, volailles et poissons cuits à la vapeur, au four, grillés, rôtis, pochés, étuvés, sautés ; les desserts au lait ; les fruits et les sorbets.

ÉVITEZ Les entrées à la mayonnaise (œufs, céleri rémoulade, avocat...) ; les charcuteries ; les plats en sauce, en croûte, panés, au beurre, à la crème, frits, croustillants, à la sauce hollandaise, poêlés ; les frites ; le fromage ; les pâtisseries.

Ce qu'il faut choisir et ce qu'il faut éviter au restaurant.

Les suppléments nutritionnels peuvent aider à combler des carences liées aux habitudes alimentaires et aux changements métaboliques dus à l'âge.

Et les suppléments ?

Avec le programme *30 minutes par jour*, vous pourrez manger de façon saine pour renforcer votre cœur. Vous faut-il prendre des suppléments nutritionnels ? Dans la plupart des cas, la réponse est « non ».

La sagesse populaire veut que, lorsque les gens en bonne santé mangent assez bien pour ne pas avoir de carences nutritionnelles, ils n'ont pas besoin de prendre de suppléments. Leur alimentation leur apporte les apports quotidiens recommandés de nutriments.

Pourtant, nombreux sont ceux qui ont de la difficulté à combler leurs besoins nutritionnels. Une étude récente montre que seulement 36 % des Canadiens mangent cinq portions de fruits et de légumes par jour – la quantité recommandée pour assurer

les niveaux de nutriments nécessaires à la prévention des maladies. La Fondation des maladies du cœur du Canada a révélé que seulement 14 % des enfants reçoivent quatre portions ou plus de fruits et de légumes par jour ; et pourtant, 98 % des gens savent qu'en absorber cinq à dix portions est bon pour le cœur.

Les suppléments ne peuvent remplacer un mode de vie sain. Les Canadiens doivent augmenter leurs portions de fruits et légumes. La meilleure nutrition est liée à l'interaction des milliers de nutriments que renferment les fruits et légumes. Pour analyser votre alimentation, consultez un nutritionniste. Les pages suivantes vous permettront d'explorer certains suppléments et de juger vous-même.

Choisir des multivitamines

Si vous décidez de prendre des multi-vitamines, vérifiez le taux des nutriments suivants sur l'emballage.

100 % des apports nutritionnels recommandés (ANR) Assurez-vous que votre supplément multivitaminé contient 100 % des ANR en thiamine (vitamine B_1), en riboflavine (vitamine B_2), en niacine (vitamine B_3), en acide folique (vitamine B_9) et en vitamines B_6, B_{12}, C, D et E.

Moins de 1 500 UI de vitamine A (rétinol) Un surdosage de vitamine A – il y a des multivitamines qui en contiennent 5 000 UI – peut augmenter le risque d'ostéoporose et entraîner des problèmes hépatiques et cutanés. Votre supplément multivitaminé ne doit en aucun cas dépasser 1 500 UI.

Pas plus de 100 % des ANR pour tous les minéraux Quel que soit le minéral, l'organisme n'a en aucun cas besoin d'un apport supérieur à 100 % de l'ANR. La plupart des gens absorbent suffisamment de potassium, de phosphore et de chlorure à travers leur alimentation, mais ce n'est pas toujours le cas pour le magnésium (ANR de 300 mg), ce qui est problématique dans la mesure où le magnésium réduirait les risques cardiovasculaires. Il n'est pas nécessaire d'absorber des oligoéléments (boron, nickel...).

Vitamine K (ATTENTION : consultez votre médecin si vous prenez des médicaments anticoagulants) Au Canada, il n'y a pas de vitamine K (permettant la coagulation sanguine) dans les multivitamines et les suppléments de vitamine K ne sont pas en vente libre. Pour être sûr d'en absorber suffisamment, mangez des légumes « à feuilles » (épinards, salades, etc.).

Fer Tout dépend de l'âge et du sexe. Les femmes en préménopause doivent rechercher un produit contenant 18 mg de fer (100 % de l'ANR). Les femmes ménopausées ainsi que les hommes prennent une dose moindre.

Dernier point Certains fabricants proposent des multivitamines « de luxe » contenant des « mélanges brevetés » d'herbes, des minéraux, des extraits et des acides aminés. Prenez garde : trop peu de recherches ont été réalisées sur l'efficacité de ces mélanges. Vous risquez de payer cher pour un mélange d'ingrédients vous apportant peu ou aucun bénéfice.

Pas le temps pour 5 à 10 portions de fruits et légumes par jour? Préparez-vous une boisson aux agrumes multivitaminée avec oranges, limes et kiwi.

1 MULTIVITAMINES

Faut-il , si l'on veut obtenir à coup sûr tous les nutriments essentiels, prendre un comprimé multivitaminé par jour ? Les avis à ce sujet sont partagés, la majorité des médecins préférant mettre l'accent sur un régime alimentaire équilibré.

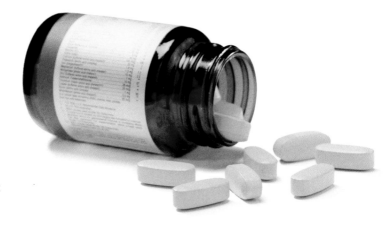

■ EFFETS BÉNÉFIQUES POUR LE CŒUR

Prendre un comprimé multivitaminé permet de combler les carences alimentaires éventuelles de votre alimentation.

■ PROCESSUS

■ Les vitamines B que renferment les multivitamines peuvent, selon certaines études, réduire considérablement le taux d'homocystéine, un acide aminé produit par l'organisme lors de la transformation des protéines et qui constitue un facteur de risque de cardiopathie et d'accident vasculaire cérébral. Le corps a besoin des « trois B », les vitamines B_6, B_9 (acide folique) et B_{12}, pour décomposer l'homocystéine. Autrement les taux d'homocytéine augmentent, les risques pour le cœur aussi. Or, avec l'âge, notre organisme absorbe moins bien les vitamines B fournies par l'alimentation, alors que celles des suppléments alimentaires sont, elles, plutôt bien assimilées.

■ La vitamine D a une fonction protectrice. Elle aide, entre autres, le corps à absorber et à retenir le calcium, essentiel pour réguler la pression artérielle. Elle pourrait également intervenir dans la protection des artères en empêchant les dépôts de calcium et le durcissement des artères. De même, une étude belge suggère qu'elle réduit l'inflammation. Cependant, l'organisme produisant naturellement de la vitamine D lorsqu'on s'expose au soleil, ce n'est que si vous ne sortez pas assez ou si vous vivez sous un climat peu clément que vous risquez de ne pas en produire une quantité suffisante.

■ QUE CHOISIR ?
Le meilleur produit n'est pas nécessairement le plus cher. Il existe de très nombreuses marques qui offrent le même complexe de vitamines et minéraux, aux bonnes doses et à un bon prix. Renseignez-vous et comparez.

■ DOSE RECOMMANDÉE
1 comprimé par jour.

■ À QUEL MOMENT ?
Pendant un repas pour une meilleure absorption.

■ EFFETS SECONDAIRES POSSIBLES
Légères nausées. Le risque est moindre si vous prenez la multivitamine au cours du repas.

■ PRÉCAUTIONS
Ne dépassez pas la dose recommandée. Si vous souffrez d'une maladie, quelle qu'elle soit, il faut toujours demander l'avis de votre médecin avant de prendre un supplément, y compris des multivitamines, pour vous assurer que cela est vraiment bon pour vous.

■ ASTUCE
Prenez vos multivitamines avec un grand verre d'eau pour en améliorer l'absorption.

2 HUILES DE POISSON

2 repas de poisson par semaine diminueraient le risque d'infarctus.

Il est maintenant établi que deux repas à base de poisson par semaine pourraient suffire à réduire le risque d'infarctus. Les poissons gras, comme le saumon et le maquereau, sont à privilégier, car très riches en acides gras oméga-3 essentiels pour la santé du cœur : l'acide eicosapentanoïque (EPA) et l'acide docosahexanoïque (DHA). La plupart d'entre nous n'en consomment pas assez. Les gélules d'huile de poisson ou l'huile de foie de morue peuvent-elles combler les carences ? Des études ont montré que les suppléments d'huile de poisson pouvaient réduire le risque d'un second infarctus. Comme la communauté scientifique ne s'entend pas à ce sujet, parlez-en avec votre médecin.

■ EFFETS BÉNÉFIQUES POUR LE CŒUR

Les acides gras oméga-3 contenus dans les huiles de poisson réduisent sensiblement le risque d'infarctus lorsque leur prise est associée à un régime alimentaire adapté. Les huiles de poisson réduisent également le taux de triglycérides.

■ PROCESSUS

■ Elles font baisser le taux de triglycérides

Le taux de triglycérides augmente après la consommation d'aliments riches en graisses saturées, ce qui explique peut-être pourquoi il y a plus de crises cardiaques après un repas copieux. Quand on mesure ce taux après un gros repas chez des hommes qui prennent des suppléments d'huile de poisson et d'autres qui n'en prennent pas, il est inférieur de 35 à 50 % chez les premiers. On croit que l'huile de poisson aide les cellules musculaires à métaboliser les triglycérides, en les expulsant du système sanguin.

■ Elles régulent le rythme cardiaque

Certaines études ont démontré que la consommation de suppléments d'huile de poisson contribue à maintenir le cœur en bonne santé : celui-ci continue à bien s'adapter aux variabilités du rythme cardiaque (VRC). Chez les personnes porteuses de pacemakers, l'huile de poisson a aussi un effet bénéfique sur l'arythmie.

■ DOSE RECOMMANDÉE
Les spécialistes conseillent une combinaison d'EPA et de DHA de 1 g par jour. Pour savoir combien de capsules il faut prendre pour couvrir ces besoins, lisez bien les étiquettes. Discutez de la posologie avec votre médecin.

■ À QUEL MOMENT ?
Au cours du repas.

■ EFFETS SECONDAIRES POSSIBLES

Renvois de poisson, légers ballonnements et nausées. Les huiles de poisson comme l'huile de foie de morue sont très concentrés en vitamines A et D.

■ PRÉCAUTIONS
Le pouvoir anticoagulant des huiles de poisson peut être dangereux pour les personnes atteintes de troubles hémorragiques et pour celles qui suivent des traitements anticoagulants à base de warfarine. Demandez l'avis du médecin.

■ ASTUCE
Pour éviter les renvois de poisson, mettez vos capsules au réfrigérateur ou pensez à les prendre au milieu du repas.

3 FIBRES SOLUBLES

L'avoine et les légumineuses, l'orge et les oranges, les pamplemousses et les fraises sont riches en fibres solubles, des glucides que l'intestin ne peut pas digérer et qui forment une sorte de gel emprisonnant le cholestérol. Pour bien fonctionner, l'organisme a besoin d'au moins 10 g de fibres solubles par jour – 25 g à 35 g si l'on inclut les fibres insolubles. Pourtant, la majorité d'entre nous n'en consommons que 15 g au total par jour, ce qui équivaut à un bol de gruau et une poignée de fraises.

Si votre médecin vous prescrit un supplément de fibres solubles, ce n'est pas pour remplacer des aliments riches en fibres solubles mais parce qu'il s'agit là d'un bon moyen pour faire légèrement baisser votre taux de cholestérol sans prendre de médicaments. Des chercheurs américains avancent que 15 % environ des personnes suivant un traitement à base de statines pourraient obtenir les mêmes résultats en corrigeant leur régime alimentaire et en prenant un complément de fibres solubles.

■ **EFFETS BÉNÉFIQUES POUR LE CŒUR**
Les fibres solubles peuvent réduire le taux de cholestérol total de 7 % et le taux de cholestérol LDL de 5 %, ce qui revient à une diminution du risque de maladies cardiaques de 10 à 15 %. Les fibres solubles semblent pouvoir prévenir les problèmes cardiaques mais, si vous êtes déjà atteint d'une maladie cardiaque, ne remplacez pas votre traitement médical par la prise d'un supplément de fibres solubles.

■ **PROCESSUS** Les fibres solubles forment une sorte de gel visqueux qui traverse lentement les intestins. Elles se lient ainsi aux acides biliaires remplis de cholestérol – ces derniers sont sécrétés par le foie – et empêchent leur réabsorption.

En général, 95 % du cholestérol des acides biliaires est réabsorbé. Plus les fibres solubles éliminent d'acides biliaires, plus le foie est obligé de prendre du cholestérol ailleurs, dans le sang, pour fabriquer davantage d'acides biliaires. Résultat : le taux de cholestérol baisse.

■ **QUE CHOISIR ?** Les fibres solubles se vendent généralement sous forme de poudre aromatisée à diluer dans de l'eau. Elles sont faites à partir de l'enveloppe et des graines du psyllium. On trouve sur le marché des céréales qui contiennent du psyllium.

■ **DOSE RECOMMANDÉE** Pour faire baisser le taux de cholestérol, visez un supplément de fibres solubles de 7 à 10 g par jour. Lisez bien l'étiquette pour connaître la quantité que renferme le produit.

■ **À QUEL MOMENT ?** Prenez la moitié le matin et l'autre moitié le soir.

■ **EFFETS SECONDAIRES POSSIBLES**
Sensation de ballonnement, gaz, constipation.

■ **PRÉCAUTIONS** Mieux vaut consulter votre médecin avant d'entamer un traitement à base de fibres solubles, surtout si vous avez des problèmes de constipation ou un ulcère. Un apport élevé de fibres solubles peut également réduire les effets de certains médicaments. Dans de rares cas, il peut y avoir une réaction allergique au psyllium. Appelez immédiatement les secours en cas de troubles respiratoires, d'éruption cutanée ou de démangeaisons après avoir consommé un produit à base de psyllium.

■ **ASTUCE** Si vous suivez un traitement médicamenteux, prenez votre supplément de fibres au moins 2 heures avant ou après les médicaments, et toujours avec un ou deux verres d'eau. Si vous n'en avez jamais pris auparavant, procédez par étapes, en augmentant les doses progressivement.

Antioxydants : prendre des suppléments n'apporte pas de protection supplémentaire

Pendant des années, les spécialistes ont conseillé de prendre de fortes doses de vitamine E et de bêta-carotène pour mieux protéger le cœur. De fait, ces antioxydants neutralisent les radicaux libres, des particules agressives qui attaquent les enzymes, les protéines, les membranes cellulaires... et qui sont naturellement libérés lorsqu'on respire, digère et qu'on est exposé à des toxines comme la fumée de cigarette.

Aujourd'hui, pour des raisons qui ne sont encore que partiellement élucidées, il s'avère que la prise de vitamines antioxydantes serait au mieux sans effet, au pire favoriserait la survenue d'un infarctus. Plusieurs études semblent montrer que des doses élevées de vitamine E ou de bêta-carotène augmentent les risques de maladies cardiovasculaires.

La meilleure solution serait de consommer de la vitamine E en 3 portions journalières de céréales entières et de germes de blé, et de faire le plein de bêta-carotène (et de centaines d'autres antioxydants) en remplissant son assiette de fruits et légumes.

4 COENZYME Q_{10}

La coenzyme Q_{10} est une substance naturelle présente partout dans l'organisme, où elle stimule les enzymes qui aident les cellules à respirer et à produire de l'énergie. Le cœur est l'un des organes les plus riches en Q_{10} mais, avec l'âge, cette enzyme tend à se raréfier. On la trouve à l'état naturel dans de nombreux aliments.

■ EFFETS BÉNÉFIQUES POUR LE CŒUR

Plusieurs études mettent en évidence le rôle bénéfique de la coenzyme Q_{10} dans le traitement des insuffisances cardiaques ou plutôt comme adjuvant aux traitements classiques. La coenzyme Q_{10} agit comme un antioxydant, neutralisant les radicaux libres.

■ PROCESSUS

■ Dans les années 1950, les chercheurs avaient noté que les sujets cardiaques présentaient des taux bas de Q_{10}. On croit que cette coenzyme aide la mitochondrie, organisme présent dans les cellules, à produire de l'énergie. Dans une étude de 12 mois sur 2 500 patients en insuffisance cardiaque, 80 % de ceux qui prenaient de la coenzyme Q_{10} ont noté une amélioration de leur état : ils dormaient mieux, faisaient moins de rétention d'eau et étaient moins essoufflés.

■ La coenzyme Q_{10} pourrait débalancer l'effet des statines. Si vous êtes en traitement, consultez toujours votre médecin avant de prendre un supplément.

■ DOSE RECOMMANDÉE
50 mg deux fois par jour.

■ À QUEL MOMENT ?
Au cours du repas. La coenzyme Q_{10} étant liposoluble, votre organisme en absorbera plus si vous la prenez avec un aliment contenant des graisses (comme une salade avec de l'huile d'olive).

■ EFFETS SECONDAIRES POSSIBLES
Normalement aucun mais, rarement, légères insomnies, troubles digestifs, perte d'appétit.

L'aubépine

L'extrait d'aubépine est utilisé en médecine depuis des millénaires pour tonifier le cœur et prévenir les maladies cardiaques. Les différentes recherches menées depuis 30 ans ont corroboré ces résultats empiriques : les extraits d'aubépine sont en effet bénéfiques pour le cœur, puisqu'ils améliorent la contraction cardiaque, la circulation sanguine dans le cœur et, partant, son oxygénation.

L'aubépine ne peut remplacer les médicaments ni même les suppléments mentionnés dans ce chapitre. Mais elle pourrait être utile. Consultez d'abord votre médecin.

■ PRÉCAUTIONS
La coenzyme Q_{10} peut réduire l'efficacité de certains médicaments anticoagulants, comme la warfarine. Parlez toujours avec votre médecin avant de prendre tout supplément.

■ ASTUCE
Si vous êtes traité pour une hypertension ou une insuffisance cardiaque, vous devez impérativement consulter votre médecin avant de prendre de la coenzyme Q_{10}, qui ne peut en aucun cas remplacer un médicament.

5 AAS

L'AAS (acide acétylsalicylique ou aspirine) n'est pas un nutriment. Le corps médical reconnaît toutefois que la prise d'AAS peut protéger le cœur en diminuant le risque de formation de caillots sanguins.

■ **EFFETS BÉNÉFIQUES POUR LE CŒUR**
L'AAS pris à long terme peut diminuer le risque d'infarctus. Mais des doses quotidiennes ne conviennent pas à tous.

■ **PROCESSUS** L'AAS agit comme un antiagrégant plaquettaire : en empêchant les plaquettes de s'agglutiner, il prévient la formation de caillots, et donc le risque d'infarctus ou d'ischémie cardiaque.

■ **DOSE RECOMMANDÉE** Parlez-en à votre médecin.

■ **À QUEL MOMENT ?** Selon les recommandations de votre médecin.

■ **EFFETS SECONDAIRES POSSIBLES**
Aucun médicament n'est parfaitement sûr. Les risques qu'entraîne la prise quotidienne d'AAS peuvent être bien supérieurs aux bénéfices du traitement. L'AAS peut entraîner des saignements digestifs, de l'insuffisance rénale ou augmenter les risques de choc hémorragique.

■ **AVERTISSEMENT** Si vous prenez de l'ibuprofène comme anti-inflammatoire ou comme antidouleur, attendez 2 heures avant d'ingérer votre dose quotidienne d'AAS. Si vous prenez régulièrement de l'ibuprofène, votre médecin vous conseillera éventuellement de passer à un autre antidouleur qui n'interfère pas avec l'aspirine.

■ **ASTUCE** Consultez toujours votre médecin avant de prendre des doses régulières d'AAS.

911 Urgence
L'aspirine peut sauver la vie

En cas de symptômes de crise cardiaque subits, mâcher immédiatement et minutieusement un comprimé d'aspirine (de 300 mg) en attendant les secours pourrait sauver la vie. Le fait de mâcher l'aspirine permet en effet de libérer les principes actifs du comprimé dans le flux sanguin (où ils inhiberaient la formation de caillots) en 5 minutes seulement. Si l'on avale juste le comprimé, l'effet anticoagulant met 12 minutes à agir, un délai souvent trop long !

6 L'HUILE DE LIN

Reconnu pour ses vertus médicinales, le lin contient des acides gras essentiels comme l'acide alpha-linolénique (AAL), qui fait partie de la famille des oméga-3. Même si l'AAL n'est pas aussi puissant que les oméga-3 de l'huile de poisson, c'est une bonne source d'acides gras essentiels pour les végétariens. Vous pouvez consommer de l'huile de lin ou parsemer de graines de lin yogourts, céréales et salades.

■ EFFETS BÉNÉFIQUES POUR LE CŒUR

L'huile de lin contribuerait à réduire le taux de cholestérol et il se pourrait aussi qu'elle protège contre l'angine de poitrine et l'hypertension.

■ PROCESSUS
Le lin contient 50 % d'AAL (contre 3 à 11 % dans les noix), ce qui en fait une excellente source végétale. L'AAL est un acide gras oméga-3 que le corps transforme partiellement en acide eicosapentanoïque (EPA), l'un des acides gras oméga-3, que l'on trouve dans l'huile de poisson. Les études font croire que l'EPA possède un effet anticoagulant, réduisant le risque de caillots sanguins et, partant, d'infarctus. L'huile de lin pourrait aussi diminuer le taux de cholestérol, protéger contre l'angine de poitrine et contribuer à réguler la tension artérielle.

■ QUE CHOISIR ?
Les Canadiens trouvent la plus grande partie de leur AAL dans les huiles de soja et de canola. Vous pouvez également consommer des graines de lin avec les yogourts, céréales et autres.

■ DOSE RECOMMANDÉE
1g à 1,6 g par jour. Cette quantité se trouve à l'état naturel dans notre alimentation.

■ À QUEL MOMENT ?
Au cours du repas pour une meilleure absorption.

■ EFFETS SECONDAIRES POSSIBLES

Hormis quelques cas de flatulence, le lin ne provoquerait aucun effet indésirable.

La niacine : une vitamine qui agit comme un médicament

À haute dose (de 500 à 1 000 mg par jour), la niacine, ou vitamine B_3, augmenterait le taux de « bon » cholestérol (HDL) de 15 à 35 %, tout en abaissant le taux des triglycérides de 20 à 50 %. Mais de fortes doses de niacine entraînent également des effets secondaires tels que des rougeurs faciales sévères, et elles peuvent même endommager le foie.

Si votre taux de cholestérol HDL est bas et votre taux de triglycérides élevé, demandez à votre médecin de vous prescrire un supplément de niacine à libération lente, ce qui épargnera votre foie et réduira les risques de rougeurs. Ne prenez jamais de fortes doses de niacine sans avis médical.

■ PRÉCAUTIONS
Ne consommez pas de graines de lin si vous souffrez d'une occlusion intestinale ou d'un cancer de la prostate, ni si vous prenez des anticoagulants comme la warfarine. Et n'en prenez pas en même temps que vos médicaments ou des laxatifs. Enfin, si vous êtes enceinte ou allaitez, il vaut mieux éviter les graines de lin.

■ ASTUCE
Les graines de lin moulues sont meilleures que l'huile de lin, car elles contiennent des fibres, des oméga-3 et des lignanes.

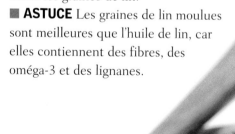

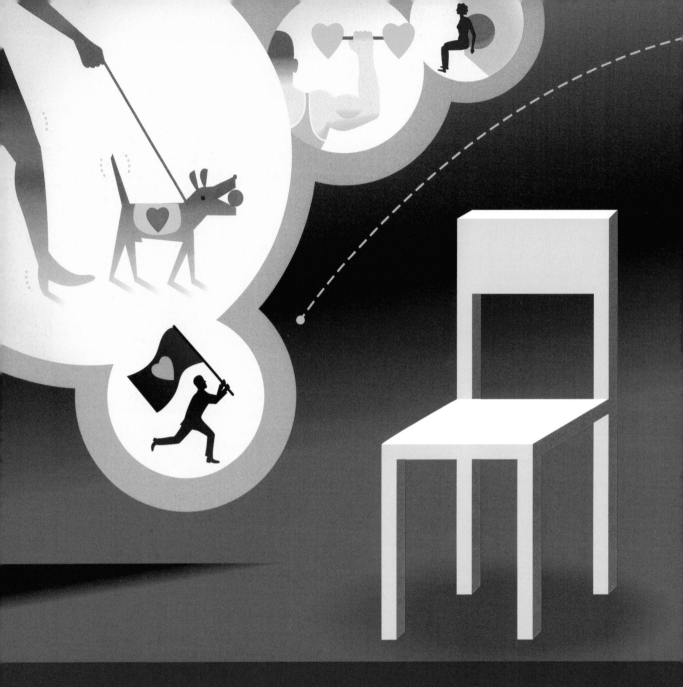

Pas besoin d'équipements sophistiqués pour faire
de l'exercice, il suffit de se lever et de bouger !
Rien n'est meilleur pour le cœur que l'activité
physique associée à une alimentation saine
et équilibrée.

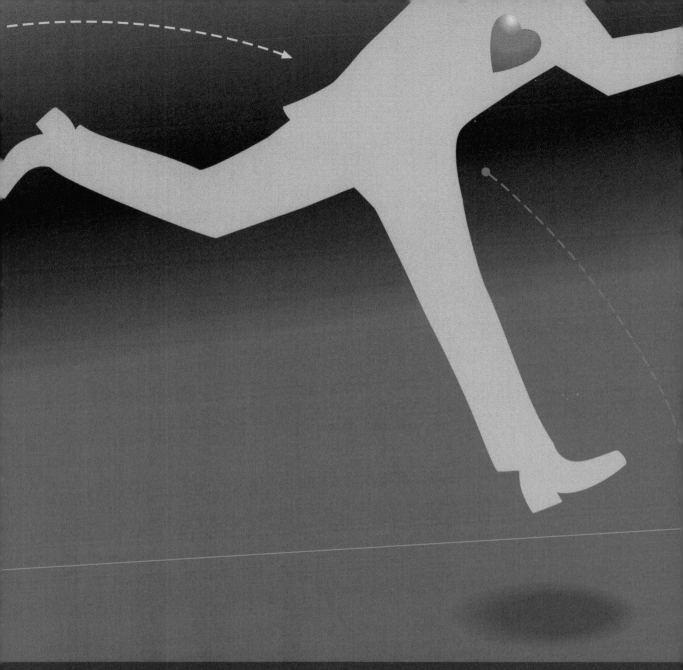

Bouger :
une nécessité

Levons-nous tous contre la sédentarité

Vous qui lisez ceci assis dans un fauteuil êtes dans une position que la plupart d'entre nous adoptent beaucoup trop longtemps chaque jour. Selon les statistique, le Nord-Américain moyen passe 12 à 14 heures par jour en position assise : 1 à 2 heures au volant de sa voiture ; 3 heures devant la télévision : 7 à 9 heures à son bureau, à la maison ou à l'extérieur. Ajoutez 1 heure à table pour les repas et 7 heures de sommeil : cela donne quelque 19 à 22 heures d'inactivité.

La sédentarisation du travail explique en partie pourquoi nous bougeons de moins en moins. Parallèlement, il est devenu plus facile de vivre sans faire d'efforts physiques, grâce à l'ordinateur, aux transports, au cellulaire, aux livraisons à domicile...

Bouger, c'est non seulement important pour la santé physique et psychologique, mais c'est aussi agréable. Encore faut-il essayer !

À force d'utiliser appareils électroménagers et gadgets électriques, de faire nombre de démarches par courrier électronique et nos courses sur Internet, nous avons banni presque toute activité physique de notre quotidien. À tel point que certains spécialistes estiment que nous brûlons 700 kcal de moins par jour qu'il y a trente ans. Ce qui revient à presque 450 g (1 lb) par semaine !

Prenons l'exemple d'un courriel envoyé à un collègue à l'autre bout du couloir. Si, au lieu de passer deux minutes à lui écrire ce courriel, vous passiez le même temps à faire un aller-retour pour lui parler, vous pourriez perdre 5 kg (11 lb) en dix ans !

La part de la dépense physique est devenue si minime dans notre vie de tous les jours que cette activité est maintenant réservée aux loisirs : jardinage, marche, sports. Mais beaucoup d'entre nous ne pratiquent aucune de ces activités physiques de loisir (25 % des adultes et 30 % des femmes) et une partie des actifs n'a pas une activité régulière et suffisante. La sédentarité est devenue un problème si aigu que l'OMS a lancé un avertissement : elle pourrait bien figurer parmi les dix principales causes de mortalité et d'incapacité dans le monde.

Pas étonnant que trop d'entre nous présentent un surpoids, souffrent d'hypertension et qu'un quart des décès qui surviennent annuellement soient dus à des maladies liées à la sédentarité.

L'exercice, une vitamine pour le cœur

La sédentarité, dans un pays à haut développement technologique comme le nôtre, peut être définie comme la réduction progressive de l'effort physique

Question de temps

L'objectif est de réduire de 1 heure le temps que vous passez chaque jour en position assise. Cela ne signifie nullement qu'il faille bloquer votre agenda ou ajouter un point à votre liste de choses à faire. En échangeant simplement vos « moments sédentaires » par des « moments actifs », vous bougerez davantage, vous vous sentirez mieux dans votre peau et vous vivrez plus longtemps.

dans la plupart de nos actes quotidiens : activités professionnelles et domestiques, déplacements, loisirs, etc. En résumé, on marche de moins en moins et on fait de moins en moins d'efforts physiques. D'où la nécessité de fortifier notre corps par le sport ou toute autre activité où l'on se dépense physiquement. Pour avoir un cœur solide, la pratique quotidienne d'exercice physique est tout aussi importante qu'une alimentation saine.

Que vous marchiez, jardiniez ou jouiez au golf, votre cœur devient plus efficace. Il éjecte de plus gros volumes de sang à chaque battement et travaille avec moins de stress.

L'exercice fait baisser la tension artérielle

L'activité physique nettoie les artères et entretient leur souplesse. Une étude récente, effectuée auprès d'hommes et de femmes entre 40 et 60 ans, a démontré que l'exercice empêchait la formation progressive de plaque dans les carotides. Même les personnes qui ne faisaient que jardiner ou jouer au golf une ou deux fois par semaine avaient des artères moins obstruées que celles qui n'avaient aucune activité physique. Par ailleurs, on estime que la sédentarité augmente de 30 % les risques de souffrir d'hypertension.

L'exercice fait baisser la glycémie

L'exercice physique réduit les taux de sucre (glucose) dans le sang. Il pourrait également réduire le syndrome métabolique. Dans les diabètes de type I, la pratique d'activités physiques permet de diminuer les doses d'insuline nécessaires au traitement et retarde les complications dues à la maladie. Dans les diabètes de type II, l'activité abaisse les taux de sucre dans le sang. Pour les personnes qui se trouvent dans des états prédiabétiques, l'activité sportive s'est montrée plus efficace que les médicaments pour empêcher l'évolution vers un diabète de type II.

L'exercice régule le poids

L'exercice physique fait brûler des calories, ce qui vous évitera de prendre du poids et vous aidera même peut-être à en perdre. Une étude récente a été réalisée auprès de personnes qui avaient un IMC (indice de masse corporelle) moyen de 41 (ce qui correspond à une obésité dite morbide) et à qui l'on a fait perdre 7 % de leur poids grâce à une activité physique régulière. Elles ont ainsi retrouvé une tension artérielle et des taux de triglycérides normaux, et l'inflammation des artères a été réduite de 25 à 30 %, tout cela même si leur IMC moyen, descendu à 38, était encore bien trop élevé.

On peut très bien être physiquement en forme sans avoir la taille d'un mannequin.

L'exercice réduit le cholestérol total

Un des effets les plus importants de l'exercice est l'augmentation du taux de « bon » cholestérol (HDL), ce qui réduit le taux de cholestérol total. Associé à un régime amaigrissant, l'exercice physique augmente le taux de cholestérol HDL et abaisse taux de triglycérides et tension artérielle.

L'exercice ralentit le rythme cardiaque

Toutes les 60 secondes, le cœur d'une personne sédentaire bat 70 à 75 fois. Le cœur d'une personne active est tellement solide qu'il peut éjecter le même volume de sang en 50 pulsations seulement. Ce qui équivaut à 36 000 pulsations de moins par jour. L'activité physique fortifie votre cœur et lui évite de travailler en permanence à une fréquence élevée.

L'exercice diminue le stress et la mélancolie

Les effets positifs de l'exercice physique sur l'humeur ont été mis en avant à la fin des années 1980. Des adultes sédentaires ont été répartis en trois groupes ; pendant douze semaines, les uns devaient faire de l'aérobic (de façon modérée), les autres des étirements (de façon modérée) et les derniers ne pratiquer aucune activité physique. À la fin, les membres des deux premiers groupes ont dit se sentir moins tendus et moins anxieux, tandis que les autres ne constataient aucune différence.

Une étude allemande a, quant à elle, relevé que 30 minutes seulement d'exercice physique journalier pourraient s'avérer plus efficaces qu'un antidépresseur pour traiter une dépression légère ou modérée. Durant l'exercice, le cerveau sécrète des hormones appelées endorphines, mais aussi « cocktail du bonheur ». Les endorphines agissent comme antidouleur et induisent relaxation et plaisir tout en calmant l'angoisse. Elles présentent deux autres avantages : elles agissent immédiatement (contrairement aux médicaments) et elles ont peu d'effets secondaires ou d'effets indésirables.

L'exercice combat les mauvaises habitudes

Des chercheurs américains ont effectué une étude auprès de 280 femmes qui tentaient

Nous tentons continuellement de gagner du temps, mais cela risque de nous faire perdre des années de vie...

Faites-le vous-même

Dans la vie de tous les jours, nous faisons tout pour gagner quelques minutes et nous fatiguer le moins possible. Nous perdons en même temps l'opportunité de garder la forme et de fortifier notre corps. Voici quelques conseils pour utiliser un peu moins de machines et un peu plus de muscles.

AU LIEU DE...	ESSAYEZ PLUTÔT DE...
Payer quelqu'un pour faire tout le ménage	Passer quelques heures à nettoyer, balayer, repasser...
Aller à un centre de lavage auto	Laver et lustrer votre voiture vous-même
Faire vos courses sur Internet ou par correspondance	Faire votre magasinage à pied dans de vraies boutiques. C'est aussi une activité physique !
Faire installer un système de sécurité	Prendre un chien qu'il faudra promener tous les jours
Négliger votre jardin ou faire appel à un jardinier	Tondre la pelouse, tailler les haies, désherber une fois par semaine
Aller au magasin du coin en auto	Vous y rendre à pied ou à vélo
Utiliser systématiquement le lave-vaisselle	Faire la vaisselle à la main une ou deux fois par semaine
Vous faire livrer vos courses	Rapporter vous-même vos achats du supermarché

d'arrêter de fumer. Celles qui ont commencé une activité physique au même moment ont été deux fois plus nombreuses à tenir le coup et à ne pas reprendre la cigarette, et elles ont également pris deux fois moins de poids.

L'exercice peut vous sauver la vie

Selon un rapport de l'OMS (Organisation mondiale de la santé), la sédentarité est un facteur important de survenue de maladies cardiovasculaires, de diabète et de cancers du côlon et du sein. On l'estime liée à environ 2 millions de décès dans le monde par an. (Aux États-Unis, la sédentarité est responsable de 10 % des décès annuels.) Chez les sportifs, l'espérance de vie est augmentée de six ans en moyenne. La pratique sportive chez l'adulte entre 30 et 50 ans diminue de 20 % le risque de décès prématuré. Cet effet est encore plus marqué chez les seniors entre 60 et 85 ans, qui voient alors diminuer ce risque de 50 %.

142

En moyenne, un Canadien passe plus de 20 heures par semaine devant la télévision.

Faites du temps un allié santé

Lorsqu'on demande aux gens pourquoi ils ne pratiquent pas d'activité sportive, le manque de temps est la raison le plus fréquemment citée, en particulier chez les femmes. Pourtant, si les travailleurs du XIXe siècle consacraient 50 % de leur temps de veille au labeur, cette part n'est plus que de 12 % aujourd'hui.

Que faisons-nous donc de tout ce temps libre ? La télévision reste le premier des loisirs des Canadiens : nous passons plus de 20 heures par semaine assis devant le petit écran et, souvent, en grignotant quelque chose ou en buvant des sodas.

Au temps passé devant la télévision, il faut ajouter l'« activité » devant un autre écran : l'ordinateur.

Plus de la moitié de la population se dit stressée. Beaucoup de ceux qui se trouvent stressés sont aussi ceux qui restent assis pendant une grande partie de la journée, ce qui n'améliore en rien leur situation. Même les personnes au chômage ou retraitées semblent utiliser leur temps libre à pratiquer des activités sédentaires au lieu de faire une activité physique quelconque.

Chaque enquête effectuée sur le sujet parvient à la même conclusion : parmi ceux qui prétendent ne pas avoir le temps de faire de l'exercice physique (41 % de la population ne pratique aucun sport et 22 % en font moins d'une heure par semaine), plus de la moitié trouve largement le temps de regarder la télévision, surfer sur le Web et s'adonner aux jeux vidéo...

Le lien avec l'obésité

Le lien qui existe entre niveau général d'activité physique et obésité a été établi par différentes études concordantes, dont l'objectif était d'analyser la façon dont nous brûlons des calories au cours d'une journée type. Une des études marquantes a été conduite à la clinique Mayo par le docteur James Levine : les personnes obèses sont, en moyenne, assises 150 minutes de plus et brûlent 350 kcal de moins – l'équivalent de 15 kg (33 lb) sur un an –, avec une consommation alimentaire identique.

D'après les chercheurs, même le fait de laver la vaisselle ou de marcher dans la maison peut stimuler la thermogenèse non induite par l'exercice (ou NEAT), la thermogenèse étant la production de chaleur par l'organisme (brûleur de calories). Les personnes sveltes sont plus actives, restent moins en position assise et possèdent un NEAT plus élevé que les personnes obèses. Même si vous marchez en parlant au téléphone au lieu de rester assis, vous augmentez votre NEAT. Une raison de plus pour avoir un téléphone sans fil !

Faire de l'exercice, c'est simplement bouger

Lorsque vous entendez le mot exercice, sans doute vous voyez-vous peinant dans une salle remplie d'appareils de musculation ou tentant de faire un jogging épuisant trois fois par semaine. Rassurez-vous, vous pourrez obtenir les mêmes résultats avec une approche simple : ne restez pas assis si vous pouvez être debout, ne restez pas debout si vous pouvez marcher. Les professionnels sont unanimes là-dessus : l'activité physique qui s'intègre dans votre mode de vie peut être plus efficace encore qu'un programme d'exercice physique structuré que vous vous imposez à heures fixes.

Prendre les escaliers au lieu de l'ascenseur, danser, faire du jardinage, jouer dehors avec vos enfants ou petits-enfants sont des activités tout aussi bénéfiques qu'une séance consacrée spécialement à l'exercice physique. Et peut-être même davantage car, si vous n'êtes pas vraiment en forme, commencer brutalement une activité physique peut avoir des effets néfastes sur votre cœur et vos artères.

L'important est que l'exercice, avec un peu de planification, fasse partie intégrante de votre routine quotidienne. Ce sont les petits changements qui font toute la différence. Seuls les athlètes ont besoin de tester leurs limites. Pour le reste d'entre nous, il suffit d'augmenter un peu notre activité chaque jour. Vous allez découvrir que c'est très simple et que ça prend peu de choses.

Trouvez le temps

Le reste de ce chapitre est consacré à vous donner des idées pour combattre la sédentarité. D'abord vous marcherez, ensuite vous vous étirerez, puis vous vous musclerez. Le tout s'intègre parfaitement dans le programme *30 minutes par jour*. À aucun moment vous n'aurez besoin de trouver une heure dans votre emploi du temps pour faire une activité supplémentaire.

Voici quelques astuces qui permettront d'augmenter votre temps d'activité physique journalière de 30 à 45 minutes sans bouleverser vos habitudes.

■ Montez deux étages à pied chaque jour

Des études ont mis en évidence que monter deux étages seulement à pied chaque jour pourrait entraîner une perte de poids de 2,5 kg (6 lb) sur un an. Prendre l'escalier régulièrement améliore aussi la densité osseuse, la forme aérobie et le taux de « bon » cholestérol (HDL). Prenez toujours l'escalier au travail et dans les magasins. Si vous avez des escaliers chez vous, montez-les et descendez-les au moins une fois tous les jours.

■ Cuisinez vous-même

Vous brûlez au moins deux fois plus de calories en préparant le souper qu'en téléphonant à un livreur de pizzas. En plus, le souper sera bien meilleur. Cuisinez au

moins une fois par semaine, et de préférence tous les jours, bien sûr !

■ Faites vos réunions debout

Au lieu de rester assis dans une salle de réunion mal ventilée, osez proposer de faire les réunions debout. Celles-ci dureront moins longtemps et, surtout, le fait d'être debout consomme plus d'énergie, donc de calories, que de rester assis.

■ Soyez un spectateur actif

Lorsque vous accompagnez vos enfants ou petits-enfants à leurs entraînements ou leurs matches, profitez-en pour bouger aussi. Faites le tour du terrain à pied au lieu de rester assis sur un banc, mettez-vous debout pour les encourager.

■ Faites de l'exercice à votre bureau

Une fois par heure, pliez et tendez chaque jambe dix fois, levez-vous, puis mettez-vous sur la pointe des pieds et redescendez dix fois, enfin, étirez les bras vers le plafond.

Et garez-vous assez loin de votre bureau pour avoir à marcher ou à monter des rues en pente !

■ Pourquoi pas la marche à l'école ?

Commencez la journée par une activité santé cœur dont vous allez pouvoir faire profiter vos enfants, vos petits-enfants et ceux de vos voisins. Au lieu d'attendre l'autobus scolaire, si l'école est proche, marchez avec eux.

■ Soyez toujours prêt

Les occasions de faire un peu d'exercice peuvent se présenter de manière inopinée : un rendez-vous annulé, les activités des enfants qui durent plus longtemps que prévu, des clients retardés par la circulation...

Ayez toujours vos chaussures de marche à portée de main et profitez de ces moments-là pour faire un tour à pied ou un jogging.

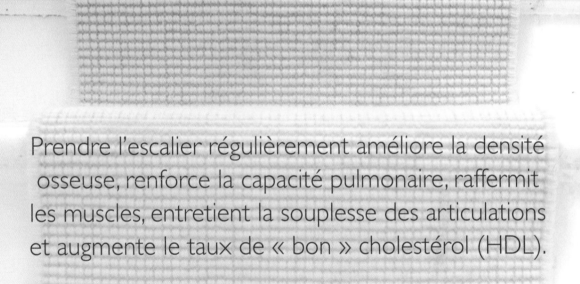

Prendre l'escalier régulièrement améliore la densité osseuse, renforce la capacité pulmonaire, raffermit les muscles, entretient la souplesse des articulations et augmente le taux de « bon » cholestérol (HDL).

■ Réfléchissez debout

Mettez-vous debout à la moindre occasion, même pour réfléchir, faire des listes ou prendre des notes. Cela vous permettra au moins d'étirer les jambes plusieurs fois par jour.

■ Téléphonez en marchant

Lorsque le téléphone sonne, ne restez pas assis jusqu'à la fin de la conversation : marchez pour un peu d'activité supplémentaire.

■ Regardez la télé en restant actif

Profitez des pauses de publicité pour mettre une machine à laver en route, vider les poubelles, trier le linge ou dépoussiérer.

■ Occupez-vous les mains

Les gens qui tricotent, brodent ou font du repassage devant leur télévision brûlent des calories et, comme ils ont les mains prises, ils ne grignotent pas !

Marcher peut vous aider
à maintenir votre cœur
en forme au-delà de 90 ans.

Promenez votre cœur

Marcher est un exercice très simple... mais extrêmement bénéfique. La mobilité est la clé d'une bonne santé cardiaque, car vous brûlez ainsi plus d'énergie que vous n'en consommez.

La différence entre énergie consommée et énergie brûlée chez les personnes obèses et chez celles qui sont minces peut être minime. Une personne présentant une obésité modérée mangera peut-être seulement 0,1 % de plus qu'elle ne brûle, et en cas d'obésité morbide, 0,2 à 0,3 % de plus. Mais, si l'on additionne le tout sur plusieurs années, cela fait beaucoup de kilos superflus. Un petit niveau d'activité physique, comme une marche de 30 minutes chaque jour, peut faire toute la différence. C'est ainsi que l'on laisse s'installer des formes replètes à partir de la quarantaine ou que l'on choisit de conserver un corps svelte bien au-delà de cet âge.

Les personnes en surpoids prennent généralement autour de 9 kg sur 20 ans en vieillissant. Si elles bougeaient plus, il n'en serait rien. La marche est une activité simple, gratuite et commode. Malheureusement, nous ne la pratiquons pas régulièrement.

La Fondation des maladies du cœur du Canada rapporte que près de 60 % des Canadiens adultes sont obèses ou en surpoids de même que 26 % des enfants et adolescents. Et ce dernier chiffre augmente. En 1981, 14 % des filles et 18 % des garçons étaient obèses. Dix ans plus tard, c'était 24 % des filles et 26 % des garçons qui étaient en surpoids ou obèses. Si nous ne changeons pas nos habitudes, ces chiffres augmenteront.

Un pas en avant

Si vous demandez aux hommes et aux femmes de votre entourage d'estimer le temps qu'ils passent à marcher, vous obtiendrez sûrement des réponses inexactes. Nous avons tendance à surestimer le temps où nous marchons, tout comme nous avons tendance à sous-estimer les quantités que nous mangeons.

Les études révèlent que le nombre de pas que vous effectuez chaque jour a un impact direct sur votre santé. Des chercheurs ont demandé à 80 femmes entre 40 et 66 ans de porter des podomètres pendant une semaine, sans rien changer à leurs habitudes. Ils ont découvert qu'il existait un lien direct entre le nombre de pas effectués et la quantité de graisses accumulées. En moyenne, celles qui marchaient le plus (au moins 10 000 pas par jour) avaient seulement 26 % de graisse corporelle et un bon IMC (indice de masse corporelle). Celles qui passaient plus de temps assises que debout (6 000 pas maximum effectués par jour) avaient en moyenne 44 % de graisse corporelle et un IMC à haut risque sur le plan cardio-vasculaire.

La plupart des sédentaires effectuent en moyenne seulement 3 000 pas entre le lever et le coucher. Les spécialistes estiment que 10 000 pas par jour constituent une bonne moyenne et une base acceptable pour une vie plus saine.

Plusieurs études ont mis en évidence tous les bénéfices que l'on peut tirer d'une augmentation, même modeste, de la distance parcourue chaque jour à pied. Qu'il s'agisse d'une marche rapide spécialement programmée ou de déplacements effectués en téléphonant, ces pas en plus peuvent contribuer à réduire le risque de maladies comme le cancer, l'ostéoporose, le diabète et les maladies cardiovasculaires.

De plus, l'exercice agit positivement sur l'état psychique, notamment sur les hormones du cerveau impliquées dans la dépression. La recherche l'a démontré : l'activité physique contribue à réduire le stress, la dépression et l'angoisse, à stimuler la confiance en soi et à améliorer la qualité du sommeil.

Mesurez vos progrès

Le meilleur moyen pour mesurer la distance que vous parcourez chaque jour est de vous procurer un podomètre (on en trouve à 10 $ au Canada). Il s'agit d'un petit boîtier qui s'attache à la ceinture et qui comptabilise le nombre de fois où l'on met un pied devant l'autre. Il y a d'autres moyens pour compter ses pas. Sachez par exemple que, pour effectuer 1 km, il faut faire environ 1 320 pas.

Plus rapide à pied

Mesurez le temps qu'il vous faut pour vous rendre quelque part à pied. Vu le temps perdu dans les embouteillages, à attendre le bus ou à chercher une place de stationnement, vous vous rendrez compte que marcher est aussi rapide, voire plus, que de prendre la voiture ou les transports en commun. Et c'est surtout meilleur pour la santé !

Il est plus facile de marcher quand on le fait bien.
La meilleure façon de marcher,
c'est encore celle-ci !

Bien marcher

ÉPAULES Elles doivent être détendues, et légèrement vers l'arrière. Si vous sentez qu'elles remontent vers vos oreilles, respirez profondément et abaissez-les.

BRAS Pliez les bras et gardez-les près du corps. Balancez-les à partir des épaules en les levant vers la poitrine de façon à les garder toujours dans l'alignement des hanches. Ne fermez pas les mains.

DOS Gardez le dos droit, ni arrondi ni cambré.

GENOUX Ne les contractez pas et gardez-les bien dans l'axe de la marche.

TÊTE Imaginez qu'un fil est attaché en haut de votre crâne et qu'il tire votre tête. Votre menton se redressera alors automatiquement à angle droit avec le cou.

TORSE Maintenez-le droit, relevé et dirigé vers l'avant.

ABDOMINAUX Rentrez le ventre comme vous le feriez pour fermer un pantalon serré. Contractez vos abdominaux en marchant.

PIEDS À chaque pas, plantez d'abord le talon, déroulez le pied puis poussez sur les orteils. Évitez de dérouler le pied vers l'intérieur ou l'extérieur. Même si vous pouvez parcourir de courtes distances sans risque avec des chaussures de ville, portez de bonnes chaussures de marche dès que vous le pouvez afin de protéger vos pieds et vos articulations. Veillez à choisir un modèle conçu spécialement pour la marche : vous devez vous sentir bien dedans dès l'essayage. Pour vous assurer que la taille est bonne, laissez un espace de la largeur d'un doigt entre l'orteil le plus long et le bout de la chaussure.

Surveillez les minutes

Additionnez les minutes que vous avez passées à marcher dans la journée et vous saurez si vous avez parcouru une bonne distance. Une minute de marche normale correspond à environ 100 pas.

Si vous marchez en vous pressant, comme si vous aviez peur d'être en retard à un rendez-vous par exemple, vous arrivez à 120 pas par minute. En allant plus vite, comme si vous aviez peur de rater le bus, vous arrivez à 135 pas. Augmentez encore le tempo (marche rapide, comme pour un jogging) et vous voilà à 150 pas par minute.

Pour savoir plus précisément combien de pas vous faites en marchant normalement, comptez-les pendant une minute. Comptez trois fois de suite en allant au même rythme et faites la moyenne.

Bougez en musique

Voici un secret dont vous pourrez vous servir pour bouger sur un rythme soutenu et régulier : la musique. Les chansons les plus populaires possèdent souvent un nombre de battements par minute (bpm) qui va très bien avec la marche. N'hésitez donc pas à brancher votre lecteur MP3 en enfilant vos chaussures. Voici quelques chansons connues qui induiront un bon tempo :

- *Kiss* de Prince : 111 bpm.
- *Express yourself* de Madonna : 115 bpm.
- *YMCA* de Village People : 126 bpm.
- *Achy breaky heart* de Billy Ray Cyrus : 124 bpm.

Pour des tempos plus rapides, choisissez la techno (125 à 150 bpm) ou sa variante, la dance (130 à 160 bpm).

Comptabilisez aussi les autres activités

Si vous pratiquez déjà la natation ou le vélo, par exemple, n'oubliez pas de comptabiliser ces activités. Pour vous aider, voici quelques équivalences :

- 1 minute de vélo = 150 pas.
- 1 minute de natation = 96 pas.
- 1 minute de yoga = 50 pas.

Capital santé

La plupart des pas effectués s'intégreront naturellement dans votre journée, comme nous l'avons vu. Mais vous pouvez aussi essayer de prévoir 10 à 15 minutes chaque jour pour aller marcher. Vous serez ainsi assuré d'avoir parcouru la distance hebdomadaire suffisante pour protéger votre cœur. Et vous aurez aussi couvert 20 % des recommandations quotidiennes en marche.

Si vous doutez toujours de l'efficacité d'un si petit investissement physique, voici une étude supplémentaire pour vous convaincre. Des chercheurs de l'Université de Harvard ont étudié le niveau d'activité de 7 307 hommes âgés de 65 ans en moyenne. Ainsi, ceux qui arrivaient à marcher de courtes distances et à monter quelques escaliers tous les jours brûlaient autant de calories que ceux qui pratiquaient régulièrement des loisirs sportifs et réduisaient d'autant le risque de maladie cardiaque. Autrement dit, les quelques petits pas que vous faites chaque jour ont de gros avantages pour votre santé – un capital que vous estimerez au fil des ans.

Tirez profit de chaque pas

Tous ceux qui commencent à marcher sont rapidement conquis par cette activité à la fois simple et variée. On peut s'y adonner de la façon la plus basique qui soit ou bien la pratiquer de façon plus élaborée. Voici quelques astuces pour apprendre à brûler plus de graisses, réduire davantage le stress, augmenter le travail musculaire et s'amuser un peu plus à chaque pas.

Essayez la marche nordique

La marche nordique ressemble à du ski de fond... mais sans neige ni skis : on marche avec des bâtons à bouts d'aluminium et de caoutchouc. Nous devons cette technique à des skieurs de fond finlandais de haut niveau qui, dans les années 1930, la pratiquaient pour rester en forme durant l'intersaison. Aujourd'hui, en Finlande, on compte plus d'un million d'adeptes de ce style de marche, également très populaire dans le reste de l'Europe du Nord, de la Scandinavie aux Pays-Bas, en Allemagne, en Suisse et dans les pays anglo-saxons.

Avec un minimum de matériel et une technique de base facile à acquérir, la marche nordique permet d'améliorer sa condition physique tout en préservant ses articulations, de sculpter son corps en faisant travailler tous les groupes musculaires (90 % des muscles du corps), de maigrir (la dépense énergétique est de 40 % supérieure à la marche normale) et d'améliorer considérablement les capacités cardiovasculaires. Vous pouvez ainsi brûler 500 kcal en une heure de marche.

Les bâtons aident à vous propulser en avant, facilitant la marche. Il y a un autre avantage : vos muscles des bras participent au travail, ce qui allège le poids sur les genoux, les chevilles et les hanches de 25 %. Vous trouverez sans problème le matériel nécessaire (les bâtons spéciaux) dans les magasins de sport.

Intégrez des exercices

Intégrez vos mouvements de musculation préférés à votre promenade (voir, p. 164, « Développez vos muscles »). Marchez pendant 2 minutes, puis faites 20 secondes de pompes contre un arbre. Marchez encore 2 minutes, puis faites 20 secondes de fentes en marchant. Vous augmenterez votre rythme cardiaque et brûlerez plus de calories.

Une astuce pour mieux marcher

Si vous voulez augmenter le rythme, faites des pas plus petits mais plus rapides. Ceux qui veulent marcher plus vite ont souvent tendance à allonger le pas. Erreur ! Dans ce cas, le pied de devant agit comme un frein, en bloquant les articulations. Mieux vaut faire de plus petits pas, plus rapides : votre pied se déroulera facilement, et vous avancerez plus vite sans mettre votre corps sous tension.

Trouvez-vous un partenaire

Pratiquez votre promenade journalière avec un partenaire. Toutes les études montrent que les personnes qui pratiquent leur activité à plusieurs sont plus nombreuses à s'y tenir que celles qui s'exercent seules.

Selon les chercheurs, les partenaires arrivent à instaurer une « intimité active » : ils tissent des liens privilégiés tout en améliorant leur forme physique.

Méditez en marchant

Il est souvent plus facile et plus efficace de se reposer mentalement quand on marche. L'effort fourni réduit les hormones du stress, et les mouvements répétitifs facilitent la concentration. Vous pourrez réfléchir clairement, sans que vos pensées vagabondent et que tous vos soucis resurgissent.

Prenez une route qui vous est familière afin de ne pas être distrait par l'environnement. Concentrez-vous sur vos pieds lorsqu'ils frôlent le sol et sur votre respiration, qui doit être aussi régulière que vos pas. Laissez venir les pensées. Vous pouvez aussi utiliser ce temps pour réciter des poèmes ou simplement penser à toutes les bonnes choses qu'il y a dans votre vie. À la fin de la promenade, vous vous sentirez regénéré.

Trouvez-vous un partenaire ! Faire de l'exercice en bonne compagnie est plus agréable et plus motivant. Inscrivez-vous à un club de marche ou à des séances d'aérobic, rejoignez une équipe sportive...

Combien de pas ? Comment connaître vos besoins

Combien de temps devriez-vous passer par jour à marcher ? Voici quelques chiffres. Nous avons déjà souligné qu'une personne très sédentaire faisait environ 3 000 pas par jour. Partant de cette base, voici quel temps de marche supplémentaire vous devriez faire tous les jours, mesuré à des rythmes différents.

TEMPO	TEMPS DE MARCHE SUPPLÉMENTAIRE POUR ATTEINDRE		
	5 000 pas	7 000 pas	10 000 pas
Lent (80 pas/min)	25 minutes	50 minutes	87 minutes
Normal (100 pas/min)	20 minutes	40 minutes	70 minutes
Rapide (120 pas/min)	17 minutes	33 minutes	58 minutes
Très rapide (140 pas/min)	14 minutes	29 minutes	50 minutes

IMPORTANT L'objectif est d'intégrer la majorité de ces pas supplémentaires dans votre vie quotidienne : en faisant vos courses, pendant vos déplacements professionnels, même en allant simplement d'une pièce à l'autre dans la maison... Si vous passez 45 minutes supplémentaires à bouger ainsi et si vous ajoutez une promenade soutenue de 15 minutes au programme, par exemple après le dîner ou le souper, vous parviendrez facilement à effectuer 10 000 pas par jour.

Trouver le rythme

Pour pousser un gros rocher du haut d'une montagne, le début est le plus difficile, car il faut combattre les lois de la gravité et de l'inertie. Une fois qu'on a réussi à faire bouger le rocher, tout devient plus facile : il dévale la montagne avec une puissance telle qu'on aurait du mal à l'arrêter.

Il en va de même pour l'exercice physique : le plus dur est de vous lever et de bouger. Mais, une fois que vous commencez, votre énergie et votre endurance augmentent, vous vous sentez mieux et n'avez plus qu'une envie : en faire plus. Quand il s'agit de combattre la sédentarité et ses effets néfastes sur la santé, l'effort est toujours bienvenu.

Surtout, souvenez-vous que l'exercice physique n'a pas besoin d'être spécialement soutenu pour être efficace.

Au pays de Galles, des chercheurs ont suivi 2 000 hommes âgés de 49 à 64 ans pendant 11 ans. Aucun d'entre eux ne présentait de maladie cardiaque au début de l'étude. À la fin, les chercheurs ont clairement pu démontrer qu'il y avait un lien entre l'activité physique effectuée et la protection contre un décès prématuré.

Marchez

Inutile en effet de répéter la fable du lièvre et de la tortue : partir vite et fort ne sert à rien et peut être dangereux. De tous les exercices, la marche représente l'activité la plus naturelle et la plus nécessaire, même pour les cardiaques. Elle permet une adaptation très progressive du cœur et de la respiration à l'effort.

Avez-vous besoin d'un avis médical ?

La plupart des gens peuvent se mettre au sport sans consulter de médecin. Néanmoins, il est recommandé de faire une visite de routine avant de se lancer, surtout si l'activité envisagée est tonique. Ainsi, si une ou plusieurs des affirmations suivantes s'appliquent à vous, il est indispensable d'avoir l'avis du docteur avant de commencer un nouveau programme de remise en forme.

■ Vous avez des troubles cardiaques, un souffle au cœur ou vous avez été victime d'un infarctus.

■ Vous ressentez régulièrement une douleur ou une pression sur le côté gauche ou au milieu du thorax, sur le côté gauche du cou, au bras ou à l'épaule gauche. Cela s'arrête quand vous êtes au repos.

■ Vous vous essoufflez au moindre effort.

■ Votre tension artérielle est élevée ou vous ne savez pas si votre tension est normale.

■ Vous avez des problèmes osseux ou articulaires, comme l'arthrite.

■ Vous avez plus de 60 ans et n'avez pas l'habitude de pratiquer une activité physique soutenue.

■ Votre père, mère, frère ou sœur a eu une crise cardiaque avant l'âge de 50 ans.

■ Vous avez une pathologie non mentionnée ici qui pourrait influer sur un programme de remise en forme.

Des chercheurs de l'Université du Massachusetts ont demandé à 84 personnes en surpoids de marcher 1,5 km à un rythme soutenu mais confortable : la majorité a tout de suite adopté une vitesse de croisière de 5 km/h, ce qui équivaut à une grande intensité (70 à 100 % de leur fréquence cardiaque maximale). Ils ont trouvé cela moins difficile que prévu. La plupart pensaient qu'ils allaient souffrir alors qu'on leur demandait juste de changer de cadence, de passer d'une allure de promenade à celle d'une marche rapide.

Pour savoir si vous y allez trop fort ou si, au contraire, vous n'y mettez pas assez d'énergie, parlez, soit avec un compagnon, soit au téléphone cellulaire... ou tout seul ! Si vous arrivez à parler tout en marchant sans aucun problème, votre niveau d'exercice est facile. Si vous devez faire de petites pauses après chaque phrase pour reprendre votre souffle, vous avez trouvé le rythme parfait. En revanche, si vous avez du mal à parler et si vous êtes haletant, vous travaillez trop intensément.

Voici quelques réflexes qui vous seront utiles :
■ Prenez l'escalier au lieu de l'ascenseur et ne restez pas immobile dans les escaliers mécaniques : montez-les.
■ Descendez du bus un arrêt avant le vôtre et finissez le trajet à pied.
■ Achetez un podomètre.
■ Trouvez quelqu'un pour faire de l'exercice avec vous.
■ Laissez la voiture à la maison pour faire de courtes distances.
■ Faites une promenade après le dîner.
■ Jouez dehors avec vos enfants.
■ Emmenez les enfants à l'école à pied.
■ Achetez un vélo... et utilisez-le.
■ Essayez quelque chose de nouveau, comme la danse ou le jardinage.

Pour bénéficier des bienfaits de l'activité physique, nul besoin de forcer.

Augmenter le rythme

Voici plusieurs astuces pour intensifier l'activité physique et donc son effet bénéfique sur votre santé cardiaque. Si vous commencez tout juste à faire de l'exercice, procédez par étapes. Soyez d'abord à l'aise avec la marche et les mouvements de tous les jours avant d'en faire plus.

Évitez les boissons caféinées avant une activité soutenue, surtout si votre tension artérielle est élevée. Ne faites par d'exercice physique après un repas copieux ou un peu arrosé. Enfin, prenez garde à l'excès d'enthousiasme des débuts : ne faites pas d'exercices trop violents sans échauffement, ne changez pas d'intensité brutalement et, enfin, essayez de vous arrêter en douceur.

1 Variez les cadences

Au cours de votre prochaine balade – et après vous être échauffé –, augmentez la cadence pendant une à deux minutes. Ralentissez ensuite pour reprendre votre souffle, puis recommencez. Non seulement vous brûlerez plus de calories, mais vous habituerez également votre organisme à des cadences plus élevées.

2 Faites un nettoyage de printemps

Faites briller la maison en l'astiquant de fond en comble. Si vous avez plusieurs étages, n'en faites pas un à fond à la fois, mais alternez les tâches. Par exemple, passez l'aspirateur dans toute la maison, puis faites toutes les vitres, etc. Ainsi, vous effectuerez plusieurs allers et retours dans les escaliers, ce qui vous aidera à brûler beaucoup de calories.

3 Abusez des escaliers

Dès que vous voyez un escalier, prenez-le ! Si vous avez le temps (et le courage), montez et descendez plusieurs fois. Si vous n'avez pas de problème d'équilibre ou de souplesse, montez les marches deux par deux. C'est une façon simple d'intensifier l'exercice quotidien.

4 Grimpez les côtes

Monter une côte à pied ou à vélo nécessite un travail plus intense et constitue un défi supplémentaire pour votre métabolisme.

À pied, penchez-vous un peu vers l'avant pour bien faire travailler vos fessiers en montant la côte. Pour descendre, veillez à ralentir, à faire de petits pas et à plier légèrement les jambes afin de ménager vos genoux.

5 Dansez, dansez, dansez !

Danser brûle 480 kcal par heure, fait travailler vos muscles de différentes façons et vous remplit de joie ! Nombre de cardiologues constatent que, parmi leurs patients, ceux qui dansent sont ceux qui sont le plus en forme. Essayez d'aller danser deux fois par mois ou allumez la radio et lâchez-vous !

6 Allez à la piscine

L'eau étant 800 fois plus dense que l'air, elle décuple l'effort physique. Prenez la direction de la piscine et entrez dans l'eau jusqu'à la poitrine. Puis essayez ces mouvements.

Coups de pied latéraux Pliez la jambe droite puis, sans la descendre, donnez un coup de pied sur le côté en prenant appui sur le pied gauche. Descendez la jambe, puis recommencez l'exercice 15 à 25 fois avant de changer de jambe.

Marche enlevée Traversez rapidement la piscine en marchant, tout en levant les genoux autant que vous le pouvez.

Course en zigzag Traversez la piscine en courant, jambes et bras pliés, en zigzag.

7 Retrouvez vos jeux d'enfant

Quand ils jouent, les enfants courent, puis s'arrêtent, puis repartent. C'est un excellent entraînement. Jouez avec eux au frisbee, au soccer, au cerf-volant... Vous augmenterez votre capacité cardiaque tout en passant de précieux moments avec vos proches.

8 Fréquentez des gens en forme

N'hésitez pas à vous promener avec des amis qui sont un peu plus en forme que vous. Cela vous obligera à aller un peu plus vite et à repousser vos limites.

9 Programmez vos appareils

Si vous utilisez un vélo d'exercice, un simulateur d'escalier, un rameur, un tapis roulant ou tout autre appareil d'entrainement cardio, utilisez la fonction permettant d'alterner les cadences et la résistance. Travaillez toujours progressivement, pour que votre cœur ait le temps de s'adapter à l'effort.

10 Sortez des sentiers battus

Faites du « hors-piste ». Les terrains vagues, les champs, les terrains sablonneux, les chemins de campagne sollicitent davantage les muscles et permettent de brûler plus de calories. De plus, ces coins sont souvent très jolis, ils raviront vos yeux. Faites cependant attention à ne pas vous aventurer dans des endroits dangereux.

11 Amusez-vous !

Adoptez des loisirs actifs et toniques : tennis, vélo, golf, peu importe. Vous vous amuserez tout en faisant travailler votre cœur.

ACTIVITÉ	CALORIES (KCAL) BRÛLÉES PAR HEURE*	BÉNÉFICES SUPPLÉMENTAIRES
Vélo	544	Retrouver son âme d'enfant
Natation	544	Assouplir ses articulations
Tennis	476	Renforcer ses os
Plongée sous-marine	476	Découvrir un milieu magnifique et serein
Randonnée	408	Communier avec la nature
Patinage/roller	408	Passer de bons moments en famille
Golf (en marchant)	374	Rencontrer des gens, améliorer sa souplesse
Jardinage	340	Récolter des légumes frais
Canoë-kayak	340	Muscler la partie haute du corps
Volley-ball	204	Améliorer la coordination œil-main

*Pour un poids de 67 kg (150 lb). Les personnes qui pèsent moins brûlent moins, celles qui pèsent plus brûlent plus.

L'incroyable pouvoir des étirements

Tout petits, nous étions souples : mettre le gros orteil dans la bouche ne représentait pas une difficulté majeure. Mais, une fois adultes, nous avons du mal à couper l'ongle de ce même orteil. Notre corps se rouille avec les années à cause de la fâcheuse habitude de rester assis.

Une personne sédentaire perd en moyenne entre un quart et un tiers de sa souplesse, voire plus, durant sa vie adulte. Cela réduit considérablement sa liberté de mouvements et contribue, par là même, à affaiblir son cœur. Mais, comme la souplesse disparaît peu à peu, nous nous en apercevons à peine.

Pourtant, en restant assis toute la journée, dans sa voiture, à son bureau ou dans son canapé, on peut facilement arriver à perdre 75 % de sa liberté de mouvements à l'âge de 60 ans, affirme Claire Small, physiothérapeute des sports. Les spécialistes parlent d'un cercle vicieux : plus il nous est difficile de bouger, moins l'on essaie et plus l'on devient raide et sédentaire. Lorsque le quotidien se fait moins actif, il est d'autant plus important de pratiquer des étirements.

En effet, quand les muscles et les articulations sont correctement utilisés, ils continuent à bien fonctionner longtemps. Lorsque nous bougeons, nos muscles et articulations se renforcent, se restaurent et s'adaptent tout seuls. Si nous menons une vie sédentaire, ils perdent ces facultés vitales. Bien entendu, il faut également éviter de trop les solliciter.

Les étirements ne font pas qu'assouplir vos muscles pour vous permettre de mener une vie plus active. Ils contribuent en outre à réguler l'hypertension et l'insulinorésistance en favorisant la relaxation.

Vos muscles sont munis de récepteurs qui communiquent en permanence à votre cerveau le niveau général de tension dans laquelle vous vous trouvez. Lorsque vos muscles sont tendus de façon chronique, le cerveau capte un message de stress. En pratiquant les étirements, vous aiderez vos muscles à se relâcher et à envoyer un message plus serein au cerveau.

Détendez vos muscles

Les tissus de notre corps se modifient avec l'âge. Notre peau devient moins épaisse et plus sèche, et il en est de même avec nos muscles et nos tissus conjonctifs. La perte liquidienne s'accompagne d'une perte de volume et d'élasticité : les muscles raccourcissent et rétrécissent, ce qui empêche une bonne circulation sanguine. Les vaisseaux, par conséquent, ont plus de mal à transporter les nutriments et à éliminer les déchets efficacement. Des calcifications finissent par se former et l'on se sent raide, « rouillé ».

Résultat : le corps prend de mauvaises postures, et l'on se tient le plus souvent voûté à longueur de journée.

Une mauvaise posture est l'une des causes de la raideur dont nous souffrons tant. Beaucoup de personnes considèrent qu'une mauvaise posture est uniquement un problème esthétique, mais cela entraîne beaucoup d'autres désordres : déséquilibres musculaires, maux de tête, maux de dos, dégénérescence des disques vertébraux.

Une mauvaise posture affecte également la respiration, car les poumons ne peuvent se remplir à fond si la poitrine est tassée.

Prévenir les blessures

Avant qu'un joueur professionnel de football, de tennis ou de n'importe quel autre sport n'entre sur le terrain, vous le voyez faire des étirements, s'échauffer. Pourquoi ? Parce qu'il s'agit là de l'une des meilleures façons de prévenir les blessures.

Certes, les étirements ne peuvent pas protéger contre les blessures aiguës comme les entorses. Mais ils peuvent contribuer à éviter des souffrances chroniques comme les tendinites. Les étirements avant l'effort permettent de chauffer les muscles et de mieux les préparer à supporter les tensions. Après l'effort, les étirements facilitent la récupération. Vous aidez les muscles à se débarrasser de l'acide lactique qui s'y est accumulé durant l'activité physique. Résultat : vous aurez également moins de courbatures le lendemain.

Au fur et à mesure, les étirements effectués avant comme après vos activités vont vous aider à développer votre mobilité, votre rapidité d'exécution et votre endurance musculaire. Vous augmenterez ainsi le contrôle sur votre corps et réduirez les risques de blessures.

De même, le fait d'être voûté a tendance à affecter l'image de soi. On se sent alors moins bien physiquement et émotionnellement.

En étirant progressivement vos muscles, vous favorisez la dilatation des vaisseaux sanguins ; oxygène et nutriments sont mieux transportés et les déchets sont mieux éliminés des tissus. Les étirements augmentent aussi la quantité de liquide synovial, ce qui améliore la mobilité et la santé de vos articulations. Lorsque vos muscles, tendons et ligaments sont souples, votre posture se corrige et tout devient plus facile, qu'il s'agisse de ramasser des objets au sol, de jouer au golf ou de se couper l'ongle du gros orteil...

Quelques minutes d'étirements simples par jour vous permettront de retrouver 10 à 15 % de votre souplesse.

Êtes-vous souple ?

On ne peut pas s'attendre à ce que les quinquagénaires puissent prendre des positions de contorsionnistes, mais ils ne doivent pas non plus être raides comme des soldats de plomb. Si vous avez la cinquantaine, voici ce que vous devez raisonnablement être en mesure de faire.

■ Vous devez être capable d'être assis sur le bord d'une chaise, une jambe pliée, l'autre tendue, et de vous pencher pour faire le lacet de la jambe tendue.

■ Vous devez pouvoir vous gratter le dos, entre les omoplates, soit en passant le bras derrière la tête, soit en partant du bas, depuis les hanches.

■ Vous devez être capable d'enlever un tee-shirt étroit en croisant les bras devant pour attraper le bas du vêtement, puis en le tirant par-dessus votre tête d'un mouvement fluide.

■ Vous devez pouvoir tourner la tête et regarder directement par-dessus chaque épaule.

■ Vous devez être capable de tendre le bras suffisamment vers l'arrière pour passer le manteau que quelqu'un vous tient.

Des chercheurs américains ont suivi des hommes et femmes qui ont commencé à pratiquer le yoga deux fois par semaine. Moins voûtés, ils ont également amélioré leur souplesse vertébrale de… 188 % ! Quelques minutes d'étirements par jour peuvent vous permettre de retrouver 10 à 15 % de votre souplesse.

Un bienfait perpétuel

Les exercices des pages suivantes sont précieux : ils mobilisent les principaux groupes musculaires et vous apporteront le maximum d'effet en un minimum de temps. Les étirements peuvent être pratiqués n'importe quand et n'importe où. Ils vous donnent un coup de fouet quand survient la baisse d'énergie de l'après-midi, améliorent la circulation dans vos mains et vos poignets lorsque vous êtes en train de taper à l'ordinateur ou d'écrire ; ils détendent tout simplement. Donc, suivez notre séquence d'exercices de 4 minutes, mais essayez aussi de faire des étirements tout au long de la journée.

N'oubliez jamais qu'il est essentiel de procéder correctement : étirez-vous lentement et maintenez la position pendant au moins 15 secondes avant de relâcher, doucement.

Les étirements sont une hygiène de vie :
prenez le temps de les pratiquer
pour en tirer profit.

4 minutes pour votre souplesse

Vous auriez tort de ne pas adopter les étirements : faciles et indolores, ils améliorent la souplesse musculaire et la mobilité articulaire. Voici comment rattraper le temps perdu à négliger vos muscles. La séquence d'exercices suivante peut se faire presque n'importe où en 4 minutes. Le mieux, toutefois, est de les pratiquer après la douche ou le bain : vos muscles sont alors plus chauds et plus élastiques. Faites la séquence deux fois de suite, en passant doucement d'un mouvement à l'autre et en tenant chaque position pendant au moins 15 secondes. Effectuez l'étirement jusqu'à ce que vous sentiez une petite tension, mais pas de douleur vive. Prenez et relâchez la position lentement, sans mouvements brusques.

Toucher le ciel

MUSCLES ET ARTICULATIONS ÉTIRÉS Dos, épaules, côtés (muscles obliques), abdominaux et mains.

DEBOUT, pieds écartés de la largeur du bassin. Étirez les bras en pointant les doigts vers le haut. Mettez-vous lentement sur la pointe des pieds et écartez vos doigts. Étirez-vous vers le haut autant que vous le pouvez en allongeant tout le corps et en levant légèrement le menton. Restez dans cette position, puis relâchez et revenez au point de départ.

Bras ouverts

MUSCLES ET ARTICULATIONS ÉTIRÉS
Poitrine, bras et poignets.

DEBOUT, pieds écartés de la largeur des épaules, genoux légèrement pliés. Gardez le dos et le menton droits. Lentement, levez les bras sur les côtés jusqu'à ce qu'ils arrivent juste sous le niveau des épaules. Les paumes tournées vers l'avant, étirez lentement les bras vers l'arrière. Lorsque vous ne pouvez plus aller plus loin, pliez doucement les poignets en arrière afin de sentir une tension sur la face interne des bras. Restez dans cette position, puis revenez doucement au point de départ.

Étirement contre le mur

MUSCLES ET ARTICULATIONS ÉTIRÉS
Mollets, face postérieure des cuisses (muscles ischio-jambiers), dos et épaules.

DEBOUT, à 1 m environ d'un mur. Placez vos mains sur le mur, à la hauteur des épaules. Reculez les pieds jusqu'à ce que vous sentiez une petite tension au niveau des mollets. Poussez lentement les hanches vers l'arrière, le dos toujours droit, et pressez les talons sur le sol de façon à sentir également une tension au niveau du dos. Restez dans cette position, puis revenez doucement au point de départ.

Triangles

MUSCLES ET ARTICULATIONS ÉTIRÉS

Côtés (muscles obliques), intérieur des cuisses, face postérieure des cuisses (muscles ischio-jambiers) et cou.

DEBOUT, pieds écartés au-delà de la largeur des épaules, pied gauche pointé vers le côté, pied droit pointé vers l'avant. Levez les bras sur les côtés jusqu'à la hauteur des épaules, puis penchez-vous vers la gauche pour aller toucher votre tibia gauche avec la main gauche. Descendez la main gauche aussi bas que possible tout en tirant la main droite vers le plafond. Tournez légèrement la tête afin de regarder le plafond. Restez dans cette position, puis revenez doucement au point de départ. Recommencez l'exercice de l'autre côté.

Assise

MUSCLES ET ARTICULATIONS ÉTIRÉS

Hanches, fessiers et cuisses.

DEBOUT, les mains placées sur le dos d'une chaise ou sur une table pour l'équilibre. Levez la jambe droite et placez la cheville droite sur le bas de la cuisse gauche, juste au-dessus du genou. Pliez la jambe gauche et poussez les fesses légèrement vers l'arrière, comme si vous alliez vous asseoir. Poussez le genou droit vers le sol, de façon à ressentir une tension au niveau de la hanche droite et derrière la cuisse. Restez dans cette position, puis revenez doucement au point de départ. Recommencez l'exercice de l'autre côté.

Un cardiofréquencemètre vous aidera à optimiser votre programme de remise en forme.

Mesurez votre effort

Chacun d'entre nous possède un rythme cardiaque maximal. Au-delà de ce seuil, notre cœur est en surrégime, ce qui peut mettre notre vie en danger. Pour la plupart des gens, la fréquence cardiaque maximale est de 220 moins l'âge : si vous avez 60 ans, votre fréquence cardiaque maximale est donc de 160 pulsations par minute (220 – 60).

Les médecins spécialistes du sport conseillent d'atteindre 60 % à 65 % de cette fréquence maximale lors d'une activité physique et de maintenir ce rythme pendant l'effort. S'il s'agit d'une activité physique soutenue, il est considéré comme acceptable d'atteindre 80 % de sa fréquence cardiaque maximale, à condition, toutefois, d'être en pleine forme.

Dans l'optique d'une vie saine, il est recommandé de maintenir son rythme cardiaque à 60 % du maximum pendant au moins trente minutes par jour. Pour une personne de 60 ans, cela revient à 96 pulsations par minute. En comparaison, la fréquence cardiaque au repos est en moyenne de 70 pulsations.

Il existe deux façons de mesurer son rythme cardiaque : avec un appareil prévu à cet effet ou bien manuellement. Tout comme les podomètres, les cardiofréquencemètres (également appelés pulsomètres ou moniteurs du rythme cardiaque),

appareils portatifs de mesure de la fréquence cardiaque, deviennent assez courants. On en trouve dans certains magasins de sport, les prix variant selon la marque, le design et les fonctions. D'abord, il faut placer l'émetteur – une petite ceinture invisible sous les vêtements – autour du torse ; puis on met le récepteur, un bracelet qui ressemble à une montre et sur laquelle on peut lire sa fréquence cardiaque.

La plupart des cardiofréquencemètres sont programmables. Les plus intéressants sont ceux qui permettent de programmer la fourchette à l'effort, par exemple 65 % à 75 % de la fréquence maximale. Le moniteur émet un bip quand vous dépassez 75 % de même que si vous passez sous la barre des 65 %.

Il est assez simple de vérifier sa fréquence cardiaque manuellement. Commencez par prendre votre pouls pendant une minute au repos. Faites la même chose lors d'un effort, lorsque vous croyez avoir atteint votre maximum.

Contrôler son temps de récupération, à savoir le temps nécessaire après l'effort pour revenir à la fréquence cardiaque au repos, s'avère utile pour estimer sa forme physique. Si vous pouvez dire : « Je suis essoufflé, mais j'arrive encore à parler », c'est que vous vous situez dans la tranche visée, autrement dit 60 % à 70 % du maximum.

Musclez-vous

Même si l'on peut envier ces octogénaires capables de courir un marathon ou de nager 20 km d'une traite, avouons que la plupart d'entre nous se contenteraient fort bien d'être un peu plus en forme, avec quelques kilos en moins. Pour cela, le plus important est de trouver son propre niveau et, pour y arriver, il faut faire appel au bon sens.

Si vous êtes en surpoids, demandez l'avis de votre médecin avant d'entamer une activité physique soutenue. Une fois que vous avez commencé, si vous êtes pris de vertiges et de nausées, à bout de souffle ou sur le point de vous évanouir, il faut bien sûr vous arrêter tout de suite. Il en est de même si vous chutez ou si vous ressentez une douleur. Débutez lentement, augmentez le rythme progressivement et revenez doucement à la normale.

Il existe deux types d'exercice : aérobie et isométrique. L'exercice aérobie augmente la fréquence cardiaque et améliore la circulation. Il s'agit par exemple d'activités comme la natation, la marche et le vélo. Lorsque la forme physique s'améliore, on peut ajouter le tennis, l'aviron ou le badminton.

L'exercice isométrique (comme la musculation) active un groupe musculaire sans mobiliser l'articulation et augmente la force localement, sans que le cœur et la circulation en bénéficient immédiatement. On le déconseille généralement aux personnes souffrant d'une maladie cardiaque ou d'hypertension, puisque cela augmente la tension artérielle. Néanmoins, il est également reconnu que l'entraînement musculaire peut prévenir le déclin du métabolisme et augmenter la densité osseuse, ce qui permet de combattre l'ostéoporose et de maintenir ainsi un bon niveau d'activité.

Se muscler contre les maladies cardiaques

Si vous avez déjà déménagé des meubles ou porté des boîtes remplies de livres, vous savez que soulever un tel poids fait battre le cœur plus rapidement. Faire travailler ses muscles renforce le cœur.

Des études menées dans de nombreux pays montrent que pratiquer régulièrement la musculation peut contribuer à combattre les maladies cardiaques, en améliorant les taux de triglycérides et de cholestérol, ainsi que la tension artérielle et le métabolisme glycémique, en réduisant la graisse corporelle. À l'issue d'une étude portant sur 44 000 hommes, les chercheurs de l'Université de Harvard ont constaté que ceux qui passaient au moins 30 minutes par semaine à soulever des poids réduisaient le risque de développer une maladie cardiaque de 23 %.

Voici les principaux effets bénéfiques de l'exercice isométrique, musculation incluse.

■ Enrayer le déclin du métabolisme

À moins de prendre des mesures pour stimuler votre métabolisme – la capacité de votre corps à brûler des calories –, vous risquez de perdre entre 30 et 50 % de votre masse musculaire et de la voir remplacée par deux fois plus de graisse arrivé à l'âge de 65 ans. Or ce sont deux phénomènes néfastes pour votre cœur, car non seulement les tissus musculaires perdus auraient aidé à brûler le glucose dans le sang, mais le surplus de graisse augmente les risques cardiaques.

La perte musculaire passe quasiment inaperçue pendant des décennies. Elle commence aux alentours du trente-cinquième anniversaire, lorsque les hormones de croissance commencent à décliner.

C'est l'époque de la vie où un surcroît de travail, une famille à élever, la gestion du quotidien font qu'il est difficile de trouver le temps de s'occuper de son corps. Résultat : la perte musculaire est d'environ 200 g (8 oz) par an. Cela semble peu, mais il faut savoir que le tissu musculaire brûle environ 15 fois plus de calories que le tissu adipeux, même au repos. La fonte des muscles génère une baisse d'activité métabolique, donc un surplus de graisses.

À long terme, la musculation est le meilleur moyen pour augmenter la dépense énergétique au repos (le nombre de calories que vous brûlez en ne faisant rien). Si vous travaillez chaque grand groupe musculaire deux fois par semaine, vous pourrez remplacer, en quelques mois seulement, les muscles que vous avez perdus au cours des cinq à dix dernières années.

Lors d'une étude, on a demandé à 15 adultes sédentaires d'effectuer deux séries de 10 à 12 exercices trois jours par semaine, pendant six mois. À la fin de cette période, ils avaient augmenté leur métabolisme de 7 %, soit 88 kcal par jour. C'est-à-dire assez pour brûler 4 kg (9 lb) de surpoids en un an, et cela sans faire quoi que ce soit d'autre : ils ont perdu du poids en mangeant et en buvant comme à l'accoutumée, uniquement parce qu'ils avaient augmenté leur masse musculaire (et les 88 kcal n'incluent pas les calories brûlées durant l'exercice !).

Dans une étude annexe, des femmes qui ont suivi un programme de musculation similaire pendant six mois ont perdu une quantité importante de graisse abdominale, connue pour ses effets nocifs sur la santé et

Développez vos muscles

Pour qui n'a jamais pratiqué la musculation, tout ce qui est « séries » et « répétitions » peut paraître intimidant. En réalité, c'est très simple. Voici un petit guide pour vous aider à débuter.

RÉPÉTITIONS Il s'agit du nombre de fois où vous devez soulever un poids ou effectuer un exercice. Fléchir le bras puis le tendre est considéré comme 1 répétition. Le faire dix fois correspond à 10 répétitions.

SÉRIES C'est le nombre de fois où vous effectuez des groupes de répétitions. Si nous vous disons de faire 2 séries de 10 à 12 répétitions, cela veut dire que vous devez exécuter 10 à 12 répétitions consécutives, puis marquer une pause de 30 secondes avant d'entamer la seconde série de 10 à 12 répétitions.

CHOIX DES POIDS Principe de base : le poids (ou haltère) que vous soulevez doit être assez lourd pour qu'au bout de 2 ou 3 répétitions vous trouviez cela dur. Si vous pouvez enchaîner 15 répétitions sans problème, vous devez choisir un poids plus lourd. Si vous arrivez à peine à soulever un haltère au bout de 6 répétitions, choisissez-en un plus léger. Si un exercice est nouveau, faites-le sans haltères avant de commencer la séance afin de bien le comprendre.

VITESSE Prenez votre temps. Chaque répétition doit prendre environ 6 secondes, alors comptez lentement 1-2-3 en soulevant le poids, faites une pause, puis comptez 1-2-3 en l'abaissant. Vous serez certain d'utiliser vos muscles et non la force d'impulsion, et vos efforts donneront de meilleurs résultats.

RESPIRATION Beaucoup de personnes oublient de respirer en soulevant des poids, ce qui peut s'avérer dangereux. Pour un meilleur résultat, expirez en levant le poids et inspirez en l'abaissant.

Le plus important est de trouver son propre niveau et, pour y arriver, il faut faire appel au bon sens.

pour augmenter les risques de maladies cardiaques et de diabète.

■ Améliorer la forme cardiovasculaire

Lorsque vos muscles se développent, ils peuvent en faire plus avec moins d'oxygène. Cela veut dire que votre cœur n'a plus besoin de faire autant d'efforts, pour monter un escalier par exemple.

Lors d'une étude, 46 adultes ont levé des poids trois fois par semaine durant six mois. Ils ont non seulement gagné en puissance, mais également amélioré leurs capacités physiques d'environ 25 %. Menée par des chercheurs de l'Université de Floride, cette étude a été la première à mettre en évidence que la musculation améliore la condition physique en même temps qu'elle augmente la force.

Un constat confirmé par une autre étude, au cours de laquelle on a fait pratiquer la musculation à des personnes âgées atteintes de maladies pulmonaires chroniques. Après sept semaines, elles pouvaient soulever deux fois plus de poids qu'en début d'étude et parcourir des distances plus longues à pied.

■ Combattre les radicaux libres

Soulever des poids stimule le système de défense de votre corps contre les radicaux libres, des sous-produits naturels du métabolisme qui sont liés, entre autres, aux maladies cardiaques.

Des chercheurs de l'Université de Floride ont demandé à un groupe de 62 hommes et femmes de soulever des poids trois fois par semaine durant six mois. À la fin de l'étude, le groupe qui avait fait de la musculation n'avait subi aucune attaque de radicaux libres, alors que, dans un autre groupe, qui n'avait pas soulevé de poids, on notait une augmentation de 13 % de l'activité des radicaux libres.

Le temps à investir

Deux séries de 2 exercices de musculation s'effectuent en 5 à 6 minutes. Essayez de les faire pendant que vous regardez la télévision (rangez les haltères à portée de vue pour ne pas oublier !). Ainsi, vous n'avez pas à trouver un moment dédié à votre musculation, et vous garantissez une longue vie à votre cœur.

■ Se construire un cœur solide

La musculation apprend à votre cœur à mieux travailler lorsque vous devez soulever et porter des objets lourds. Votre tension artérielle et votre fréquence cardiaque seront plus basses au quotidien.

Si les exercices de musculation vous paraissent difficiles, essayez d'alléger le poids des haltères. Consultez votre médecin si vous ressentez des douleurs ou d'autres symptômes inhabituels.

■ Trouver une alternative

Il existe d'autres façons de développer sa force musculaire que de soulever des haltères. Le Pilates, une méthode qui existe depuis les années 1920 mais qui n'est devenue réellement populaire que ces dernières années, vise à améliorer le rendement musculaire avec un ensemble d'exercices accessibles à tous.

On trouve désormais des cours de Pilates un peu partout, à des niveaux différents.

2 exercices par jour

L'ennui et le manque de temps sont deux des raisons les plus évoquées pour ne pas suivre un programme de remise en forme régulier. La solution est simple : il faut que les exercices à effectuer soient courts mais efficaces.

Avec quelques équipements peu coûteux comme le ballon de stabilité mentionné plus loin, vous pouvez développer des muscles et un cœur solides en 5 minutes par jour seulement, sans jamais sortir de chez vous.

Trouvez cette plage horaire afin de pouvoir faire 2 exercices rapides par jour.

Dites-vous que cela constitue une partie importante de votre programme *30 minutes par jour* : vous devez pratiquer 5 minutes de musculation tous les jours, que ce soit le matin ou le soir.

Pour vous aider à vous y mettre, nous avons créé un programme hebdomadaire d'exercices pour tout le corps. Il est facile, rapide et efficace.

Ce dont vous aurez besoin Deux paires d'haltères : une légère pour le travail des bras, une plus lourde pour le travail des jambes. En règle générale, les femmes utilisent des haltères de 2 à 10 kg et les hommes de 5 à 15 kg. N'hésitez pas, toutefois, à demander conseil – à un physiothérapeute

En 5 minutes par jour, développez des muscles et un cœur solide.

ou au vendeur du magasin de sport – pour déterminer ce qui est le mieux adapté pour vous.

Vous aurez également besoin d'un ballon de stabilité, aussi appelé « gym ball » ou « ballon équilibre » (voir l'encadré ci-dessous). Grâce à ce ballon et au simple poids de votre corps, vous pourrez effectuer des dizaines d'exercices pour faire travailler chaque muscle majeur, en particulier ceux de l'abdomen, du dos et du bassin, qui se retrouveront sous le mot « abdominaux ».

Que faire ? Suivez le programme qui commence p. 168 et faites deux séries de 10 à 12 répétitions de chaque exercice. Marquez une pause de 30 secondes entre les séries.

Bonus Vous verrez que ces mouvements vous sembleront plus faciles au bout d'un à deux mois, le temps que votre corps s'habitue à ce surcroît de travail. Des études le prouvent : la musculation est plus efficace lorsqu'on « surprend » ses muscles avec de nouveaux défis toutes les huit à douze semaines. Vous trouverez deux autres programmes complets dans le « Livre du travail » du programme *30 minutes par jour* (p. 226 et suivantes). Alternez ces trois programmes pour éviter de lasser vos muscles... et votre esprit.

Montez sur le ballon

Les ballons de stabilité sont d'excellents outils pour un entraînement à la fois efficace et agréable. Lorsque vous effectuez des exercices de musculation sur l'un de ces grands ballons gonflables, tous vos muscles, surtout ceux de la ceinture abdominale, du bas du dos et du bassin, se mobilisent pour maintenir la forme et l'équilibre. Vous tirez ainsi davantage de bénéfice de chaque mouvement. Les ballons de stabilité améliorent également l'équilibre et la coordination, ce dont la plupart d'entre nous ont besoin avec l'âge. Cela dit, évoluer sur des ballons peut sembler bizarre et déstabilisant au début, même pour les personnes qui ont l'habitude de pratiquer une activité physique. Voici quelques conseils pour vous aider à débuter en toute confiance.

ACHETEZ LA BONNE TAILLE Si vous utilisez un ballon trop grand ou trop petit, les exercices seront plus difficiles à effectuer, voire dangereux si le ballon est beaucoup trop grand. Lorsque vous êtes assis sur le ballon, pieds posés à plat sur le sol, vos jambes doivent être pliées à 90°. Le plus souvent, les tailles sont marquées sur l'emballage des ballons : 45 cm (18 po) pour les plus petits ; 55 cm (22 po) jusqu'à 1,57 m ; si vous faites entre 1,58 et 1,83 m, achetez un ballon de 65 cm (25 po) ; enfin, si vous dépassez 1,83 m, il vous faudra un ballon de 75 cm (30 po).

PRENEZ PLACE Habituez-vous au ballon simplement en vous asseyant dessus. Placez-le près d'un mur, appuyez-vous d'une main sur le mur et restez un peu assis ainsi. Pour un meilleur équilibre, écartez vos pieds. À mesure que vous trouvez votre point d'équilibre et vous sentez plus à l'aise, lâchez le mur et entraînez-vous à rester assis les bras sur les côtés, puis au-dessus de la tête.

TRICHEZ UN PEU Si l'équilibre vous pose problème au début, placez le ballon contre un mur et utilisez le mur comme dossier. Le ballon aura moins tendance à glisser.

GONFLEZ-LE Dégonflé, le ballon ne facilitera pas votre travail. Il doit être assez dur pour que vous ne puissiez pas le comprimer facilement avec les mains, mais assez mou pour que vous puissiez vous asseoir dessus sans bondir au plafond.

IMPORTANT Les ballons de stabilité sont conçus pour supporter des poids de plusieurs centaines de kilos. N'utilisez pas d'autres ballons pour effectuer ces exercices.

Lundi Dos et biceps

Le dos est constitué de plusieurs couches de muscles qui vous permettent de soulever, de tirer ou tout simplement de rester debout. Les biceps sont les muscles du haut des bras que vous utilisez pour soulever les bagages et les jeunes enfants. Les exercices suivants mobilisent ces deux groupes musculaires.

Flexion et extension

ASSIS sur le bord d'une chaise ou d'un ballon de stabilité, pieds écartés de la largeur des épaules. Tenez un haltère dans chaque main, paumes vers l'intérieur, les bras tendus vers le sol.

GARDEZ le haut du corps immobile, pliez les bras et levez les haltères jusqu'aux épaules.

SANS ATTENDRE, faites pivoter vos paumes vers l'avant et levez les haltères droit en l'air. Maintenez. Lentement, revenez à la position de départ en baissant les haltères jusqu'aux épaules, en faisant pivoter vos mains puis en baissant les haltères sur les côtés.

GARDEZ les épaules en place au cours de l'exercice, attention à ne pas les lever vers les oreilles.

Élévation avec haltères

ASSIS sur le bord d'une chaise ou d'un ballon de stabilité, pieds écartés de la largeur des hanches.

TENEZ un haltère dans chaque main, paumes vers l'intérieur. Le dos droit, penchez-vous vers l'avant, pour que la poitrine soit à 7 à 10 cm des cuisses. Les bras sont tendus le long des jambes.

LEVEZ les haltères en écartant complètement les bras (paumes vers le sol), jusqu'à ce que vos bras soient parallèles au sol. Maintenez. Revenez lentement à la position de départ en descendant les mains vers le sol.

Mardi Poitrine et triceps

La poitrine est composée de muscles en éventail qui vont des épaules au sternum et qui vous aident à pousser un chariot ou une poussette et à câliner les êtres aimés. Les triceps sont également des muscles « pousseurs », situés en haut du bras, derrière le biceps, un endroit particulièrement connu pour perdre son tonus et emmagasiner la graisse avec l'âge.

Pompes sur ballon

PLACEZ le ballon de stabilité devant un mur, puis mettez-vous à genoux devant.

POSEZ les mains sur le ballon de façon qu'elles soient juste au-dessous des épaules. Reculez les genoux pour former une ligne droite de la tête aux genoux. Vous devriez maintenant être penché sur le ballon.

GARDEZ le torse droit et les muscles abdominaux contractés (rentrez le ventre), fléchissez les coudes et baissez la poitrine vers le ballon. Maintenez. Revenez lentement à la position de départ.

Extension sur chaise

PLACEZ une chaise solide contre le mur. Asseyez-vous, les mains placées en appui sur les côtés. Glissez-vous en avant pour que vos fesses ne soient plus sur la chaise et utilisez la force de vos bras pour vous soutenir.

GARDEZ les épaules baissées et le dos droit, pliez les bras et descendez votre corps vers le sol. Ne forcez pas : l'exercice doit rester confortable. Remontez en poussant sur vos bras et revenez à la position initiale.

POUR RENDRE cet exercice encore plus difficile, tendez une jambe en plantant bien le talon dans le sol.

Mercredi Jambes et abdominaux

Les muscles des cuisses, des mollets et des fesses constituent environ la moitié de la masse musculaire. La force des abdominaux, du bas du dos et du bassin est essentielle à la santé. Des chercheurs qui ont suivi un groupe de personnes pendant treize ans ont constaté que celles qui étaient capables de faire le plus d'abdominaux avaient moins de risques de mourir prématurément.

Accroupissement avec ballon de stabilité

DEBOUT avec le ballon de stabilité entre votre dos et le mur et placé entre les hanches et les épaules. Avancez les pieds pour qu'ils soient légèrement devant le reste du corps.

REGARDEZ droit devant vous, le torse droit, pliez les genoux et descendez en faisant rouler le ballon jusqu'à ce que vos cuisses soient parallèles au sol. Maintenez la position pendant 2 secondes, puis retournez à la position initiale. Vous pouvez corser la difficulté en tenant des haltères.

Variante de pompes

ALLONGÉ sur le ventre, en soutenant le corps avec les avant-bras. Les coudes doivent être juste au-dessous des épaules et les paumes posées à plat sur le sol.

SOULEVEZ le corps pour que le torse, les hanches et les jambes ne touchent plus le sol et que votre corps, soutenu par vos avant-bras et vos orteils, forme une ligne droite. Gardez le dos droit et maintenez la position 10 à 20 secondes. Répétez une seule fois.

Jeudi Dos et biceps

On revient sur les groupes musculaires travaillés le lundi, mais avec deux mouvements différents.

Flexion des bras

ASSIS sur le bord d'une chaise ou d'un ballon de stabilité, pieds écartés de la largeur des épaules. Tenez un haltère dans chaque main, les bras tendus vers le sol, paumes vers l'intérieur.

GARDEZ le haut du corps immobile, fléchissez lentement les bras et levez les haltères jusqu'à la clavicule. À la fin du mouvement, tournez les paumes vers vous. Maintenez. Revenez lentement à la position initiale.

Ramer (avec haltères)

DEBOUT, jambes écartées de la largeur des épaules, bras tendus vers le sol, un haltère dans chaque main. Penchez le buste vers l'avant jusqu'à ce que vous ne puissiez plus garder le dos droit (vous le sentez devenir rond ou creux). Vos bras pendent toujours vers le sol, paumes orientées vers vos jambes.

PLIEZ les coudes et amenez progressivement les haltères de chaque côté du torse. Maintenez. Revenez lentement à la position initiale.

Vendredi
Poitrine et triceps

On revient sur les groupes musculaires travaillés le mardi, mais avec de nouveaux mouvements tonifiants.

Écarté avec haltères

ALLONGÉ sur le ballon de stabilité de façon à ce qu'il vous soutienne de la nuque jusqu'au milieu du dos, jambes pliées, pieds posés à plat sur le sol. Tenez un haltère dans chaque main, bras tendus au-dessus de vous, paumes vers l'intérieur. Gardez les coudes légèrement fléchis.

ÉCARTEZ lentement les bras de chaque côté du buste. Descendez jusqu'à ce que vos bras soient parallèles au sol. Maintenez. Revenez lentement à la position de départ. Durant tout le mouvement, veillez à garder les épaules baissées et vers l'arrière.

Extension vers l'arrière

ASSIS sur le ballon de stabilité, jambes pliées et pieds posés à plat sur le sol. Tenez un haltère dans chaque main, bras pliés à 90°, paumes vers l'intérieur, à la hauteur des cuisses. Le dos droit, penchez-vous légèrement vers l'avant.

TENDEZ les bras en amenant les haltères derrière vous, en faisant pivoter les mains pour que les paumes soient orientées vers le plafond à la fin du mouvement. Maintenez. Revenez lentement à la position initiale.

Programme de musculation pour un cœur solide

Samedi
Jambes et abdominaux

On revient sur les groupes musculaires travaillés le mercredi, mais avec des variations intéressantes.

Flexion des jambes

ALLONGÉ sur le dos, jambes tendues, talons posés au-dessus du ballon de stabilité, bras posés au sol, près du corps, paumes contre le sol.

PRESSEZ vos talons contre le ballon et soulevez légèrement les fesses.

PLIEZ les genoux, en utilisant les talons pour tirer le ballon vers vous de façon que vous puissiez poser les pieds à plat dessus. Maintenez. Revenez à la position initiale.

Levée latérale

ALLONGÉ sur le côté gauche, jambes pliées. Pliez le bras gauche de façon que l'avant-bras soit perpendiculaire au corps, puis soulevez le torse. Le haut du corps devrait former une ligne droite des hanches jusqu'aux épaules.

PLACEZ la main droite sur la hanche et maintenez la position de 5 à 15 secondes. Revenez à la position initiale, puis recommencez de l'autre côté. Répétez une seule fois. Maintenez la position entre 30 et 60 secondes.

Dimanche Jour de repos !

C'est un point sur lequel les chercheurs
sont unanimes : nos émotions et nos attitudes
influent directement sur la santé de notre cœur.
Voilà sans aucun doute une excellente raison pour
profiter davantage de la vie.

Cœur heureux, cœur en forme

Comment bien traiter votre cœur

Imaginons que vous ayez un chien. Vous le nourrissez correctement, vous vous assurez qu'il fasse suffisamment d'exercice et qu'il ait un endroit confortable pour dormir. Comme la plupart des personnes aimant les animaux, vous lui offrez plus que ce strict nécessaire : vous lui parlez, vous le caressez, vous jouez avec lui et faites en sorte qu'il se sente bien et vive le plus longtemps possible.

Ne devriez-vous pas traiter votre cœur de la même façon ? La comparaison n'est pas aussi saugrenue qu'elle en a l'air. Le bien-être de votre cœur dépend largement de la façon dont vous le traitez. Il a lui aussi besoin d'amour, d'attention et de gentillesse.

À long terme, prendre soin de son cœur s'avère plus bénéfique pour la santé que n'importe quel médicament. Afin de prouver ce que l'on soupçonne depuis longtemps, des chercheurs californiens ont suivi pendant cinq ans 50 hommes et femmes atteints de maladies coronariennes modérées ou aiguës. La moitié d'entre eux n'a pris aucun médicament mais a changé de mode de vie : arrêt du tabac, meilleure alimentation, plus d'exercice. Ils ont également participé à des groupes de soutien et ont appris à réduire leur stress. L'autre moitié des participants a suivi un traitement classique, avec des médicaments et de légers changements du mode de vie.

Les médecins ont mesuré la progression de l'état des artères des uns et des autres. Chez les personnes du premier groupe, le nombre d'artères obstruées par une plaque d'athérome (dépôt de substances lipidiques sur la paroi artérielle) a diminué de 8 %, tandis qu'il a augmenté de 28 % pour l'autre groupe, malgré les médicaments. Les personnes ayant suivi un traitement classique ont été deux fois plus souvent victimes d'incidents cardiaques (arythmie ou infarctus).

La recherche a confirmé que rire et savoir être positif sont bénéfiques pour le cœur.

6 conseils pour choyer son cœur

On pense généralement que, pour assurer la santé de son cœur, il faut suivre un certain nombre de règles « sérieuses » : prise de médicaments et de suppléments nutritionnels, régime strict et programme d'exercices encadré. Certes, mais ce n'est pas tout. La recherche a prouvé que le rire et une attitude positive de même que la spiritualité peuvent également vous aider à guérir.

1 Croyez en quelque chose

Croire en quelque chose, que ce soit en un dieu, en une présence surnaturelle, au pouvoir de la nature ou à un système philosophique, cela donne un sens à la vie et... fait baisser la tension artérielle. Probablement parce que, toutes confessions confondues, la religion – la prière en particulier – est une sorte de relaxation. Peut-être la spiritualité en général induit-elle aussi une forme d'optimisme, d'espoir, de joie bénéfique qui a des effets positifs évidents sur la santé.

2 Profitez de la vie

Beaucoup d'entre nous, en quittant le confort douillet de l'enfance, perdent la capacité de s'amuser, de rire, de profiter des moments heureux l'esprit libre. Les soucis et les responsabilités de la vie d'adulte nous accaparent, nous inquiètent et, finalement, nuisent à notre santé.

Or il est impératif de savoir lâcher prise de temps à autre. Nous le devons à notre cœur. Des études ont montré que les gens qui aiment rire et qui s'y livrent à cœur joie ont beaucoup moins de risques d'être atteints d'une maladie cardiaque que les autres.

3 Prévoyez des moments de relaxation

La vie moderne est très exigeante et le stress monte vite, tout comme les risques de maladies cardiaques. Vous ne pouvez pas changer le monde, mais vous pouvez changer la façon dont vous l'affrontez. Modifier ses habitudes quotidiennes, en pratiquant par exemple le yoga ou la méditation, une séance de relaxation avant de se coucher ou, tout simplement, une promenade avec le chien, tout cela contribue à maîtriser le stress.

4 Buvez un verre de vin rouge par jour

Ceux qui boivent un verre de vin au souper diminuent le risque de développer une maladie cardiaque : pas plus de 14 verres par semaine pour un homme et 9 verres pour une femme ! Le vin, et en particulier le vin rouge, est meilleur pour la santé que les autres boissons alcoolisées, quand il est consommé avec modération, bien sûr.

5 Créez-vous un cocon agréable

Faites de votre intérieur un refuge contre le stress. Créez chez vous une ambiance sereine, avec des fleurs et des plantes vertes, de la musique, une chambre à coucher apaisante. Plus vous passerez de temps dans une ambiance reposante, moins vous aurez de risques d'avoir une maladie cardiaque.

6 Trouvez du temps pour les vôtres

Vous êtes occupé du matin au soir. Mais n'oubliez jamais de profiter de ceux qui vous sont chers, famille et amis : passer du temps en bonne compagnie est également excellent pour la santé.

Soignez votre santé spirituelle

Vous voulez vivre sept ans de plus ? Cultivez votre spiritualité ! Ce n'est pas une boutade : toutes les études (plus de 1 200) menées à travers le monde tendent à prouver qu'il existe un lien entre longévité et vie spirituelle.En soignant votre santé spirituelle et en développant le sentiment d'être utile aux autres, vous augmenterez votre espérance de vie.

Attention, spiritualité ne veut pas obligatoirement dire religion. Il s'agit de pratiquer ce qui pourrait « stimuler » votre âme, comme aider les autres ou soutenir une cause en laquelle vous croyez.

Si le corps médical est réservé quant au pouvoir de la prière, de nombreux scientifiques admettent qu'il y a des bénéfices physiologiques à croire en quelque chose. Certaines études ont montré qu'assister à une cérémonie religieuse entraînait une baisse du rythme cardiaque et créait un sentiment général de bien-être. Une autre a conclu que, parmi les personnes ayant subi une opération à cœur ouvert, celles qui étaient croyantes avaient trois fois plus de chances de survivre que celles sans conviction spirituelle. Même les sceptiques admettent que la foi peut avoir un effet placebo.

Il suffit souvent d'y croire pour aller mieux. Bien sûr, on ne vous suggère pas de trouver la foi pour sauver votre cœur. Mais, même si cela ne vous intéresse aucunement et si vous n'avez aucune envie de vous tourner vers une pratique religieuse, vous pouvez travailler votre spiritualité autrement : en faisant du bénévolat, en passant du temps dans la nature, en méditant... Toutes ces activités ont un effet bénéfique avéré. Il existe un autre avantage secondaire, mais non des moindres, à développer sa spiritualité : ceux qui arrivent à avoir une riche vie intérieure ont moins tendance à boire, à fumer et à rester seuls.

Le pouvoir de la prière

Prier pour les personnes souffrantes ou mourantes est une pratique habituelle dans toutes les croyances. Prier pour vous-même, ou savoir que les autres prient pour vous, peut vous aider à améliorer vos capacités de guérison et à apaiser vos angoisses. Certains scientifiques estiment que la pensée positive et la prière stimulent l'immunité et améliorent le fonctionnement général de l'organisme.

Découvrez votre richesse intérieure

Que vous soyez de confession chrétienne, juive ou musulmane, ou que vous ne sachiez pas vraiment en quoi vous croyez, ni même si vous croyez en quelque chose, peu importe. Il existe beaucoup de façons de cultiver sa spiritualité. La plus évidente étant de se rendre dans un lieu de culte pour prier, mais c'est loin d'être la seule.

■ **Méditez** La méditation réduit les angoisses et la tension artérielle. Elle est également utilisée dans de nombreuses religions pour accroître la force spirituelle. La méditation transcendantale ralentit la respiration et le pouls, et mène à une relaxation profonde. Des études récentes ont montré que la méditation transcendantale avait également des effets bénéfiques sur la pression artérielle.

La plupart des gens pensent qu'il faut être assis pour méditer, mais cela peut être tout aussi efficace en marchant, car l'exercice physique réduit le stress et fournit de l'oxygène à l'organisme. Pendant votre promenade quotidienne, prenez quelques minutes pour vider votre esprit et vous relaxer totalement, en vous concentrant sur vos pas et sur votre respiration.

■ **Aidez les autres** Contribuer à une bonne cause donne un sens à la vie. Vous pouvez apporter un soutien financier ou, si vous avez le temps, faire du bénévolat. Vous trouverez dans certains journaux locaux la liste des organismes à la recherche de volontaires.

De temps à autre, rangez vos placards, votre cave ou votre grenier, et mettez de côté les vêtements et les objets dont vous n'avez plus besoin pour les proposer à des œuvres caritatives. Lors des opérations de collecte pour la banque alimentaire, mettez dans votre panier quelques produits de plus.

Avoir l'esprit tourné vers les autres, c'est aussi faire des choses toutes simples comme téléphoner à un vieil ami ou se montrer attentionné au quotidien, qu'il s'agisse d'ouvrir la porte à quelqu'un qui est chargé, de céder une place de stationnement à une mère dont la voiture est remplie d'enfants ou de faire des compliments aux membres de votre famille, à vos amis ou collègues.

■ **Partez en balade** Il est difficile de ne pas s'émerveiller de la beauté de la nature qui nous entoure. Sortez une fois par jour, ne serait-ce que pour vous asseoir sous un arbre.

■ **Dites-le tout haut** Qu'il s'agisse de prières ou de mantras méditatifs, le fait de les dire à voix haute améliore leur effet. Pour une étude italienne, des hommes et des femmes ont déclamé soit un *Ave Maria,* soit un mantra de

Faites le plein de sérénité

Depuis la nuit des temps, l'homme utilise la musique, l'encens et les bougies dans ses lieux de culte pour créer une ambiance plus spirituelle. Vous pouvez faire la même chose chez vous.

■ **Bougies :** rien n'apaise plus l'esprit que la flamme dansante d'une bougie.

■ **Disques :** qu'il s'agisse d'un concerto pour violon, d'une opérette ou d'une chanson folklorique ou pop, la musique ouvre le cœur, élève l'âme… et adoucit les mœurs !

■ **Symboles et statues :** pour certaines personnes, un crucifix, une statuette de Bouddha ou un autre symbole religieux est un signe puissant qui leur rappelle qu'elles ne sont pas seules.

■ **Fleurs et plantes vertes :** vivantes, elles évoquent la beauté et la simplicité de la nature.

■ **Encens :** la fumée qui monte symbolisait autrefois les prières qui s'élevaient vers Dieu. L'odeur de l'encens est également apaisante. Si vous n'aimez pas la fumée, pensez aux huiles parfumées.

Développer sa spiritualité et le sentiment d'être utile aux autres prolonge l'espérance de vie.

yoga. Dans les deux cas, le rythme respiratoire descendait à 6 respirations par minute (la normale étant de 16 à 20 respirations par minute). Les participants ont aussi synchronisé leur rythme respiratoire avec leur rythme cardiaque, ce qui calme le système nerveux central et induit une sensation générale de bien-être. Lorsque ces mêmes prières étaient pensées et non pas dites, aucun effet de la sorte n'a été constaté.

■ **Appréciez les bonnes choses** Une fois par jour, pensez à toutes les bonnes choses et à toutes les personnes merveilleuses dans votre vie et soyez-en reconnaissant. Appréciez pleinement tout ce que vous possédez, nourriture, maison et travail compris. Envoyez des « ondes positives » et des pensées aux personnes de votre entourage, surtout à celles qui en ont particulièrement besoin.

■ **Exprimez-vous** Il existe de nombreuses façons de ressentir et d'exprimer sa créativité : tenir un journal, essayer la peinture sur porcelaine, la poterie, le jardinage, apprendre la broderie ou encore la restauration de meubles. Il n'y a pas de limites, et peu importe le mode d'expression artistique et créatif : en s'exprimant de façon créative, on nourrit aussi son côté spirituel.

Profitez de la vie

À quand remonte la dernière fois que vous avez eu le cœur léger, ou le cœur brisé ? Toutes nos émotions – amour, solitude, bonheur, haine – affectent le regard que nous portons sur le monde, mais déterminent aussi combien de temps nous allons y vivre. Une étude réalisée pendant 15 ans auprès de 678 nonnes américaines a montré que celles qui utilisaient des mots comme « joie », « bonheur » et « heureuse »

> Le bonheur prolonge la vie, que l'on soit ou non atteint d'une maladie cardiaque.

en décrivant leur vie, dans des journaux intimes ou dans des lettres, vivaient jusqu'à dix années de plus que celles qui exprimaient moins de sentiments positifs. Les chercheurs en ont conclu que ce type de sentiments pouvait agir comme un bouclier biologique contre les facteurs de stress quotidiens, en leur évitant d'évoluer vers l'hypertension, les maladies cardiaques et d'autres pathologies.

Une autre étude, hollandaise, a suivi 1 000 personnes âgées de 65 à 85 ans pendant dix ans. L'étude concluait que les plus optimistes couraient deux fois moins de risques (55%) de décéder prématurément. De même, par rapport aux pessimistes, ils risquaient moins (23%) de décéder d'une affection cardiovasculaire. Les chercheurs pensent que les meilleurs taux de survie chez les optimistes peuvent s'expliquer par le fait que ces personnes adoptent également un comportement plus sain, en ne fumant pas, en surveillant leur poids, en s'activant physiquement et intellectuellement.

Ne laissez pas la dépression s'installer

Beaucoup de Canadiens sont en surpoids et un certain nombre souffrent d'obésité, une réelle pathologie qui nécessite un suivi médical. De même, si nous avons tous des coups de « déprime » de temps à autre, la dépression est une véritable maladie qui réclame un traitement sérieux. À la fatigue et au mal-être s'ajoutent l'inactivité, l'inquiétude et la perte ou la prise de poids, toutes choses néfastes pour le cœur. En voici les signes.

- Se réveiller au petit matin et ne pas arriver à se rendormir.
- Souffrir d'insomnies ou, au contraire, passer son temps à dormir.
- Être incapable de se concentrer ou de prendre des décisions.
- Éprouver des sentiments de culpabilité ou avoir l'impression d'être inutile.
- Perdre tout intérêt pour les activités agréables et/ou les relations sexuelles.

- Se sentir sans cesse fatigué.
- Se sentir souvent triste.
- Perdre l'appétit.
- Perdre ou prendre du poids.
- Avoir des envies de mort ou de suicide.

Si vous pensez souffrir d'une dépression, consultez votre médecin. La dépression est aussi liée à un déséquilibre chimique qui peut être corrigé avec des médicaments et des changements du mode de vie.

mauvaise conseillère. Se montrer conciliant et compréhensif calme rapidement la colère et donne de meilleurs résultats.

N'essayez pas de tout faire La colère, la frustration et l'impatience se font encore plus ressentir quand nous essayons de faire trop de choses en même temps. Écrivez la liste des tâches que vous vous êtes fixées et rayez les points les moins importants. Cela vous apprendra à vous concentrer sur l'essentiel, et donc à arrêter de vous inquiéter pour des détails.

Sachez pardonner aux autres Rancune et ressentiment augmentent le taux d'adrénaline tout en détruisant la sérotonine, l'hormone qui régule, entre autres, l'humeur et le sommeil. En pardonnant, vous créez aussi un équilibre hormonal plus sain. Non qu'il faille tout pardonner sans discernement, mais il s'agit de décider de ne pas laisser telle personne ou tel événement passé contrôler votre vie ou vous faire du mal. Cela prendra peut-être du temps, mais tentez l'expérience sans vous décourager. Choisissez un incident passé qui vous nargue encore et essayez de pardonner et d'oublier.

Sachez vous pardonner Souvent, nous sommes notre critique le plus virulent. N'oubliez pas d'être indulgent avec vous-même. Vous ne pouvez pas changer le passé, mais vous pouvez améliorer le présent, et cela implique d'être tolérant et compréhensif, même, et surtout, avec vous.

Amusez-vous À quand remonte la dernière fois où vous vous êtes amusé ? Aucune idée ? Alors il est temps d'inscrire cela au programme ! Prévoyez toutes les semaines un moment agréable que vous attendrez avec impatience : par exemple, un parcours de golf, la visite d'un musée, la location d'un bon film ou encore une sortie au parc avec vos enfants ou petits-enfants.

Renoncez à tout contrôler Nous n'avons aucun contrôle sur les événements du monde, la stratégie des multinationales, la météo ou le comportement des autres. Aussi faut-il apprendre à lâcher prise sans honte ou mauvaise conscience. Remettez les choses que vous ne pouvez pas contrôler entre les mains d'une « entité supérieure », qu'il s'agisse de la fatalité ou d'un dieu, et prenez le contrôle là où vous le pouvez.

Vaincre le stress

Paradoxalement, le stress peut être une bonne chose, dans une certaine mesure. Pensez à la corde d'un violon : si elle n'est pas tendue, il n'y a pas de résonance, pas de vie, pas de mélodie. Si elle est trop tendue, elle casse. Correctement tendue, la corde du violon va produire une musique mélodieuse.

Cette image peut s'appliquer à la vie. En vous mettant un peu sous tension, vous créez l'énergie mentale et physique nécessaire pour atteindre vos objectifs et réaliser vos rêves. Mais, s'il y a trop de stress, ce qui est le cas pour la plupart d'entre nous, les cordes du cœur se mettent à se « cisailler ».

La recherche a démontré que le stress peut être à l'origine de nombreux maux, parmi lesquels l'insulinorésistance, l'augmentation de la graisse abdominale, l'hypertension et les troubles du rythme cardiaque. Votre objectif est d'introduire de petits changements dans votre mode de vie afin de maintenir un niveau de stress « sain ». Ainsi, vous continuerez à être productif, mais resterez serein et vivrez heureux.

Les soucis qui vous harcèlent

Vous conduisez sur une route à deux voies : quelqu'un vous fait une queue de poisson et vous freinez brutalement. Vos passagers sont surpris et votre rythme cardiaque s'accélère. Il s'agit là d'un stress aigu, d'une réaction immédiate du corps, du réflexe « combattre ou fuir ». Cela arrive lorsqu'on est confronté à une situation ressentie comme un danger.

Mais ce ne sont pas les quelques épisodes de stress aigu auxquels nous sommes soumis au volant qui inquiètent le plus les médecins. Ce qui est dangereux, c'est le stress chronique, l'angoisse qui persiste durant des jours, des mois, des années, le stress induit par des problèmes financiers permanents, une relation amoureuse destructive, la peur du licenciement, ou encore les heures passées dans les embouteillages.

Introduisez de petits changements dans votre mode de vie afin de maintenir un niveau de stress « sain ».

Nous sommes de plus en plus nombreux à affronter ce stress chronique. Dans un monde où les sollicitations sont toujours plus nombreuses et impératives (répondre aux coups de fil, courriels, SMS, etc.), nous passons notre temps à courir dans tous les sens. Nous sommes angoissés en permanence, aussi bien par le terrorisme mondial que par les risques de chômage. Et, en définitive, c'est toujours le cœur qui paie la note.

Le stress chronique rend impatient et l'impatience fait grimper la pression sanguine. Dans une étude de l'Université Northwestern dans laquelle 3 142 hommes et femmes ont été suivis pendant 15 ans, les sujets pressés par le temps, qui mangeaient trop vite et se fâchaient quand ils avaient à attendre, ont montré un risque deux fois plus élevés de faire de l'hypertension que les sujets plus détendus.

Dans une autre étude britannique, des chercheurs ont établi un lien entre le stress et le syndrome métabolique (voir p. 40), même si cela reste à confirmer. Le stress, l'angoisse et la dépression sont cités par les cardiologues comme étant des éléments qui contribuent au développement des maladies coronariennes.

En outre, le fait d'être constamment sous pression peut induire des conduites à risque : trop fumer, trop boire ou trop manger, rien qui soit très bon pour la santé cardiaque.

Le monde médical estime que les personnes soumises à une trop grande pression au travail ont plus de risques de souffrir d'une maladie cardiaque que les autres. Et cela s'est surtout avéré chez les femmes : celles qui ont un travail exigeant où elles ont peu de contrôle sur les résultats (comme les infirmières) ont 70 % de plus de risques de développer une maladie coronarienne que celles dont le travail implique un niveau de contrôle élevé.

Chassez le stress

La gestion du stress est un bon argument commercial : nous achetons des livres sur le sujet, partons en thalassothérapie, investissons dans des kits d'aromathérapie et sommes prêts à tout essayer, des massages à la réflexologie. En réalité, il n'est pas nécessaire de dépenser autant d'argent pour chasser le stress. Avant tout, mangez équilibré et faites de l'exercice pour stimuler votre système immunitaire et éliminer le stress accumulé. Contrôler votre poids et entretenir un bien-être général vous permettront d'être mieux armé contre le stress. Ensuite, pratiquez quelques-unes des suggestions ci-dessous, qui vous aideront à rester calme et détendu toute la journée.

■ **Concentrez-vous sur votre tâche** Faire plusieurs choses à la fois est devenu monnaie courante. Pourquoi se contenter de parler au téléphone si en même temps on peut manger ou faire sa liste de commissions ? Le problème, c'est qu'en n'accordant pas toute son attention à chaque tâche, rien n'est bien fait et on ne tire que peu de satisfaction du résultat. Concentrez-vous sur une tâche à la fois et terminez-la avant de passer à la suivante. Chaque tâche prendra moins de temps et vous apportera sans doute plus de plaisir, vous vous sentirez plus détendu et vous aurez la satisfaction du travail bien fait.

■ **Faites une pause sans nouvelles** Un jour par semaine, boycottez les nouvelles à la télé, à la radio et dans les journaux. Si quelque chose de majeur arrive, vous finirez bien par le savoir. Pendant une journée, vous aurez épargné à votre organisme le stress, plus ou moins conscient, provoqué par les nouvelles de la violence du monde.

■ **Mettez-vous au calme** Certaines entreprises ont aménagé des endroits calmes où les employés peuvent se retirer quelques instants loin du bruit des ordinateurs, imprimantes, téléphones et autres nuisances sonores. Si cela n'existe pas sur votre lieu de travail, créez-vous votre propre refuge et faites de même chez vous. Il est surprenant de voir à quel point cela peut faire du bien de pouvoir s'isoler, ne serait-ce que 30 secondes, pour rassembler ses pensées.

■ Entraînez-vous à la méditation Il a été scientifiquement prouvé que la méditation classique, qui consiste à rester assis durant 10 à 20 minutes, en ne répétant qu'un mot tel que « om », réduit le stress. C'est pourtant une pratique peu répandue. Il en existe une facile à mettre en œuvre : la méditation attentive, que vous pouvez pratiquer en vous promenant comme en lavant votre voiture.

Il s'agit d'être attentif aux sensations que vous ressentez, ici et maintenant. Par exemple, si vous êtes en train de laver votre voiture, ne pensez à rien d'autre qu'à la mousse qui flotte dans le seau, au son de l'eau dans le tuyau d'arrosage, aux gouttes d'eau qui brillent au soleil... Vous verrez à quel point vous vous sentirez plus calme et détendu. Essayez de faire de la méditation attentive une fois par jour.

■ Prenez vos vacances Quatre Canadiens sur dix ne prennent pas toutes leurs vacances. Pire, 76 % de ceux qui ne les prennent pas toutes, laissent aller 14 jours de congé dans leur année ! Pourtant, ces jours de repos sont nécessaires si l'on veut rester productif et ménager son cœur. Planifiez vos vacances de façon à : a) les prendre ; b) les prévoir suffisamment à l'avance pour que vos collègues puissent s'organiser ; c) avoir toujours un projet qui vous tient à cœur.

■ Visualisez votre réussite Avant de vous embarquer dans un projet stressant, répétez mentalement ce que vous allez faire. C'est ce que font les sportifs de haut niveau. Lorsque vous visualisez une tâche, vous

Riez !

Les chercheurs du Maryland ont observé 300 hommes et femmes : quelques soient les situations, les sujets cardiaques riaient 40 % moins que les sujets sains du même âge. Certains concluent que le rire va avec un stress moindre. D'autres croient que, lorsqu'on rit, le rythme cardiaque s'accélère et que la tension artérielle monte, mais une fois qu'on a fini de rire, le rythme cardiaque et la tension artérielle resdescendent plus bas que leur niveau initial. Louez une bonne comédie ou appelez un ami qui est drôle. Essayez de rire au moins cinq fois par jour. Rire, c'est s'offrir une séance d'« aérobic interne » : il est possible de faire bouger les 400 muscles du corps en riant. De même, rire libère des endorphines, fait baisser le taux d'adrénaline et de cortisol et régule la respiration. Hélas, on rit de moins en moins avec l'âge : un enfant rit en moyenne 150 fois par jour, un adulte 6 fois seulement.

Rire, c'est s'offrir une séance d'« aérobic interne ».

vous programmez mentalement à réussir. Ainsi, lorsque vous l'entreprendrez vraiment, ce sera comme une « seconde nature ».

■ **Adoptez un animal de compagnie** Il existe une interaction entre la présence d'un animal et la santé de l'homme. Plusieurs études soutiennent cette thèse, dont une menée conjointement en Chine, en Allemagne et en Australie. Celle-ci révèle que les propriétaires d'animaux domestiques rendent moins souvent visite à leur médecin, ont moins de problèmes de sommeil et prennent moins de médicaments contre les maladies cardiaques. Rien ne calme mieux que l'amour inconditionnel que vous donnera cet animal.

■ **Respirez profondément** Lorsque vous vous trouvez dans une situation stressante, faites une pause et respirez profondément quatre ou cinq fois de suite en gonflant bien votre estomac. C'est une technique de relaxation infaillible : il est impossible de ne pas se détendre lorsqu'on respire lentement et profondément.

Lors d'une étude, on a demandé à des volontaires de faire du calcul mental. Leur tension artérielle a augmenté et la variabilité de leur fréquence cardiaque (VFC) a baissé. Lorsqu'on leur a demandé de faire des exercices respiratoires, il s'est passé exactement le contraire : tension artérielle en baisse, VFC en hausse.

■ **Écoutez de la musique** Lors d'opérations mineures effectuées sous anesthésie locale, les personnes qui écoutent une musique de leur choix durant l'intervention sont moins angoissées et ont un rythme cardiaque et une tension artérielle moins élevés que les patients qui n'écoutent pas de musique.

■ **Massez-vous** Lorsque vous êtes sous tension, vos muscles se contractent, ce qui réduit la circulation sanguine, et donc le flux d'oxygène et de nutriments vers le cœur. Un massage permet de décontracter les muscles. Vous pouvez vous masser vous-même, à l'aide d'une balle de tennis : tenez-la au creux de votre main et roulez-la en mouvements circulaires là où vous vous sentez tendu : la nuque, les épaules, les jambes, les mollets ou la plante des pieds.

■ **Ne vous fâchez pas** Ce sont vos réactions aux événements extérieurs qui vous stressent, pas les événements eux-mêmes. Vous ne pouvez peut-être pas contrôler ce qui se passe autour de vous, mais vous pouvez contrôler votre réaction. Devant une situation qui vous énerve, vous crispe ou vous enrage, demandez-vous : « Est-ce que ça vaut vraiment la peine de se mettre dans tous ses états ? Est-ce que mon stress va arranger quoi que ce soit ? » Souvent, la réponse aux deux questions est non. C'est une bonne méthode pour apprendre à gérer ses réactions dans des situations difficiles.

■ **Dormez suffisamment** Plus on est fatigué, plus il est difficile de garder son calme dans des situations stressantes. Si vous dormez bien, vous serez mieux préparé pour faire face à la vie quotidienne. Essayez de dormir huit heures par nuit.

■ **Pleurez** Avez-vous déjà remarqué à quel point vous vous sentez mieux après avoir pleuré un bon coup ? La littérature parle du « don des larmes ». Les larmes permettent d'éliminer les substances chimiques nocives produites par l'organisme durant une période de stress et de se débarrasser de l'énergie négative. Si rien d'autre ne marche, n'hésitez pas, laissez-vous aller et pleurez. Vous vous sentirez sans aucun doute beaucoup mieux après.

L'alcool

En matière d'alcool, les habitudes diffèrent. Certains aiment le vin à table, d'autres n'envisagent pas de regarder un match à la télé sans une bière. Certains choisissent de se passer d'alcool, tandis que d'autres boivent trop. Cela fait plus de dix mille ans que l'homme déguste des boissons fermentées et, depuis le début, les débats quant à leurs bienfaits sur la santé sont nombreux.

Dans les faits, l'alcool peut à la fois être bon pour la santé et agir comme un poison sur l'organisme. Tout est une question de dosage : consommé modérément – pas plus d'une ou deux unités par jour –, l'alcool a de nombreux effets bénéfiques. Les études montrent que non seulement les buveurs modérés vivent plus longtemps que ceux qui boivent trop ou pas du tout, mais aussi qu'ils ont une meilleure santé cardiaque.

Après des années d'études diverses et variées, impliquant plus de 750 000 hommes et femmes, il a été prouvé que boire de l'alcool en quantités modérées réduit le risque de maladies cardiaques, d'infarctus et/ou de décès dus à des problèmes cardiovasculaires.

Ceux qui boivent « intelligemment » ont généralement un mode de vie plus équilibré que ceux qui boivent trop ou pas du tout (activité physique, absence de diabète, faible consommation de graisses, sommeil normal).

Chez les personnes qui boivent trop, l'éthanol, le composant actif des boissons alcoolisées, altère la fonction cognitive et cause de dommages aux organes internes. L'excès d'alcool peut provoquer, directement ou non, hypertension, obésité, insuffisance cardiaque, cardiomyopathie (faiblesse du muscle cardiaque), arythmie (rythme

... un à deux verres de vin par jour pourrait réduire le risque d'infarctus.

cardiaque irrégulier) et même mort subite. Sans parler des effets associés, comme la violence domestique, les risques accrus d'accident de la route, etc.

Autant de raisons pour limiter la consommation excessive d'alcool. Les spécialistes du cœur s'entendent pour dire qu'à doses modérées le vin réduit les risques d'infarctus chez les hommes âgés de plus de 40 ans et chez les femmes ménopausées. Mais ils soulignent que la surconsommation d'alcool fait monter la pression sanguine et joue un rôle dans le gain de poids.

Vive le raisin

Que vous aimiez la bière, le vin ou le gin-tonic, sachez que les alcools apportent tous une protection cardiaque, mais à des degrés variés. C'est le vin qui semble offrir la meilleure protection pour le cœur. Un chercheur français a suggéré dans les années 1990 que le rôle protecteur du vin pourrait expliquer la mortalité cardiovasculaire relativement faible en France, malgré un niveau élevé de facteurs de risque (tabagisme, hypertension, cholestérol...). C'est ce qu'on a appelé le « paradoxe français ».

Cette théorie a depuis été remise en question. La dernière étude internationale Monica, réalisée par l'OMS (Organisation mondiale de la santé) sur les affections cardiovasculaires, stipule que « la fréquence

de la maladie coronarienne en France est du même ordre que dans les pays du Sud de même latitude. La notion d'un paradoxe spécifique français ne semble donc pas devoir être retenue ». Toujours est-il que, dans les pays buveurs de vin, on rencontre généralement moins de malades cardiaques que dans les pays où l'on boit de la bière et des spiritueux.

Le vin contient des antioxydants, des polyphénols, dont le resvératrol et la quercétine, un flavonoïde. Ces deux derniers inhibent l'oxydation du cholestérol LDL, l'empêchant d'adhérer à la paroi vasculaire. Les chercheurs se penchent aussi sur les saponines de la peau des grains de raisin, qui semblent se fixer au cholestérol empêchant l'absorption de celui-ci dans le sang.

Réfléchissez avant de boire

Si vous voulez vous faire plaisir avec un peu d'alcool, voici quelques conseils pour le bien de votre cœur.

■ **Buvez du rouge corsé** Le vin blanc est fabriqué sans la peau des raisins (ou celle-ci est ôtée tôt dans le processus de fabrication), tandis que, pour le vin rouge, la peau et les pépins macèrent avec le jus lors de la fermentation alcoolique, donnant couleur et tanins au vin. Or ces tanins jouent un rôle protecteur essentiel en assouplissant les artères et les veines.

■ **Buvez au cours du repas** Des études démontrent que les effets du vin contre le cholestérol et les caillots sont plus puissants lorsqu'on le boit avec son repas principal.

■ **Buvez aussi du jus de raisin** Le jus de raisin (rouge) contient en partie les mêmes substances bénéfiques que le vin rouge, même si l'alcool du vin offre une protection cardiaque supplémentaire.

■ **Passez un bon moment** Prenez le temps de relaxer pendant le repas et partagez-le en famille ou avec des amis.

CŒUR HEUREUX, CŒUR EN FORME

La relaxation n'est pas un réflexe normal.
C'est un état vers lequel il faut tendre,
et l'une des meilleures façons
d'y parvenir est le yoga.

Yoga

Placez-vous debout, pieds écartés de la largeur du bassin, et prenez le temps de sentir le contact de vos plantes de pied avec le sol et de vous sentir bien stable. En inspirant, levez les bras à la verticale le long des oreilles et étirez-vous. Puis expirez en fléchissant le buste vers l'avant, en laissant vos bras descendre vers le sol. Lorsque vous avez ainsi vidé vos poumons, inspirez à nouveau en vous déroulant vers la position debout initiale.

Votre monde intérieur

Vous venez d'expérimenter une technique de yoga : se vider la tête en portant son attention sur la coordination entre le mouvement et la respiration. La médecine orientale utilise des systèmes holistiques comme le yoga pour traiter l'esprit et le corps comme une seule entité. Le terme yoga est un mot sanskrit signifiant union : il s'agit de ne faire qu'un avec son monde intérieur.

Il existe plusieurs types de yoga. Le plus pratiqué dans les pays occidentaux est le hatha-yoga. Il s'agit d'une combinaison de postures (*asanas*), de techniques respiratoires (*pranayama*) et de méditation. L'objectif est d'atteindre une santé physique et mentale parfaite, dans un état de calme intérieur.

Accro ?

Une fois que vous aurez testé une ou deux postures de yoga, il y a de fortes chances pour que vous ayez envie de suivre un cours complet. On y pratique par exemple la Salutation au Soleil (voir p. 234), un enchaînement classique de 12 postures qui s'effectuent de façon fluide les unes après les autres. Il renforce les muscles, améliore la souplesse et procure un sentiment de sérénité. Si vous avez envie d'en savoir plus, il existe une multitude de livres et de DVD sur le sujet et, bien sûr, nombre de cours.

Certains emploient le yoga pour se muscler et améliorer leur condition physique. Mais la recherche a démontré que cette discipline millénaire peut aussi soulager les symptômes de pathologies chroniques comme le cancer, l'arthrite et les maladies cardiaques. Des études effectuées en Inde ont démontré que la pratique régulière du yoga améliore la capacité cardiaque et la variabilité de la fréquence cardiaque, et qu'elle entraîne une meilleure régulation de la glycémie chez les diabétiques.

Un nouveau médicament ?

Le cardiologue Dean Ornish, de l'Institut de recherche en médecine préventive de Californie, est le premier médecin occidental à avoir classé le yoga au même niveau que l'alimentation et l'exercice physique dans un programme de santé. En 1990, il a fait un test sur 48 hommes et femmes ayant souffert de maladies coronariennes : 28 d'entre eux ont adopté un nouveau mode de vie intégrant le yoga, un régime végétarien et la participation à des groupes de soutien ; les 20 autres n'ont rien changé à leurs habitudes.

Au bout d'un an, les personnes du premier groupe présentaient des artères plus souples et moins obstruées, tandis que les artères de celles du second groupe continuaient à se durcir et à se boucher.

Huit ans plus tard, le Dr Ornish a publié une autre étude concernant 194 hommes et femmes souffrant de maladies cardiaques. En suivant un programme identique intégrant le yoga, 80 % d'entre eux ont évité un pontage.

Même si la plupart de ses collègues ont mis ce succès sur le compte d'un régime extrêmement pauvre en graisses, ce qui expliquerait le « nettoyage » des artères, le Dr Ornish croit fermement que la pratique du yoga est aussi importante qu'une bonne alimentation.

Doux rêves

Vous pouvez pratiquer quelques postures dès que vous sentez le besoin de vous remettre en contact avec vous-même. Évitez cependant le moment de la digestion. Voici quatre postures de base qui améliorent la circulation autour du cœur et induisent la relaxation. Attention ! Si vous souffrez d'une pathologie cardiaque, évitez de garder les bras en l'air et toute position où la tête se trouve placée plus bas que le cœur. En position allongée, placez un support sous votre tête.

Le Cobra

Allongez-vous sur le ventre, jambes tendues, pieds joints et mains posées à plat sur le sol, juste devant vos épaules. En inspirant, levez le menton, puis soulevez la tête et le buste en vous servant de la force de votre dos et sans vous aider des mains. Redressez-vous en dégageant la tête des épaules. Revenez en expirant à la position initiale. Gardez la posture le temps de 3 respirations profondes. Attention ! Le Cobra accélère le rythme cardiaque.

La Prière

Asseyez-vous sur les talons, front au sol et bras vers l'avant. Si vous avez du mal à poser le front au sol ou si cette position s'avère inconfortable (étourdissement, par exemple), posez le front sur vos deux poings placés l'un sur l'autre, ou sur un coussin.

Le Cadavre

Allongez-vous sur le dos, bras de chaque côté du corps, paumes vers le haut, jambes un peu écartées. Commencez par ressentir les points de votre corps en contact avec le sol. Sentez-vous porté par celui-ci. Dirigez votre attention sur vos pieds et remontez lentement le long de votre corps en vous concentrant sur chacune de ses parties : chevilles, jambes, cuisses, bassin, thorax, bras, tête. Servez-vous de votre respiration pour laisser chacune de ces parties se poser un peu plus sur le sol. Terminez en ressentant la totalité de votre corps détendu.

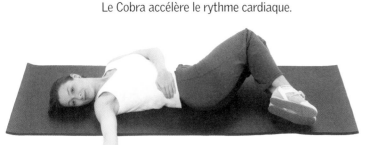

La Torsion au sol

Allongez-vous sur le dos, jambes pliées, pieds à plat sur le sol et bras en croix. En expirant, baissez lentement les jambes vers la gauche tout en repliant le bras gauche sur l'abdomen. Vos épaules doivent rester en contact avec le sol. Revenez à la position initiale en inspirant. Faites ce mouvement 3 fois de chaque côté en alternant. Gardez la posture pendant 3 respirations de chaque côté.

À la recherche de la relaxation

Depuis toujours, l'homme est doté de la capacité de combattre ou de fuir, une réaction primaire de survie. Dès que nous nous retrouvons dans une situation menaçante, l'organisme répond en libérant de l'adrénaline et du cortisol. L'alerte ainsi donnée, nous sommes prêts à combattre, ou à fuir.

Le problème, c'est que ce réflexe est moins utile aujourd'hui qu'aux premiers temps de l'humanité. Généralement, ce n'est pas un mammouth que nous avons à combattre, mais un patron ou un collègue... et les méthodes ne sont pas les mêmes. Alors, nous restons immobiles, avec notre cocktail hormonal bouillonnant et, pour tout résultat, une augmentation de notre tension artérielle et de notre taux de cholestérol, ainsi qu'un risque accru de caillots sanguins.

Mais, tout comme l'organisme est capable d'une « réponse de combat ou de fuite », il possède également une « réponse de relaxation », qui permet au système nerveux, épuisé, de se reposer un peu.

Cette réponse n'est toutefois pas automatique. Les moments où vous pouvez vous asseoir les pieds en éventail dans une chaise longue, avec un bon roman, sont rares. Il en est de même avec la relaxation. C'est un état vers lequel il faut tendre, et l'une des meilleures méthodes pour y parvenir est le yoga.

En respirant profondément avec l'abdomen, en relâchant toutes les tensions par des mouvements et des étirements de vos membres et de tout votre corps, en concentrant vos pensées sur chaque pose, vous désactivez le bouton « réponse de combat ou de fuite ». La « réponse de relaxation » intervient alors. Votre rythme cardiaque ralentit et votre tension artérielle baisse.

Tout comme les étirements, le yoga améliore la circulation sanguine. Votre cœur travaille moins pour envoyer l'oxygène et les nutriments vers vos organes et vos muscles. En entrant dans un état de relaxation, vous améliorez également votre circulation coronarienne en réduisant la constriction de vos artères, c'est-à-dire le rétrécissement de celles-ci.

Pratiquer régulièrement le yoga permet d'allonger les muscles et les tissus conjonctifs, ce qui améliore la flexibilité et la mobilité. Vous pourrez profiter pleinement d'autres activités physiques aérobies ou de musculation, avec moins de douleurs et de courbatures.

Les microbes et les produits chimiques toxiques sont partout. On peut choisir d'en ignorer le danger à ses risques et périls, alors qu'il est si facile d'apprendre à les reconnaître et à les combattre.

Se débarrasser
des toxines

La pollution environnementale, surtout celle de l'air que vous respirez, peut agir de façon significative sur la santé de votre cœur.

Hygiène et santé

L'importance de l'hygiène sur la santé est aujourd'hui largement démontrée, au moins en ce qui concerne les règles de base comme se laver les mains et se brosser les dents. Les changements comportementaux quant à la propreté du corps, du linge et de la maison au cours du XXᵉ siècle, de même que le développement de l'hygiène environnementale, ont fortement contribué à l'importante réduction de la morbidité et de la mortalité dans les pays industrialisés. Pourtant, saviez-vous que les non-fumeurs vivaient en moyenne 10 à 15 ans de plus que les fumeurs ? Pensez-vous qu'en vous protégeant des virus grippaux, vous divisiez les risques de maladies cardiaques par cinq ? Et, plus étonnant encore, que le fait de vous brosser les dents deux fois par jour s'avérait vital pour votre santé cardiaque ?

Certes, nous vivons dans une société où manger abondamment, sans restriction, fumer et boire beaucoup d'alcool fait partie des divertissements pour adultes admis et même valorisés. Vivre sainement n'a pas bonne presse, cela a un côté triste et contraignant. Ce n'est évidemment pas le cas !

Se débarrasser des toxines

Nul n'ignore plus la nocivité du tabac. Cependant, vous serez probablement désagréablement surpris par les autres sources de pollution que nous décrivons ici.

Vous découvrirez comment de petits gestes, comme se brosser les dents ou se faire vacciner contre la grippe, peuvent contribuer à préserver ses artères et son cœur pendant de longues années.

■ **Arrêtez le tabac** Le tabac est le pire des polluants à l'origine des maladies cardiovasculaires. Non seulement allumer une cigarette détériore vos artères et votre cœur, mais cela endommage également les artères de ceux qui vous entourent.

Le fumeur présente 70 % plus de risques de mourir d'une maladie cardiaque que le non-fumeur. Le fumeur risque deux ou trois plus que le non-fumeur de faire un infarctus. Le fumeur hypertendu risque quatre fois plus de faire un infarctus que le non-fumeur qui a une pression normale. Le fumeur hypertendu qui a un taux élevé de cholestérol risque quatre fois plus de faire un infarctus que le non-fumeur qui ne fait ni hypertension ni cholestérolémie. Plus vous fumez, plus le risque s'accroît, plus vite vous arrêtez, plus vite votre cœur guérit. Il est difficile d'arrêter le tabac, mais, avec un peu de volonté et grâce aux innombrables méthodes disponibles pour vous aider, c'est loin d'être impossible.

Pour votre cœur et celui de votre entourage, vous devez arrêter de fumer. Écoutez votre médecin et essayez de mettre en application les conseils que nous donnons ici. Peut-être serez-vous en mesure de jeter dès aujourd'hui votre paquet de cigarettes aux orties pour profiter plus que jamais de la vie.

■ **Lavez-vous les mains souvent** Les microbes sont partout. En vous lavant les mains à l'eau et au savon, vous empêcherez ces intrus d'entrer dans votre bouche, votre nez et vos yeux, où ils peuvent se multiplier et causer des infections et des inflammations dangereuses pour le cœur.

■ **Faites-vous vacciner contre la grippe** Lors d'une récente étude, qui portait sur 658 patients souffrant de maladies du cœur, le vaccin actif antigrippal a été administré à la moitié des sujets, tandis que les autres n'ont reçu qu'un placebo. Résultat : les risques de complications cardiaques ont doublé chez les patients du deuxième groupe. Attraper la grippe peut donc très sérieusement accroître les risques de crise cardiaque et de décès ou aggraver les autres problèmes auxquels sont exposés les patients souffrant de maladies du cœur. C'est pourquoi il est si important de se faire vacciner. Le vaccin contre la grippe est fortement recommandé pour les personnes qui ont plus de 65 ans ou qui sont atteintes de maladies chroniques comme le diabète.

■ **Brossez-vous bien dents et gencives** La plaque dentaire (qui mène à une infection chronique des gencives) peut constituer un facteur aggravant de maladies cardio-vasculaires. Les bactéries qui s'y développent contribuent entre autres à la formation de la plaque d'athérome sur la paroi interne des artères coronaires. Garder des dents et des gencives saines est primordial, en particulier chez les patients présentant un risque cardiaque. Et c'est bon pour le sourire !

Le tabac est particulièrement nocif pour votre cœur. Les fumeurs ont 70 % plus de risques de mourir d'une maladie cardiaque que les non-fumeurs.

Tabac

On pense que ce sont les Mayas, en Amérique centrale, qui furent les premiers à fumer du tabac, vers l'an 1 000 avant J.-C. Et, en 1492, des membres de l'équipage de Christophe Colomb racontèrent à leur retour comment ils avaient vu des peuples de l'actuelle Cuba «fumer des feuilles roulées», ce qui était censé atténuer la fatigue et combattre les effets de la syphilis, entre autres. Les premières graines de tabac furent rapportées en Europe en 1520. Au Portugal, quelques années plus tard, le tabac était cultivé et utilisé comme plante médicinale.

Jean Nicot, alors ambassadeur de France au Portugal, envoya en 1561 des feuilles de tabac râpées à la régente Catherine de Médicis, pour soigner ses migraines. Molière écrivit dans une de ses pièces : « Qui vit sans tabac est indigne de vivre ! » Et les enfants se mirent à fredonner : « J'ai du bon tabac dans ma tabatière... »

Les premières observations de médecins sur les méfaits du tabac remontent au XVIIᵉ siècle, mais ce n'est qu'au début du XIXᵉ siècle que la nicotine est identifiée comme un composant du tabac et, en 1858, un rapport sur les effets nocifs du tabac sur la santé est publié dans le journal scientifique britannique *The Lancet*. Il faudra attendre les années 1950 pour que les premières études épidémiologiques prouvent indiscutablement l'extrême toxicité du tabac.

Que savons-nous du tabac ?

Si le tabac arrivait sur le marché aujourd'hui, il ne serait pas autorisé à la vente. Pourquoi ? Parce que c'est un tueur redoutable : plus de 4 millions de personnes meurent chaque année dans le monde de maladies liées au tabac, soit un décès toutes les 8 secondes. L'OMS (Organisation mondiale de la santé) estime qu'on comptera 10 millions de décès annuels en 2030, soit un toutes les 3 secondes. Au Canada, 37 000 personnes meurent chaque année à cause du tabac.

Statistiquement, un fumeur vit en moyenne 13,2 ans, pour un homme, et 14,5 ans, pour une femme de moins qu'un non-fumeur. La bonne nouvelle, c'est qu'en arrêtant de fumer à 60, 50, 40 ou 30 ans, on gagne dans l'ordre 3, 6, 9 ou 10 ans d'espérance de vie.

La fumée du tabac affecte de nombreux organes et systèmes du corps humain, avec d'innombrables et redoutables conséquences physiopathologiques. Citons en premier lieu les maladies cardiovasculaires.

Fumer augmente le rythme cardiaque et la tension artérielle, accroît les risques de caillots sanguins, épuise le stock de « bon » cholestérol (HDL), augmente les triglycérides et détériore les parois artérielles et les vaisseaux sanguins. L'infarctus, les accidents vasculaires cérébraux, l'artérite des membres inférieurs et les anévrismes sont également liés à la fumée de tabac. Et ce n'est pas tout ! Le tabac est responsable de maux de tête, de vertiges et d'une diminution de la résistance à l'effort. Il est associé à 30 % de l'ensemble des cancers et à 90 % des cancers du larynx, des bronches, des cavités buccales, de l'œsophage et des poumons ; il est indirectement impliqué dans les cancers du pancréas, de la vessie, du col de l'utérus et de l'estomac.

En outre, chaque année, le tabagisme est responsable d'un nombre important de décès résultant de maladies respiratoires. Il dépasse ici de loin les autres facteurs, comme la pollution de l'air ou les pollutions en milieu de travail (amiante, fer, etc.).

Inspirez, expirez

À chaque inhalation, plus de 4 000 substances chimiques passent dans le sang, dont une cinquantaine sont clairement cancérigènes et deux sont très dangereuses : la nicotine et le monoxyde de carbone.

La nicotine est le produit qui, outre ses effets physiques sur l'organisme, induit l'accoutumance et la dépendance. C'est une substance psychoactive qui agit sur le cerveau et procure une sensation euphorique de plaisir et de détente. C'est aussi un stimulant extrêmement toxique : si vous absorbiez toute la nicotine contenue dans deux cigarettes, cela suffirait à vous tuer. En fumant, vous n'absorbez qu'une fraction de cette nicotine, mais cela suffit pour que votre fréquence cardiaque atteigne un niveau à risque.

Quant au monoxyde de carbone, c'est le gaz toxique des pots d'échappement... Lorsque vous l'inhalez, il se fixe sur l'hémoglobine des globules rouges à la place de l'oxygène, empêchant l'organisme de bien utiliser celui-ci. Votre cœur doit donc battre plus fort pour trouver dans le sang l'oxygène et les nutriments dont il a besoin. De plus, l'accumulation de dépôts graisseux que provoquent la nicotine et le monoxyde de carbone obstruent les artères, limitant encore plus l'arrivée du flux sanguin au cœur.

Pendant que l'on fume, le cœur bat donc davantage, tandis que les artères, rétrécies, lui fournissent moins de sang et que l'apport en oxygène est diminué. Plus d'effort, moins d'air, jusqu'au jour où le cœur étouffe : c'est la crise cardiaque, parfois mortelle. Bien sûr, le nombre d'années pendant lesquelles vous fumez et la quantité de cigarettes consommées augmentent d'autant les risques.

Éteignez le feu

Toutes les nouvelles concernant le tabac sont mauvaises, sauf une : vous pouvez arrêter les dégâts. Peu importe depuis combien de temps vous fumez, le risque d'infarctus commence à diminuer dès l'arrêt du tabac.

Un an après, le risque a diminué de moitié et le risque d'accident vasculaire cérébral rejoint celui d'un non-fumeur ; 10 à 15 ans après la dernière cigarette, l'espérance de vie redevient identique à celle des personnes n'ayant jamais fumé. Voici ce qu'il faut savoir pour arrêter.

■ **Il vous faut une raison supplémentaire**
Vous venez de lire à quel point le tabac détruit votre santé. La même information figure en gros caractères sur les paquets de cigarettes. La plupart des fumeurs savent que c'est mauvais pour eux, mais ne penser qu'à soi ne suffit pas toujours. Et puis, la nicotine crée une réelle accoutumance.

Pensez à tout ce que vous pourriez rater en vivant 10 ou 15 ans de moins : le mariage d'un enfant, la naissance d'un petit-enfant... Pensez à tous ceux qui sont proches de vous, votre famille et vos meilleurs amis. Qui vous manquera le plus, et à qui manquerez-vous le plus si vous mourez prématurément ? Arrêtez pour eux.

■ **Votre médecin peut vous aider** Le tabac, bien que n'étant pas reconnu comme une drogue illicite, entraîne une forte dépendance. Sur ce plan, les spécialistes classent la nicotine avant l'alcool, la cocaïne et l'héroïne. C'est pourquoi il faut parfois plusieurs tentatives pour arriver à s'arrêter. Il est clair aussi que vos chances de réussir augmentent si vous impliquez votre médecin. Prenez l'initiative. Votre généraliste peut vous donner des conseils précis et vous encadrer. Vous réussirez mieux si ça vient de vous. Seulement la moitié des patients parviennent à arrêter quand la demande vient du médecin.

■ **Essayez les substituts nicotiniques**
Beaucoup de personnes trouvent que les patches, gommes à mâcher, pastilles, inhalateurs, atomiseurs nasals, comprimés à la nicotine et autres substituts aident à passer les premiers temps sans cigarettes plus facilement. Certains sont en vente libre, les autres sur ordonnance (voir aussi p. 204).

■ **Passer aux « légères » ne marche pas**
Si vous voulez vous arrêter de fumer, cela ne sert à rien de passer à des cigarettes dites légères. Leur composition est presque identique à celle des cigarettes classiques. L'effet *light* repose surtout sur la présence de petits trous au niveau du filtre qui permettent de diluer la fumée. Résultat : on tire plus fort et plus longuement dessus pour obtenir « l'effet nicotine » désiré.

Fumer des cigares ou la pipe à la place n'est pas non plus une bonne solution : vous absorberez quand même de la nicotine et, que vous le vouliez ou non, vous avalerez forcément de la fumée.

■ **L'exercice physique est bon** Faire une activité physique vous aidera à arrêter plus facilement. Vous éliminerez des hormones du stress, ce qui diminuera le besoin de fumer, et vous produirez des « hormones du bonheur », ce qui atténuera la sensation de manque. Certaines études montrent que ceux qui font régulièrement de l'exercice ont deux fois plus de chances de réussir à arrêter de fumer. De plus, cela limite l'éventuelle prise de poids de 2 à 4 kg (5-10 lb) qui peut accompagner l'arrêt du tabac.

■ **Évitez les mauvaises influences** Il est plus difficile d'arrêter de fumer lorsqu'on est entouré de fumeurs, puisque la tentation est omniprésente. De plus, respirer l'air enfumé est mauvais pour le cœur. On connaît les ravages du tabagisme passif, surtout sur les enfants. Le risque d'infarctus double chez les fumeurs passifs par rapport aux non-fumeurs, selon une étude-phare qui a porté sur

Mon contrat « J'arrête de fumer »

Je, soussigné(e) _____ , m'engage à arrêter de fumer le _____ . À partir de ce jour-là, je serai un non-fumeur, libéré des contraintes physiques, mentales, sociales et financières du tabac.

J'arrête de fumer pour moi-même, mais aussi pour (liste des êtres aimés) _____

_____ .

Lorsque je serai en manque et que j'aurai envie de fumer, je ferai les choses suivantes pour tenir bon :

_____

_____ .

Si j'ai besoin d'un soutien, j'appellerai _____ .

Après 3 mois sans fumer, j'aurai droit à la récompense suivante : _____ .

Après 6 mois sans fumer, ma récompense sera : _____ .

Après 9 mois sans fumer, ma récompense sera : _____ .

Je fêterai mon année sans tabac avec _____ .

Signature _____ Témoin _____

32 000 femmes. Dans une autre étude, on a constaté que le risque de maladie cardiaque augmentait de 25 %. Si vous vivez avec un fumeur, mettez son cendrier dehors et veillez à ce qu'il y reste. Faites de votre maison un endroit non fumeur dès aujourd'hui.

Arrêtez pour de bon

« Arrêter de fumer, c'est facile ! Je le sais, je l'ai fait des milliers de fois. » Ce mot de l'écrivain américain Mark Twain est hélas très vrai ! Il est difficile de se défaire d'une dépendance à la nicotine. Le fait de réduire la consommation ou d'arrêter tout court peut causer des symptômes de manque pénibles : irritabilité, dépression, maux de tête, agitation, fatigue, fringales, troubles du sommeil, etc. Voici quelques stratégies pour vous aider à parvenir à votre objectif.

1 Fixez une date

Choisissez une date – assez proche – et inscrivez-la sur votre calendrier. Puis commencez à organiser votre future vie sans tabac. Faites un stock de choses saines à grignoter, comme des gommes sans sucre, des petites carottes et autres crudités, des fruits frais, des graines de tournesol... La veille au soir, jetez vos cigarettes, briquets, allumettes et cendriers. Vous êtes non fumeur maintenant : vous n'en avez plus besoin.

2 Faites-le savoir

Dites à tout le monde que vous allez arrêter de fumer à telle date. Peu importe si vous avez déjà fait ce type de déclaration avant. Si c'est le cas, vous pouvez leur expliquer qu'il faut parfois faire plusieurs tentatives avant d'y arriver et que vous comptez sur eux pour vous aider à faire de celle-ci la dernière.

3 Anticipez les difficultés

Certains dépriment lorsqu'ils arrêtent de fumer, surtout les personnes âgées, qui peuvent aussi connaître un épisode de confusion mentale en raison de la diminution temporaire de mémoire et de concentration que cela entraîne. N'hésitez pas à en parler à votre médecin et à lui demander de l'aide. Cela vaut mieux que de rallumer une cigarette en désespoir de cause.

4 Trouvez un vrai soutien

Il est clair que de bénéficier d'un réel soutien multiplie grandement vos chances de réussite. Dans les consultations de tabacologie, de nombreux programmes incluent la participation à des groupes de soutien (votre généraliste pourra vous renseigner, ainsi que votre CLSC). C'est une bonne idée les trois premiers mois, où les rechutes sont les plus fréquentes. Pour plus d'informations, consultez le site de Santé Canada (www.hc-sc.gc.ca) à la section Vie saine.

5 Créez des diversions

Fumer implique trois dépendances : la dépendance physique induite par la nicotine, la dépendance psychique et la dépendance comportementale. Pour renoncer au plaisir de fumer, qui crée la dépendance psychique, sans doute est-il utile de compenser par un autre plaisir.

Quant à la dépendance comportementale, elle vient du fait que, chez les gros fumeurs, allumer une cigarette participe autant d'un réflexe de dépendance que d'un rituel pour se prémunir contre le stress ou pour se faire plaisir. Il est impératif de casser ce rituel en éliminant tout ce qui rappelle la cigarette puis en prévoyant un geste de substitution.

Chantez dans votre auto en écoutant un disque, allez marcher quand vous avez envie de fumer, faites un casse-tête le soir. Restez occupé : la cigarette vous manquera moins.

6 Pensez aux substituts nicotiniques

Vous multiplierez vos chances de réussite par deux en ayant recours au début à des substituts nicotiniques. Patches, gommes à mâcher, inhalateurs ou comprimés sont en vente libre ou sur ordonnance.

Il existe également des médicaments sur ordonnance, comme le bupropion, qui agissent sur la sensation de manque tout en inhibant la sensation de plaisir ressentie en fumant une cigarette. Associés à des substituts nicotiniques, ces médicaments seraient encore plus efficaces. N'oubliez pas de parler de leurs effets secondaires avec votre médecin : céphalées, nausées, vertiges, agitation, anxiété, sécheresse de la bouche.

7 Évitez ce qui donne envie

Pendant les trois premiers mois, essayez d'éviter les situations dans lesquelles vous fumiez automatiquement. Si cela suppose de supprimer le café et l'alcool pendant quelque temps, n'hésitez pas. Ensuite, lorsque vous serez moins vulnérable, vous pourrez à nouveau vous faire plaisir en prenant un café ou un verre de vin. Attention cependant, car l'alcool fait baisser les inhibitions, il faudra donc rester vigilant.

8 Donnez-vous 10 minutes

Quand l'envie vous viendra de prendre une cigarette et cela arrivera fatalement, dites-vous : « Je la fumerai dans 10 minutes. » Inspirez profondément de façon à remplir vos poumons d'air « pur » et à vous détendre. Ne restez surtout pas inactif, vaquez à vos occupations. Dix minutes après, le manque aura disparu, et vous aurez presque oublié que vous vouliez fumer.

9 En cas de rechute

Écrasez la cigarette et restez dans l'esprit « j'arrête de fumer ». Oubliez la situation qui vous a amené à prendre une cigarette.

Pollution de l'air

La recherche le confirme : la pollution atmosphérique reste un facteur de risque cardiovasculaire incontestable.

L'Association américaine du cœur reconnaît de plus que la pollution de l'air est encore plus mauvaise pour le cœur que pour les poumons. Dans une étude épidémiologique sur 500 000 adultes, les chercheurs ont trouvé que la pollution atmosphérique des villes américaines cause deux fois plus de décès par maladie cardiaque que par cancer des poumons ou autres maladies respiratoires. Au Canada, la Fondation des maladies du cœur reconnaît que le smog peut être aussi mauvais pour la santé que la fumée de cigarette.

Les experts croient que les variations des taux de pollution urbaine ont un impact sur les taux de mortalité. On croit que certains polluants ont un effet anti-inflammatoire sur la tunique interne des artères, qui peut déclencher l'athérosclérose. Ils peuvent aussi provoquer une inflammation des poumons, et donc aggraver des problèmes respiratoires.

Les embouteillages font mal au cœur

Dans une étude allemande, on s'est rendu compte que les personnes prises dans des embouteillages présentaient trois fois plus de risque de faire un infarctus dans l'heure suivante que celles qui n'avaient pas de problème de circulation automobile.

Les chercheurs ont évalué 691 cas d'infarctus et en ont tiré la conclusion que 1 sur 12 était lié aux embouteillages. Ils n'ont pu déterminer si les infarctus étaient dus au stress lié aux embouteillages ou à l'exposition à des taux élevés de polluants atmosphériques – comme certains sujets de l'étude avaient pris les transports en commun, on a retenu plutôt la pollution.

Vivre dans un environnement où la circulation automobile est élevée n'est pas bon non plus pour la santé : on y constate davantage de maladies cardiaques.

Les principaux dangers de la pollution viennent de l'ozone, un gaz agressif, ainsi que des fines particules, une sorte de poussière

Avertissements sur la qualité de l'air

Si vous même ou quelqu'un que vous connaissez souffre de cardiopathie, d'asthme ou de diabète, la qualité de l'air est nécessaire pendant les mois très chauds de l'été. Voici ce que recommande Santé Canada :

■ Écoutez la radio ou cherchez à la télévision les reportages sur la qualité de l'air atmosphérique et les avertissements de smog. Planifiez votre journée en tenant compte de ces renseignements.

■ Limitez vos activités physiques à l'extérieur, ou reportez-les, les journées de smog.

■ Réduisez l'exposition aux tuyaux d'échappement des voitures en évitant de pratiquer des activités physiques près des endroits où le trafic est intense, surtout à l'heure de pointe.

■ Ne laissez pas tourner le moteur de votre voiture quand vous êtes arrêté : c'est la meilleure contribution que vous puissiez faire à votre quartier.

de suie, émanant des voitures, des camions, des usines, de la combustion de charbon. Les plus fines d'entre elles peuvent en effet pénétrer profondément dans les poumons. Transportant des composés toxiques, elles créent alors des états inflammatoires qui accélèrent la formation de la plaque d'athérome dans les artères.

Même les activités physiques réputées bénéfiques pour le cœur comme le vélo et le jogging s'avèrent nuisibles si la qualité de l'air est mauvaise. Des chercheurs finlandais ont fait pratiquer à des femmes ayant des antécédents de maladies coronariennes une séance d'exercices sous électrocardiogramme deux fois par semaine durant six mois. Lorsque le niveau de pollution était élevé, elles présentaient des épisodes d'ischémie – c'est-à-dire de diminution du flux sanguin vers le cœur – beaucoup plus nombreux.

Personne n'est épargné par la pollution de l'air, mais les cardiaques et les diabétiques présentent un risque particulièrement élevé.

Où est la pollution ?

La pollution est partout : dans l'air que nous respirons, dans l'eau que nous buvons, parfois dans nos aliments. Voici d'autres exemples de polluants. Une étude de l'Université Johns Hopkins sur 2 125 hommes et femmes de plus de 40 ans a mis en évidence que les sujets atteints de maladie artérielle périphérique avaient 14 % de plus de plomb dans leurs taux sanguins et 16 % de plus de cadmium que les sujets sains. On retrouve ces deux polluants dans l'eau, dans l'air et dans les aliments. Des taux sanguins élevés de mercure à cause des poissons contaminés pourraient aussi élever le risque de maladies cardiaques.

Diminuez votre exposition aux produits chimiques nocifs pour la santé. Utiliser des filtres pour l'eau à même votre robinet de cuisine ou dans votre pichet à eau.

Respirez mieux

À part déménager à la campagne, vous ne pouvez pas faire grand-chose pour changer l'air que vous respirez dehors. Mais il existe nombre de moyens pour limiter l'exposition à l'air pollué et ses effets néfastes sur votre cœur.

■ **Évitez les heures de pointe** Même si vous vivez dans un endroit où la qualité de l'air est plutôt bonne, évitez de faire de l'exercice physique à l'extérieur aux heures de pointe, lorsque les émissions polluantes des véhicules sont les plus importantes. Choisissez de les faire tôt le matin et évitez les grandes voies de circulation.

■ **Restez éloigné des fumeurs** Voilà qui va devenir de plus en plus facile avec l'interdiction de fumer dans les lieux publics, et plus seulement dans certains bars et restaurants. Même une seule cigarette par jour fumée à côté de vous accélère le développement de l'athérosclérose.

■ **Entourez-vous de plantes vertes** Pour purifier l'air dans votre maison trop bien isolée avec ses doubles ou triples fenêtres, faites le plein de plantes vertes, surtout celles qui sont connues pour être particulièrement « filtrantes », comme la phalangère, le lierre ou les palmiers.

■ **Faites le plein d'antioxydants** Les antioxydants comme les vitamines C et E et le bêta-carotène protègent votre cœur et vos poumons des effets néfastes de la pollution atmosphérique. Alors mangez des fruits et des légumes frais !

■ **Ayez du nez** Lorsque vous faites du sport dans un environnement pollué, essayez de respirer par le nez : ses minuscules poils filtrent une partie de l'air avant qu'il n'arrive dans les poumons.

Gerbera

Lierre (*Hedera helix*)

Rhapide (*Rhapis excelsa*)

Phalangère, ou plante araignée (*Chlorophytum comosum*)

Spathiphyllum (fleur de lune)

Plantes dépolluantes

Les plantes d'intérieur ne sont pas seulement décoratives, elles peuvent également améliorer considérablement la qualité de l'air dans une maison. Les **cinq plantes** ci-contre sont parmi les plus efficaces pour combattre les effets des trois polluants domestiques les plus fréquents : le **benzène**, un solvant fréquemment utilisé dans les peintures, matières plastiques et détergents ; le **formaldéhyde**, présent entre autres dans les mousses d'isolation et la colle à moquette ; le **trichloréthylène**, un produit cancérigène que l'on trouve dans les peintures, les solvants, les encres et les colles.

Virus et bactéries

S'il existait un traitement efficace, rapide et sûr pour réduire de façon significative le risque de maladies cardiaques, d'infarctus et de décès prématuré, vous l'adopteriez tout de suite. Mais vous faites-vous vacciner contre la grippe tous les ans ? Si la réponse est non, vous passez à côté du meilleur « vaccin anti-infarctus » qu'offre la médecine moderne.

Des chercheurs américains ont suivi plus de 286 000 hommes et femmes de plus de 65 ans qui ont reçu le vaccin contre la grippe deux ans de suite. Ils ont constaté que ces personnes avaient 20 % moins de risques que celles qui ne se faisaient pas vacciner d'être hospitalisées pour une affection cardiaque, 30 % moins de risques de succomber à une pneumonie et 50 % moins de risques de décéder prématurément, toutes causes confondues.

D'autres chercheurs ont suivi quelque 200 hommes et femmes atteints de maladies coronariennes. Ils ont montré que ceux qui étaient vaccinés contre la grippe avaient 67 % moins de risques d'avoir un deuxième infarctus.

D'après les chercheurs, certaines maladies virales augmentent les risques de maladies cardiaques.

Une protection à plusieurs niveaux

Protéger son cœur avec une simple piqûre dans le bras peut sembler nouveau mais est très utile.

Au Canada, l'automne et l'hiver sont les saisons où l'on attrape facilement de petites maladies virales : on « prend froid » ou on attrape un rhume. Le vaccin antigrippal est pour vous protéger de la grippe, pas du rhume. La grippe est causée par les virus de l'influenza A et B. Elle s'accompagne de forte fièvre, de douleurs musculaires et de toux prononcée qui peuvent durer des semaines. Elle n'est pas aussi courante que le simple rhume, mais elle est beaucoup plus grave, surtout chez les personnes âgées ainsi que chez ceux qui ont une maladie chronique du cœur ou des poumons. Les complications de la grippe sont la bronchite, la pneumonie, l'insuffisance rénale et l'insuffisance cardiaque.

Le vaccin contre la grippe doit se faire tous les ans, car les souches vaccinales sont réactualisées chaque année, et l'immunité du vaccin ne dure pas plus de 10 mois. Il doit aussi être administré suffisamment tôt dans la saison, 15 jours étant nécessaires à la formation des anticorps. Pensez-y dès sa sortie, qui a généralement lieu en septembre, afin d'éviter tout risque en cas d'épidémie précoce.

Votre médecin de famille pourra vous renseigner à ce sujet. On recommande le vaccin antigrippal aux plus de 65 ans et à ceux qui souffrent d'une maladie cardiaque ou pulmonaire. Les autres groupes à risque sont les personnes atteintes de maladies chroniques du rein, du diabète et ceux dont le système immunitaire est déprimé, comme les cancéreux. Si vous travaillez ou vivez avec des malades chroniques, faites-vous vacciner vous-même.

Vaccin contre la grippe : quelques précisions

Le vaccin antigrippal à virus inactivés stimule le système immunitaire pour qu'il crée des anticorps en vue de combattre le virus. Il protège contre les virus grippaux les plus virulents, mais ne vous empêchera pas d'avoir des rhumes ou d'être contaminé par d'autres virus aux symptômes parfois proches de ceux de la grippe.

Le vaccin contre la grippe ne peut en aucun cas vous donner la grippe, ni faire apparaître des symptômes grippaux, et le risque d'effets secondaires est minime. Une rougeur à l'endroit de la piqûre est possible, mais loin d'être courante.

Le vaccin contre la grippe ne doit pas être administré aux personnes déjà malades, ni à celles qui sont allergiques aux œufs.

Il existe un vaccin antigrippal qui se donne sous forme de pulvérisation nasale aux États-Unis. Il est fait à partir de virus vivants atténués, et est donc moins sûr chez les immunodéprimés. Il n'a pas encore été homologué au Canada.

Si vous avez plus de 65 ans ou que vous souffrez d'une maladie cardiaque, vous pouvez également vous faire vacciner pour prévenir les infections à pneumocoques, notamment les pneumonies. Ce vaccin ne se donne qu'une fois dans la vie ; il n'y a pas de rappel.

Luttez contre les infections

L'inflammation est mauvaise pour les artères ; se protéger contre les infections est donc bénéfique pour le cœur. Voici quelques façons simples et rapides de vous défendre durant la saison des rhumes et des grippes.

■ **Lavez-vous les mains souvent** La règle numéro un en matière de protection contre les virus et les microbes est de se laver fréquemment les mains. Ainsi, les microbes ne pénétrent pas dans votre organisme lorsque vous mangez, que vous vous frottez les yeux ou que vous vous mouchez.

N'utilisez pas de savons antibactériens, car ils contribuent à créer des bactéries résistantes aux antibiotiques. Un savon classique nettoie tout aussi bien. Il ne détruit certes pas les microbes, mais il les détache et, lorsque vous vous rincez les mains, ils s'écoulent en même temps que l'eau.

■ **Ne vous touchez pas le visage** Essayez de ne pas porter vos mains au visage, surtout durant la saison virale. Il y a forcément des gens malades autour de vous et les microbes qu'ils propagent se déposent sur les poignées de porte, les rampes des escaliers mécaniques, etc.

■ **Ne vous frottez pas les yeux** Les yeux sont une porte d'entrée idéale pour les microbes. Or la plupart des gens se frottent les yeux ou le nez, ou se grattent le visage, 20 à 50 fois dans la journée. Si vous ne pouvez pas résister à la tentation, utilisez les articulations des phalanges, moins porteuses de bactéries que le bout de vos doigts.

■ **Nettoyez les endroits stratégiques** Désinfectez les endroits clés comme les poignées de porte, les claviers d'ordinateur, les volants, les robinets et les téléphones. Laissez sécher la vaisselle à l'air libre. Changez les torchons fréquemment et lavez très souvent les éponges et les brosses à l'eau de Javel. Séparez les brosses à dents de tous les membres de la famille et veillez à ce que chacun ait son propre gobelet pour se rincer la bouche.

■ **Mangez bien et faites de l'exercice** En mangeant équilibré et en veillant à consommer suffisamment de vitamines et de minéraux (éventuellement en prenant des suppléments nutritionnels), vous renforcerez votre système immunitaire, qui sera plus apte à combattre les infections. Faire un peu d'exercice tous les jours contribue aussi à renforcer les défenses de votre organisme. En suivant le programme *30 minutes par jour*, non seulement vous aiderez votre cœur, mais vous stimulerez aussi vos réponses immunitaires.

■ **Soignez vos muqueuses nasales** En hiver, le chauffage central et l'air sec irritent les muqueuses protectrices du nez et de la gorge, ce qui vous rend plus sensible aux infections. Nettoyez-vous le nez plusieurs fois par jour avec du sérum physiologique

210

Un vaccin qui protège les gencives et le cœur ?

Aujourd'hui, c'est le vaccin contre la grippe qui offre la meilleure protection cardiovasculaire (surtout chez les personnes âgées). Il existe cependant un autre vaccin qui pourrait s'avérer tout aussi efficace sur ce plan. Des chercheurs américains ont récemment bloqué le développement de *Porphyromonas gingivalis* (une bactérie qui provoque une inflammation des gencives pouvant mener à un accident thrombo-emboliques et à l'athérosclérose) chez les souris avec un vaccin qui protège contre les maladies parodontales.

Comme vous l'apprendrez dans la partie sur la plaque dentaire (p. 212-213), une infection bactérienne chronique des gencives (infection parodontale) peut augmenter votre risque d'infarctus. Un vaccin parodontal pour les humains est en cours de développement. En attendant, suivez les conseils d'hygiène dentaire des pages 212 et 213.

Achetez un hygromètre.

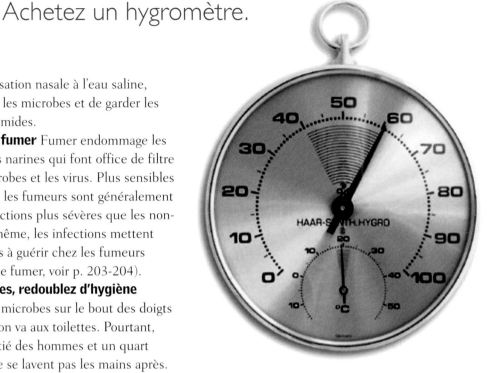

ou une pulvérisation nasale à l'eau saline, afin d'éliminer les microbes et de garder les muqueuses humides.

■ **Arrêtez de fumer** Fumer endommage les petits poils des narines qui font office de filtre contre les microbes et les virus. Plus sensibles aux infections, les fumeurs sont généralement victimes d'infections plus sévères que les non-fumeurs. De même, les infections mettent plus longtemps à guérir chez les fumeurs (pour arrêter de fumer, voir p. 203-204).

■ **Aux toilettes, redoublez d'hygiène**
Le nombre de microbes sur le bout des doigts double lorsqu'on va aux toilettes. Pourtant, près de la moitié des hommes et un quart des femmes ne se lavent pas les mains après. Dans un lieu public, après vous être lavé les mains, utilisez un morceau de papier pour fermer le robinet et un autre pour vous sécher les mains puis pour ouvrir la porte. Tout cela a l'air un peu obsessionnel, mais contribuera à vous protéger de maladies infectieuses comme la grippe ou le rhume.

■ **Emportez un gel nettoyant** Achetez en pharmacie ou au supermarché des gels nettoyants pour les mains sans rinçage ou encore des lingettes. Ayez-en toujours sur vous, cela vous permettra de vous laver les mains même si vous êtes à des kilomètres d'un lavabo. Des études effectuées dans les écoles primaires ont montré que celles qui proposaient aux enfants ce type de nettoyant voyaient le taux d'absentéisme pour cause d'infection chuter de 20 % !

■ **Ayez des mouchoirs à portée de main**
Dès que la saison des reniflements arrive, faites le plein de mouchoirs en papier et placez-en partout dans la maison, mais aussi dans la voiture, sur votre lieu de travail, dans votre sac à main. Utiliser des mouchoirs lorsque l'on ressent le besoin de tousser, d'éternuer ou de se moucher permet en effet d'épargner son entourage !

■ **Ouvrez vos fenêtres en hiver** Laissez les fenêtres entrouvertes, surtout dans les pièces où vous passez le plus de temps : l'air frais chasse efficacement les microbes. Cela est d'autant plus important si vous vivez dans une maison récente où l'isolation ne laisse pas circuler l'air.

■ **Achetez un hygromètre** Ce gadget sert à mesurer le taux d'humidité de l'air. Chez vous, 50 % est une bonne moyenne. Si l'hygromètre affiche en permanence 60 % ou plus, attention, les moisissures pourraient commencer à se développer dans la maison. Au-dessous de 40 %, l'air est trop sec, ce qui rendra plus sensible aux microbes ceux qui vivent sous votre toit.

■ **Allez au sauna une fois par semaine**
Une étude autrichienne a montré que les personnes qui vont souvent au sauna ont deux fois moins de rhumes que ceux qui ne s'y rendent jamais. On ne sait trop pourquoi.

La plaque dentaire

Il n'y a plus de doute aujourd'hui à ce sujet : se brosser les dents et utiliser du fil dentaire ne donne pas uniquement un sourire éclatant. Cela peut aussi vous sauver la vie. On a constaté l'existence d'un lien entre les inflammations chroniques des gencives et les maladies cardiaques. En fait, les personnes souffrant de gingivites chroniques auraient près de deux fois plus de risques de décéder d'un infarctus que celles dont les gencives sont saines. Dans une étude américaine sur 700 hommes et femmes sans antécédents de cardiopathie, les chercheurs ont mis en lumière l'existence d'un lien entre la perte d'une dent (indicateur de maladie dentaire) et la formation de plaque dans les artères.

On sait depuis longtemps qu'avoir de mauvaises dents est un signe de mauvaise santé. Ce n'est que récemment cependant que l'on a trouvé l'explication : l'inflammation. Les bactéries que contient la plaque dentaire (à l'origine des maladies parodontales) peuvent migrer des gencives vers les vaisseaux sanguins, produisant des enzymes qui rendent les plaquettes collantes, ce qui favorise les caillots et le durcissement des artères.

Des chercheurs européens ont traité la parodontie de 94 patients autrement en bonne santé. Avant d'être traités, ceux dont les gencives étaient gravement atteintes présentaient cinq fois plus de risque de maladie cardiovasculaire.

Après que leurs gencives aient été traitées, leur niveau de risque a baissé de façon marquée. La parodontie pourrait entraîner une augmentation du rythme cardiaque au repos, des électrocardiogrammes anormaux et des troubles de la glycémie.

Un coup de brosse

La plaque dentaire est un facteur de risque que vous pouvez facilement contrôler.

■ **Brossez-vous les dents 2 minutes au minimum** Achetez un minuteur et utilisez-le pour chronométrer votre temps de brossage, qui ne doit pas être inférieur à 2 minutes. Les brosses à dents électriques sont munies de minuteurs. Procédez lentement, en vous occupant de 3 ou 4 dents à la fois et en inclinant la brosse à 45°, à cheval sur les dents et les gencives. Brossez toutes les surfaces des dents en un mouvement rotatif ou « en rouleau » là où c'est possible, en allant de la gencive vers la dent. Un brossage efficace est le seul moyen d'enlever le biofilm, la plaque bactérienne qui cause les principaux problèmes buccaux. Brossez-vous les dents au moins deux fois par jour, matin et soir.

■ **Changez souvent de brosse à dents** Une brosse effritée et usée perd de son efficacité

Gencives malades : symptômes

Vos gencives peuvent être en mauvais état sans que vous vous en rendiez compte, d'où l'importance d'aller régulièrement chez le dentiste pour un contrôle. Les signes d'alerte sont :

■ Gencives qui saignent facilement

■ Gencives gonflées et rouges

■ Dents qui se déchaussent

■ Mauvaise haleine persistante ou mauvais goût permanent dans la bouche

■ Dents qui bougent ou qui se séparent

■ Changement dans la manière dont vos dents se touchent lorsque vous les serrez

■ Dentier qui s'adapte moins bien qu'avant

De nombreuses études mettent
en relation les inflammations parodontales
et les maladies cardiaques.

et peut même détériorer dents et gencives. Pensez à changer de brosse à dents tous les 2 mois au moins.

■ **Utilisez du fil dentaire** Le fil dentaire ou les brossettes cylindriques sont nécessaires pour assurer le nettoyage interdentaire (35 % de la surface des dents) et enlever la plaque accumulée entre les dents et sous le sillon gingival avant qu'elle ne se transforme en tartre. Car l'accumulation de plaque dentaire est quotidienne et une fois le tartre formé, seul le dentiste pourra l'éliminer. Selon l'Association dentaire canadienne, seulement 30 % des Canadiens se passent la soie dentaire tous les jours.

■ **Bains de bouche : pas indispensables** Recourez aux bains de bouche en cas d'inflammation ou après une chirurgie mais pas de façon régulière, car cela perturbe

la flore buccale. L'usage prolongé peut augmenter le risque de cancer de la bouche.

■ **Allez chez le dentiste** Faites-vous détartrez les dents deux fois par an, ou tous les 3 mois si vous avez une cardiopathie. Parlez à votre dentiste des traitements que vous suivez. Certains médicaments, comme les antihypertenseurs, peuvent augmenter le risque de maladies parodontales.

■ **Stimulez la salivation** Une bouche sèche favorise l'apparition de caries. Mâchez de la gomme sans sucre pour stimuler la salivation.

■ **Pensez aux antibiotiques** Les personnes souffrant de maladies cardiaques, comme les valvulopathies, risquent une infection cardiaque grave après une intervention dentaire. Parlez-en avec votre dentiste et avec votre médecin afin d'envisager la prise d'antibiotiques avant l'intervention.

Il vous suffit de connaître quelques chiffres clés
et de vous poser les bonnes questions
pour avoir une vision juste de votre santé
cardiovasculaire.

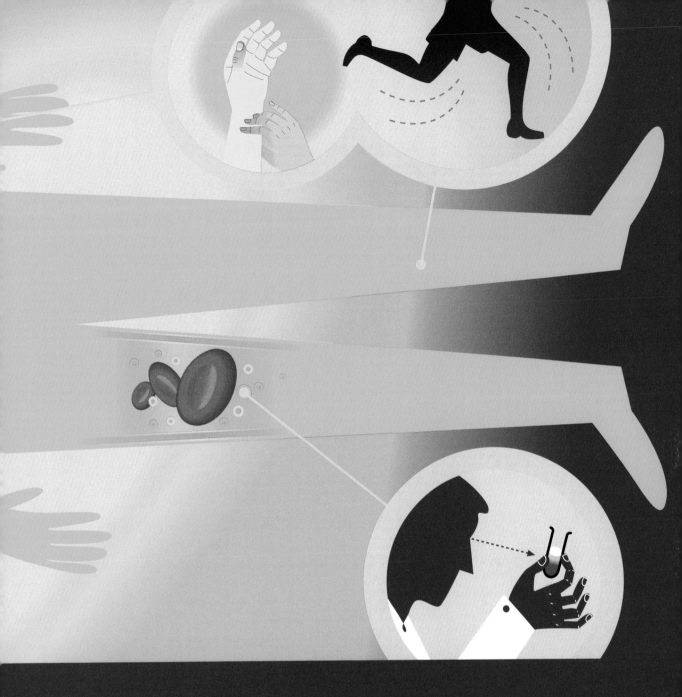

Surveiller votre santé cardiaque

6 chiffres clés pour la santé

Comment procédez-vous pour faire vos comptes ? Si vous êtes expert en la matière, vous pouvez suivre leur évolution au jour le jour. Vous pouvez vous noyer dans les chiffres ou dresser des statistiques. Mais, le plus souvent, un bilan financier se résume à quelques données : dette, capital, revenu mensuel et retour sur investissement.

C'est la même chose pour votre état de santé. Vous pouvez surveiller certains paramètres jour après jour et en interpréter les subtiles fluctuations si vous en avez les compétences. Mais, pour la majorité d'entre nous, notre état de santé s'exprime par quelques valeurs essentielles, dont il faut suivre l'évolution au fil du temps.

Quels sont les chiffres les plus significatifs ?

Posez cette question à cent médecins et vous aurez cent réponses différentes. Cela peut sembler surprenant, mais il n'existe pas de guide des bonnes pratiques permettant à chacun d'assurer le suivi médical de sa santé cardiaque.

Pourtant, il va de soi que, si nous voulons vraiment prendre les choses en main, il nous faut savoir quels sont les meilleurs indicateurs de notre état de santé et quels chiffres sont importants à connaître.

Avec le concours de plusieurs spécialistes, six indicateurs ont été retenus pour permettre à chacun de se situer par rapport à sept facteurs de risque cardiaque. Ces chiffres, faciles à obtenir, sont de bons indicateurs de la santé cardiovasculaire, et tout adulte devrait les connaître et en tenir compte.

Trois d'entre eux peuvent se mesurer facilement. Il suffit pour cela d'un crayon, d'un ruban à mesurer et d'une montre munie d'une trotteuse. Les autres découlent de simples analyses prescrites par le médecin.

Consignez tous ces chiffres et suivez leur évolution au fil du temps. Ils en diront long sur votre santé cardiaque et sur les progrès obtenus grâce au programme *30 minutes par jour* pour un cœur solide.

Apport calorique quotidien

■ **COMMENT VÉRIFIER ?** Inutile de faire de savants calculs pour vous assurer que vous ne dépassez pas les limites. Il suffit de consommer les aliments recommandés dans cet ouvrage en respectant les quantités prescrites. C'est le moyen le plus simple, le plus sain et le plus fiable.

■ **QUAND VÉRIFIER ?** Durant les deux premières semaines de régime, contrôlez les portions à chaque repas pris à la maison en vous servant du guide de la page 101. Continuez ensuite à vérifier de temps en temps. Une fois par semaine, essayez de respecter scrupuleusement la taille des portions pour chacun des repas.

■ **POURQUOI EST-CE IMPORTANT ?** On a tendance à trop manger. Un morceau de fromage ou de viande en plus, un sac de croustilles « exceptionnellement », tout cela s'additionne et finit par faire grossir.

1 APPORT CALORIQUE QUOTIDIEN
Calculez vos besoins

C'est un chiffre qui, si vous y faites attention, peut avoir une grande influence sur votre santé. Comme on l'a vu page 82, on ignore souvent la quantité de calories nécessaire à l'organisme. Pour le savoir, il suffit de multiplier son poids en kilogrammes par un chiffre allant de 28 à 33 (ou son poids en livres par 13 à 15), selon que l'on est plus ou moins actif. Quelle quantité de nourriture consommez-vous réellement ? Bon nombre d'entre nous grignotent pendant la journée sans savoir réellement ce que cela représente au bout du compte. Le plus souvent, notre consommation alimentaire excède largement nos besoins.

Dans un monde parfait, nous ne mangerions que le strict nécessaire pour alimenter l'organisme en énergie. Si l'on voulait maigrir sans danger, il faudrait consommer 500 kcal de moins que ce qu'exige l'organisme. Or nous consommons souvent entre 100 et 1 000 kcal de plus que ce dont nous avons besoin chaque jour.

Pour rester en bonne santé, il est fondamental de savoir quelle est la quantité de nourriture nécessaire à l'organisme et si l'on est ou non au-dessus de la limite. Il est évident que, si l'on mange trop, on grossit et l'obésité fait partie des pires ennemis du cœur. L'autre raison est moins évidente : ce trop-plein de calories va souvent de pair avec une mauvaise alimentation, comportant des produits plus caloriques que des aliments naturels, riches en graisses et/ou en sucre.

Cela dit, compter une à une les calories n'est pas le moyen le plus simple d'adapter sa consommation alimentaire aux besoins énergétiques de l'organisme. Mieux vaut changer de régime : les excès deviennent quasiment impossibles quand on veille à avoir une alimentation riche en fruits et légumes. Un régime à base de produits frais garantit aussi un bon apport en vitamines, minéraux, antioxydants et autres nutriments essentiels à la santé du cœur.

L'apport calorique recommandé pour les femmes est d'environ 2 000 kcal par jour et de 2 550 pour les hommes. Il faut compter 300 à 400 kcal au déjeuner, 500 à 600 pour le repas de midi, 600 à 700 pour le repas du soir, plus deux ou trois collations d'environ 100 à 200 kcal chacune.

Mais l'apport quotidien nécessaire n'est pas constant, il peut varier au fil du temps. En cas d'activité physique plus intense, de convalescence à la suite d'une maladie ou d'une blessure, ou de période de stress, l'organisme aura peut-être besoin d'énergie supplémentaire. Si vous avez perdu du poids, votre corps aura au contraire des besoins énergétiques plus réduits que par le passé. Le métabolisme doit aussi être pris en compte. Certains brûlent mieux les calories que d'autres.

Retenez que tout adulte doit connaître la quantité de nourriture qui lui est nécessaire pour avoir une santé et un poids optimaux. Mesurer l'apport calorique n'est pas très simple : qui est prêt à se plonger dans des tableaux de chiffres à la moindre bouchée et à se perdre dans des calculs sans fin ?

Le meilleur moyen d'y parvenir est d'éduquer notre regard, et c'est ce que nous vous proposons. Il faut par exemple apprendre ce qu'est une « petite » part de gâteau en termes de calories. Pour évaluer la taille des portions, reportez-vous à la page 101.

Les repas et plats proposés dans le programme *30 minutes par jour* devraient vous faciliter la tâche. Contentez-vous de les adapter en fonction de vos besoins.

Les besoins quotidiens en calories ne sont pas constants ; ils peuvent varier au fil du temps.

SURVEILLER VOTRE SANTÉ CARDIAQUE

2 TOUR DE TAILLE
Un bon moyen de surveiller la quantité de graisse dans l'organisme

Le tour de taille est l'un des moyens les plus sûrs pour savoir si votre poids a des effets nocifs sur votre santé cardiaque. Et le ratio taille/ hanches est encore plus précis (il s'obtient en divisant le tour de taille par le tour de hanches). Un chiffre supérieur à 0,90 chez les hommes et 0,85 chez les femmes est signe d'obésité androïde (obésité abdominale) et peut être révélateur d'un syndrome métabolique.

Souvenez-vous que les adipocytes (cellules adipeuses) ne se contentent pas de stocker l'excès de calories que l'organisme ne peut utiliser. Lorsque les graisses de l'organisme sont stockées dans l'abdomen (à l'intérieur et autour de vos organes), ces cellules adipeuses libèrent des substances chimiques inflammatoires ainsi que des protéines de régulation de l'appétit en quantités bien plus importantes que d'habitude. Résultat : le risque d'infarctus augmente car l'inflammation accélère l'athérosclérose.

Il en va de même pour le risque de résistance à l'insuline et le syndrome métabolique, les substances inflammatoires interférant dans le fonctionnement des cellules musculaires et hépatiques. Dans le même temps, la régulation naturelle de l'appétit est perturbée, ce qui conduit à manger toujours plus et augmente la graisse abdominale.

Mesurer son tour de taille est le meilleur moyen d'évaluer la graisse abdominale. Chez les femmes, les risques apparaissent au-delà de 88 cm (35 po). Chez les hommes, le risque augmente à partir de 102 cm (40 po).

Mesurer le tour de taille est le meilleur moyen de surveiller sa graisse abdominale.

Tour de taille

■ **COMMENT LE PRENDRE ?** Faites le tour de l'abdomen avec un ruban à mesurer, au niveau du nombril, sans trop serrer et sans rentrer le ventre : vous serez le seul à connaître le résultat.

■ **QUAND LE PRENDRE ?** Il convient de mesurer votre tour de taille toutes les 2 semaines. Pour les femmes, on évitera la période des menstruations et la semaine qui précède, car la rétention d'eau peut faire gonfler le ventre et fausser le résultat.

■ **POURQUOI EST-CE IMPORTANT ?** En mesurant régulièrement votre tour de taille, vous pourrez évaluer vos progrès. Cela vous incitera également à reprendre le programme si vous faites trop d'écarts.

3 LDL ET HDL
Le cholestérol : à surveiller pour éviter l'infarctus

Ici, il y a plusieurs chiffres importants à prendre en compte. Il vous faut en effet savoir non seulement quel est votre niveau total de cholestérol, mais aussi quels sont vos niveaux de LDL (le « mauvais » cholestérol) et de HDL (le « bon » cholestérol). Quand vous allez chez votre généraliste avec des résultats d'analyses, le laboratoire peut avoir dissocié ces deux formes de cholestérol et calculé le rapport entre le cholestérol total et les lipoprotéines HDL. Si c'est le cas, demandez les chiffres correspondants ainsi que le ratio et notez-les.

Le taux de cholestérol total doit être inférieur à 5,2 mmol/l et le taux de LDL inférieur à 3,5 mmol/l (ou 2 mmol/l en cas d'antécédents cardiaques). Le taux santé de HDL doit être à 1,3 mmol/l ou au-dessus.

LDL et HDL

■ **COMMENT VÉRIFIER ?** Il faut faire une analyse de sang en étant à jeun depuis 12 heures. L'analyse en laboratoire est bien plus fiable que les kits individuels, qui ne vous donnent pas les chiffres séparés de LDL et de HDL.

■ **QUAND VÉRIFIER ?** Si votre taux de cholestérol reste au-dessus de 6-6,5 mmol/l, votre généraliste vous proposera de modifier votre mode de vie. Il peut aussi vous prescrire des médicaments et recommander des contrôles réguliers en cas de cardiopathie ou de diabète.

■ **POURQUOI EST-CE IMPORTANT ?** Les niveaux de LDL et de HDL font partie des meilleurs indices de prévision du risque d'infarctus. Des contrôles réguliers vous permettront d'établir des tendances (taux de LDL en progression régulière, taux de HDL en baisse) et d'anticiper les problèmes.

4 TENSION
Un bon indicateur de la santé des artères

La tension, c'est-à-dire la pression exercée par le flux sanguin sur les parois des artères, varie naturellement au cours de la journée. Quand elle reste durablement élevée, elle révèle une hypertension et un risque plus élevé d'athérosclérose, de maladie cardiaque ou d'accident vasculaire cérébral (AVC).

Une tension à 140/90 mm Hg, ou plus, est considérée comme élevée. Entre 120/80 et 139/89, il peut déjà y avoir des risques et il faut intervenir pour prévenir le développement de l'hypertension. Le programme d'activité physique et le régime nutritionnel proposés dans cet ouvrage (avec de nombreux fruits et légumes riches en potassium) peuvent y contribuer.

Tension

■ **COMMENT LA PRENDRE ?** La tension est prise par le généraliste à chaque visite, mais vous pouvez aussi acheter un appareil et la mesurer chez vous ou la mesurer gratuitement sur les appareils disponibles en pharmacie. Les études ont montré que les patients qui prennent eux-mêmes leur tension en contrôlent mieux les variations. Mais cela ne remplace pas la visite médicale.

■ **QUAND LA PRENDRE ?** Posez la question à votre généraliste. Vous pouvez demander un contrôle à chaque visite médicale.

■ **POURQUOI EST-CE IMPORTANT ?**
Faire vérifier régulièrement sa tension permet de déceler un problème potentiel très tôt, à un moment où une simple modification des habitudes de vie est encore susceptible de faire baisser la tension sans médicaments.

5 TRIGLYCÉRIDES
Une autre forme de graisse à surveiller

Les triglycérides sont produits à partir des lipides et des glucides présents dans l'alimentation, et convertis sous une forme susceptible d'être stockée par les adipocytes (cellules adipeuses). Les triglycérides sont aussi libérés par les tissus graisseux lorsque l'organisme a besoin d'énergie supplémentaire entre les repas. S'il est normal d'avoir des triglycérides dans le sang, il y a un lien avéré entre un taux élevé de triglycérides et l'existence d'affections coronariennes, surtout chez les femmes.

Un taux élevé de triglycérides associé à un niveau bas de HDL (« bon » cholestérol) peut renforcer le risque de résistance à l'insuline et de syndrome métabolique. Le taux de triglycérides doit normalement être inférieur à 1,7 mmol/l.

Triglycérides

■ **COMMENT VÉRIFIER ?** L'analyse se fait généralement en même temps que celle du taux de cholestérol, en une seule prise de sang à jeun.

■ **QUAND VÉRIFIER ?** Le médecin vous conseillera sur la fréquence des contrôles. Elle peut être très variable, allant d'une fois par an seulement lorsque le taux est normal jusqu'à tous les 3 mois en cas de taux élevé.

■ **POURQUOI EST-CE IMPORTANT ?** Le contrôle régulier du taux de triglycérides constitue un bon système d'alarme pour votre santé cardiaque.

6 POULS MATINAL
Votre cœur est-il en forme ?

Le pouls est le nombre de battements du cœur par minute. En prenant votre pouls régulièrement, au repos, le matin en vous réveillant, vous allez pouvoir mesurer si votre programme d'activité physique est efficace. Au repos, le pouls est de 60 à 90 battements par minute. Les sportifs ont tendance à avoir un pouls au repos plus bas, car la contraction cardiaque est plus efficace. Mais, si vous avez un pouls plus bas que la normale sans pour autant pratiquer une activité physique régulière, parlez-en à votre médecin. Cela peut être un symptôme de maladie cardiaque.

Pouls matinal

■ **COMMENT LE PRENDRE ?** C'est au niveau du cou ou du poignet qu'il est le plus facile à prendre. Pour le poignet, placez l'index et le majeur à l'intérieur du poignet opposé. Appuyez fort avec le plat des doigts jusqu'à ce que vous sentiez le pouls. Pour le cou, cherchez le pouls d'un côté ou de l'autre de la pomme d'Adam. Contentez-vous d'exercer une pression de part et d'autre de la trachée. Une fois que vous avez trouvé votre pouls, comptez les battements durant 15 secondes et multipliez le chiffre par 4.

■ **QUAND LE PRENDRE ?** Prenez-le une fois par mois, le matin, avant de vous lever. Pour vérifier si le programme d'activité physique agit dans le bon sens, prenez votre pouls juste après l'effort et observez le temps nécessaire pour qu'il revienne à la normale. Cet intervalle de temps doit se réduire à mesure que votre forme s'améliore.

■ **POURQUOI EST-CE IMPORTANT ?** Vous saurez que votre programme d'activité physique fortifie votre cœur si votre pouls baisse progressivement tout en restant dans les limites acceptables pour un individu en bonne santé.

Votre santé en chiffres

Avec votre médecin, déterminez les chiffres correspondant à chacune des rubriques suivantes et fixez-vous des objectifs raisonnables. Cochez ensuite les actions que vous souhaitez entreprendre.

Besoins quotidiens en calories

Apport calorique estimé (kcal) : _____

Objectif à atteindre : _____

Excédent : _____

Actions à entreprendre

☐ Réduire le grignotage

☐ Réduire la consommation d'aliments trop gras

☐ Manger davantage de fruits et de légumes

☐ Supprimer la viande du dîner ou du souper

Tour de taille

Tour de taille actuel : _____

Objectif : _____

Actions à entreprendre

☐ Réduire l'apport calorique quotidien

☐ Marcher tous les jours à un rythme soutenu

☐ Respecter le programme d'étirements

☐ Respecter le programme de musculation

Taux de cholestérol

Taux actuel de cholestérol total : _____

Objectif pour le cholestérol total : _____

Taux actuel de HDL : _____

Objectif pour le taux de HDL : _____

Taux actuel de LDL : _____

Objectif pour le taux de LDL : _____

Actions à entreprendre

☐ Renforcer l'apport quotidien en fibres

☐ Manger plus de poisson, d'huile d'olive et de noix

☐ Faire régulièrement de l'exercice

Tension

Tension actuelle : _____

Objectif : _____

Actions à entreprendre

☐ Réduire la consommation de sel

☐ Manger beaucoup de fruits et de légumes riches en potassium

☐ Faire un peu plus d'exercice

Triglycérides

Taux actuel de triglycérides : _____

Objectif : _____

Actions à entreprendre

☐ Remplacer les glucides simples par des glucides complexes

☐ Toujours contrôler la consommation d'alcool

☐ Manger davantage de légumes au quotidien

☐ Réduire la quantité de graisses saturées

Pouls matinal

Pouls actuel : _____

Objectif : _____

Actions à entreprendre

☐ Faire régulièrement de l'exercice cardiotonique

☐ S'initier aux techniques de relaxation

☐ Faire des nuits complètes

☐ Perdre du poids

4 questions à se poser au quotidien

Cet ouvrage vous a apporté quantité d'idées nouvelles pour trouver le temps, chaque jour, de consommer des aliments naturellement nourrissants, des suppléments qui protègent le cœur, de pratiquer une activité physique et de vous relaxer. Chaque fois que vous choisissez l'une de ces stratégies, vous faites un pas de plus sur la voie d'une vie plus saine.

Mais les vieilles habitudes sont difficiles à perdre et la route est jalonnée de tentations. Il est si facile de commander une grande portion de frites, de regarder un film tard le soir au lieu d'aller se coucher à 22 heures, ou encore de rester assis toute la journée sans bouger.

Comment savoir si vous avez suffisamment modifié vos habitudes de vie pour faire la différence ? C'est facile : adoptez le système de suivi quotidien que vous propose cet ouvrage.

Le principe est le suivant. Tous les soirs, prenez le temps de répondre à quatre questions concernant votre journée. Ces quatre questions distillent l'essence des messages et des conseils clés du programme *30 minutes par jour*. Ce sont toujours les

mêmes, elles sont donc faciles à retenir. Selon vos réponses, vous saurez parfaitement si vous êtes toujours sur le chemin d'une vie plus saine ou si vos bonnes intentions restent... de bonnes intentions ! Si vous vous trouvez plus souvent dans le second cas, posez-vous ces mêmes questions en fin d'après-midi et non plus le soir. Ainsi, vous aurez encore le souper et la soirée pour rectifier le tir.

Le meilleur moyen d'avancer sur la voie d'une vie longue et saine est d'agir par des mesures naturelles et indolores. Procéder à ces quatre contrôles quotidiens vous y aidera.

1 CONSOMMATION DE FRUITS ET LÉGUMES

Si vous deviez n'introduire qu'un changement dans votre vie, ce serait celui-ci : consommer davantage de fruits et légumes à chaque repas. Ces aliments réduisent les risques de maladies cardiaques en apportant à l'organisme des fibres solubles et insolubles, en injectant des antioxydants dans le sang et les cellules pour protéger les artères, ainsi que des vitamines et minéraux qui contribuent à réguler la tension et à entretenir la souplesse des artères.

Consommation de fruits et légumes

■ **POSEZ-VOUS CETTE QUESTION**
Ai-je consommé au moins cinq portions de fruits et légumes dans la journée ?

■ **VOTRE OBJECTIF** Sept à neuf portions de fruits et légumes par jour si possible.

■ **COMMENT VOUS Y TENIR** Pour les femmes, mettez neuf bracelets au même bras. Chaque fois que vous prenez des fruits ou des légumes, passez un des bracelets à l'autre bras. Pour les hommes, mettez neuf trombones dans la poche de votre pantalon et transférez-les un à un dans une autre poche chaque fois que vous mangez des fruits ou des légumes.

■ **LE PLUS** Préparez-vous de jolies assiettes colorées : brocolis, raisin noir, poivrons jaunes, tomates et pêches, par exemple.

■ **COMMENT VOUS RATTRAPER** Si vous n'avez pas ou presque pas mangé de fruits et légumes au déjeuner et au dîner, rattrapez le temps perdu en mangeant une pomme, une orange ou une poire dans l'après-midi, une grande salade au souper et un autre fruit dans la soirée.

2 CONSOMMATION DE FIBRES

Consommer des fibres à chaque repas permet de réguler le taux de sucre dans le sang, évite les fringales, contribue à la sensation de satiété et limite le risque de diabète ou de problème cardiaque. La consommation de fibres solubles (présentes dans les flocons d'avoine, les légumineuses ou le pain de seigle) réduit aussi considérablement le taux de cholestérol. Les aliments riches en fibres sont moins souvent transformés : votre organisme bénéficie donc en même temps de nutriments naturellement équilibrés, bons pour le cœur. Les céréales entières sont aussi source de vitamine E et d'autres antioxydants. Les noix, riches en fibres, fournissent des graisses mono-insaturées qui préservent le « bon » cholestérol (HDL), et des oméga-3.

Consommation de fibres

■ **POSEZ-VOUS CETTE QUESTION**
Ai-je consommé trois portions de céréales entières ainsi que des noix et /ou des légumineuses aujourd'hui ?

■ **VOTRE OBJECTIF** Deux à quatre portions de céréales entières et une ou deux portions de noix ou de légumineuses.

■ **COMMENT VOUS Y TENIR** Pensez à 3-2-1 : trois portions de céréales entières, deux de légumineuses et une de noix.

■ **LE PLUS** Remplacez l'une de vos portions de céréales entières par un aliment riche en fibres solubles comme des flocons d'avoine.

■ **COMMENT VOUS RATTRAPER** Si vous n'avez pas mangé suffisamment de fibres au déjeuner et à midi, essayez de manger quelques noix dans l'après-midi et de prendre des haricots secs comme plat principal au souper, avec une tranche de pain entier.

SURVEILLER VOTRE SANTÉ CARDIAQUE

Des résultats surprenants

Inutile d'être diplômé en médecine ou d'avoir un stéthoscope pour constater que vos efforts sont payants. Bien avant votre prochain rendez-vous chez le médecin pour faire vérifier votre tension et votre taux de cholestérol, les éléments suivants vous prouveront que vous êtes sur la bonne voie. Vous verrez très vite les premiers résultats, parfois une semaine ou deux après le début du programme.

■ **Plus d'énergie** Vous avez davantage de ressort tout au long de la journée, même au moment du coup de fatigue de 15 heures.

■ **Un meilleur sommeil** Votre sommeil est plus profond. Vous vous réveillez avec le sentiment d'être plus dispos.

■ **Une ceinture plus serrée** Vous avez gagné un cran, voire deux.

■ **Des vêtements qui tombent mieux** Vous avez meilleure allure dans votre jupe ou votre pantalon. Peut-être pouvez-vous de nouveau rentrer dans vos jeans moulants.

■ **Plus d'argent dans le porte-monnaie** Vous faites des économies sur votre budget alimentation car vous limitez votre consommation de produits transformés.

■ **Une meilleure humeur** Vous ne vous laissez plus perturber par les petites sources d'énervement et vous riez plus souvent. Vous vous montrez plus optimiste.

■ **Plus de force** Vous portez plus facilement le sac des commissions et vous soulevez plus aisément vos enfants ou vos petits-enfants.

■ **De vrais muscles** Voyez-vous les biceps commencer à se dessiner ? Vos muscles prennent forme, c'est parfait.

3 TEMPS DE RELAXATION

Se relaxer volontairement ne veut pas dire que l'on va consacrer une heure de son temps à méditer ou à se faire faire un massage. Il y a de très nombreuses façons de se relaxer sans pour autant interrompre ce que l'on fait. Vous pouvez par exemple avoir en permanence une conscience très précise de ce que vous êtes en train de faire, ou prendre quelques minutes pour vous concentrer sur votre respiration. Vous pouvez aussi laisser aller votre colère ou votre impatience avant qu'elles ne multiplient par deux votre risque d'hypertension et de crise cardiaque.

Ne sous-estimez pas les effets apaisants d'une plaisanterie entre amis, de la musique, de la marche ou d'un moment passé à jouer avec son chien ou à profiter de la nature.

Temps de relaxation

■ **POSEZ-VOUS CETTE QUESTION** Me suis-je accordé aujourd'hui au moins 15 minutes de tranquillité pour décompresser ?

■ **VOTRE OBJECTIF** Essayez de réussir chaque jour à vous relaxer un moment.

■ **COMMENT VOUS Y TENIR** Essayez plusieurs fois par jour de réfléchir à ce que vous ressentez réellement. Vous verrez si vous êtes tendu ou agité.

■ **LE PLUS** Une fois par semaine, passez au moins une heure à faire quelque chose que vous aimez vraiment : plongez-vous dans un bon livre, faites du sport, enfermez-vous dans une serre. En bref, faites-vous plaisir.

■ **COMMENT VOUS RATTRAPER** Au beau milieu d'une journée stressante, souvenez-vous que vous serez beaucoup plus productif si vous vous accordez quelques minutes pour respirer à fond et décompresser.

4 TEMPS D'EXERCICE

L'activité physique permet de contrôler son poids et de brûler les graisses abdominales, de faire baisser la tension et de réguler le taux de cholestérol lorsqu'il a tendance à monter. Cela limite l'inflammation et aide les cellules à absorber une quantité accrue de sucre, ce qui limite le risque de diabète de type II.

Grâce au plan *30 minutes par jour*, vous aurez découvert des dizaines d'idées pour mettre de l'activité à votre quotidien, avec un programme d'activité physique incluant des exercices de musculation pour accroître la densité musculaire, et de la marche pour améliorer la santé cardiovasculaire.

Temps d'exercice

■ **POSEZ-VOUS CETTE QUESTION** Est-ce que je me suis levé de ma chaise aujourd'hui ?

■ **VOTRE OBJECTIF** Rester assis une heure de moins par jour.

■ **COMMENT VOUS Y TENIR** Avant le repas de midi et en milieu d'après-midi, demandez-vous combien de temps vous êtes resté assis sans avoir fait de pause. Ensuite, bougez.

■ **LE PLUS** En marchant, balancez les bras ou grimpez une côte rapidement. Faites des allées et venues quand vous êtes au téléphone.

■ **COMMENT VOUS RATTRAPER** Saisissez n'importe quelle occasion, n'importe quel moment pour faire de l'exercice physique. Prenez les escaliers, pas l'ascenseur. N'allez pas directement à votre voiture. Allez promener le chien. Jouez à cache-cache avec les enfants.

Puis-je sauter une journée ? La réponse est non

Si vous vous sentez un peu effrayé par votre nouveau programme et si vous avez envie de faire une pause de quelques jours, alors il faut vous rappeler cette vérité fondamentale : une vie saine ne se résume pas à un programme que l'on peut suivre ou interrompre à loisir, un régime alimentaire strict, un programme physique rigide ou un temps de relaxation obligatoire.

La santé dépend de la vie que l'on mène, à tout instant. C'est avoir un bon sommeil, se lever de bonne humeur, prendre un bon déjeuner, se sentir bien dans son travail, faire des pauses régulières, rire avec ses amis et sa famille, avoir une attitude positive et manger des aliments frais, aimer la nature, se respecter. Et cela pas seulement de temps en temps, mais tous les jours.

Voici ce qu'il faut vous dire : « Tous les jours, je dors, je mange, je travaille, j'ai des loisirs. » Rester en bonne santé, ce n'est pas faire autre chose. Mais c'est agir de façon plus réfléchie, plus saine, avec une attitude un peu différente. Comme le souligne cet ouvrage, ce sont les choix que l'on fait dans les petits riens de la vie courante qui importent le plus : prendre du pain entier au lieu de pain blanc, faire un tour à pied au lieu de se mettre devant la télévision, éclater de rire au lieu de céder à la colère. Nous sommes confrontés à ce type de choix tous les jours, et c'est en faisant les bons que l'on va conserver des artères saines, faire baisser sa tension, fortifier son cœur et avoir une vie longue et heureuse.

Ne croyez pas qu'il suffit de suivre un régime pour être en bonne santé. Un programme au sens strict peut vous permettre de vous engager sur la bonne voie, vous aider à faire des meilleurs choix, à vous débarrasser des mauvaises habitudes et à en adopter de meilleures. Mais, au bout du compte, vivre pour rester en bonne santé, c'est vivre, tout simplement, en menant une existence saine et agréable.

C'est au quotidien que se font sentir les effets d'une hygiène de vie plus saine : rapidement vous vous sentirez en meilleure forme, plus combatif, plus dynamique et de meilleure humeur !

Le programme
30 minutes par jour

Mettre le programme en œuvre pour un cœur à toute épreuve

Comme vous avez pu le constater dans les pages qui précèdent, le programme *30 minutes par jour* n'a rien de rigide, mais c'est un engagement : l'engagement qu'il vous suffira de 30 minutes par jour, au maximum, pour intégrer dans votre vie les petits changements qui vous permettront de garder un cœur solide, bien protégé. Mais que faire une fois que vous aurez refermé ce livre ?

Les pages qui suivent ont pour but de répondre à cette question. L'objectif de cet ouvrage est de vous aider au mieux à entamer ce programme – et à vous y tenir. Voici un résumé de ce que nous vous proposons.

■ **Kit de départ** Vous avez décidé d'adopter notre programme. Il est maintenant temps d'agir. Reportez-vous au chapitre « Le premier pas » (p. 53) afin de déterminer vos priorités personnelles.

Servez-vous ensuite de ce canevas pour décider, par ordre d'importance, des changements que vous voulez apporter dans votre mode de vie.

■ **Contrat pour un cœur en bonne santé**
Pour avaliser vos nouvelles résolutions, signez un contrat pour votre cœur (p. 232) ou, mieux encore, demandez à votre conjoint (ou à un ami) de lire le document et de le parapher en tant que témoin.

Voici l'un des enchaînements de yoga les plus populaires : la Salutation au Soleil est à la portée de tout débutant. Pourquoi n'essayeriez-vous pas ?

■ **Pense-bête quotidien** Il s'agit d'une liste à passer en revue tous les soirs pour être sûr que vous effectuez bien tous les petits changements nécessaires à votre santé cardiaque. Photocopiez-le en plusieurs exemplaires.

■ **Salutation au Soleil** Cet enchaînement traditionnel du yoga, fortifie et assouplit tout le corps. Faites-vous conseiller par un professeur.

■ **Exercices de musculation supplémentaires** Notre programme prévoit 5 minutes quotidiennes de musculation. Vous y trouverez une série d'exercices répartis sur 2 semaines, avec des mouvements différents chaque jour.

■ **Recettes saines et savoureuses** Testées et approuvées, ces recettes réalisées à partir de produits frais sont conçues tout autant pour leur saveur que pour leurs bienfaits sur la santé.

■ **Questions courantes** Les médecins qui traitent des problèmes cardiaques sont souvent très sollicités. Voici les réponses aux principales interrogations.

■ **Pour en savoir plus** Pour vous permettre d'approfondir les idées développées dans cet ouvrage, nous vous proposons une liste d'organismes, de sites Internet et de livres qui pourront vous être utiles.

Kit de départ

La clé du succès du programme que nous proposons réside dans une modification progressive des habitudes de vie nocives pour le cœur, au profit de pratiques plus salutaires. Passez en revue la liste de propositions ci-dessous et annotez celles qui vous semblent appropriées en appliquant la codification suivante :

I   **Immédiatement.** Je veux commencer tout de suite.

B   **Bientôt.** Je m'y mettrai dès que j'aurai assimilé la première série de changements envisagés.

U   **Ultérieurement.** Je m'en occuperai dans les mois qui viennent.

RC   **Recherches complémentaires.** Je souhaite en savoir plus sur le sujet avant de m'engager.

ALIMENTATION

- [ ] Prendre un déjeuner plus sain
- [ ] Prendre un dîner plus sain
- [ ] Prendre un souper plus sain
- [ ] Consommer davantage de légumes
- [ ] Consommer des glucides plus sains (pain entier, riz brun...)
- [ ] Consommer davantage de poisson
- [ ] Consommer des collations plus saines, qui ne soient pas toutes préparées
- [ ] Limiter ma consommation de sucre
- [ ] Boire plus d'eau
- [ ] Boire moins de boissons gazeuses
- [ ] Manger moins de croustilles, de bonbons, de crèmes glacées et de biscuits
- [ ] Cesser de manger par habitude, par ennui ou par stress
- [ ] Prévoir le contenu de mes repas à l'avance
- [ ] Faire une liste de courses
- [ ] Manger moins souvent au fast-food
- [ ] Autres

MOUVEMENT

- [ ] Débuter la journée par quelques étirements
- [ ] Faire 5 minutes de musculation par jour
- [ ] Faire tous les jours une longue marche à un rythme soutenu
- [ ] Faire davantage de petits déplacements à pied au cours de la journée
- [ ] Essayer le yoga
- [ ] Rester debout plus souvent au cours de la journée
- [ ] Reprendre ou débuter une activité telle que le jardinage, l'aviron ou le vélo
- [ ] Autres

MODE DE VIE

- [ ] Essayer de ne pas me mettre en colère
- [ ] Essayer de gérer mon stress plus efficacement
- [ ] Trouver les moyens de rire davantage
- [ ] Être plus indulgent envers moi-même et envers les autres
- [ ] Être plus affectueux avec mes proches et mes amis
- [ ] Conforter ma pratique spirituelle ou me fixer des objectifs altruistes
- [ ] Perdre une mauvaise habitude, comme la cigarette ou l'excès d'alcool
- [ ] Faire des nuits plus longues
- [ ] Utiliser des produits ménagers moins toxiques
- [ ] Avoir une meilleure hygiène dentaire en utilisant du fil dentaire
- [ ] Me laver les mains plus souvent et veiller à une hygiène plus rigoureuse
- [ ] Répondre tous les soirs à 4 questions essentielles sur la santé (voir p. 222)
- [ ] Autres

Quels sont les changements que vous envisagez immédiatement ? (Si votre liste comprend plus de cinq points, choisissez d'en reporter certains à plus tard : B pour bientôt. À trop vouloir en faire, on va souvent au devant de l'échec. Progressez lentement, mais sûrement.)

1 _____
2 _____
3 _____
4 _____
5 _____

Que vous faut-il acheter pour commencer ? _____
_____
_____

Qu'allez-vous modifier dans vos habitudes quotidiennes pour commencer ? _____
_____
_____

Comment allez-vous récompenser vos succès ?
Au bout de trois jours _____
Au bout d'une semaine _____
Au bout d'un mois _____

Quels sont les prochains changements que vous prévoyez ?
1 _____
2 _____
3 _____
4 _____
5 _____

Comment comptez-vous tenir vos engagements ? (Annoter votre calendrier, faire le point en début de mois, demander à un proche de vous rappeler à l'ordre, profiter des vacances ou d'un changement de saison pour vous fixer de nouveaux objectifs...)

Quels sont vos objectifs à 3 mois ? _____
_____

Quelle récompense vous offrirez-vous en cas de succès total ? _____
_____

Quelle récompense vous offrirez-vous en cas de succès partiel ? _____
_____

Comment allez-vous vous remotiver si vous n'obtenez qu'un succès limité ? _____
_____
_____

Mon contrat pour un cœur en bonne santé

Date : _____

Je déclare accepter les points suivants :

1 Avoir un cœur et un appareil circulatoire en bon état est essentiel à mon bonheur, ma santé et ma longévité.

2 Les aliments transformés sont généralement inadaptés au bon fonctionnement de l'organisme et nocifs pour la santé cardiaque.

3 Rester assis trop longtemps peut être préjudiciable à ma santé. Un mode de vie trop sédentaire est néfaste pour mon cœur et pour mon bien-être.

4 La colère, l'impatience et le stress permanent altèrent mon humeur mais ont aussi un effet nocif sur mon cœur et mon organisme.

Par conséquent, je m'engage à consacrer 30 minutes par jour à avoir une meilleure alimentation, une activité physique plus soutenue et un état d'esprit plus positif pour améliorer ma santé cardiaque mais aussi faire le plein d'énergie, limiter le risque de maladies et sans doute vivre plus longtemps et plus heureux.

Voici comment je vais trouver ces 30 minutes au quotidien : _____
_____

Voici les points sur lesquels je pense avoir les meilleures chances de succès (par exemple manger davantage de fruits, aller marcher pendant la pause dîner, se relaxer tous les jours) **:**   _____
_____

Voici comment je compte évaluer mes progrès : _____
_____

J'affirme que :

■ Je continuerai d'avoir des exigences raisonnables envers moi-même et je ne permettrai pas que ma réussite à long terme soit compromise par de légers contretemps.

■ Je suivrai mes progrès, je réévaluerai mes stratégies et je me fixerai de nouveaux objectifs à court terme toutes les 2 semaines durant les 3 prochains mois, puis tous les mois.

■ J'adhère pleinement à ce contrat et je le conserverai pour me rappeler les engagements que j'ai pris pour améliorer mon état de santé et mon bien-être.

Signature : _____

Signature du témoin (facultatif) : _____

Pense-bête quotidien pour un cœur solide

CE QUE J'AI MANGÉ PENDANT LA JOURNÉE

Les quantités optimales sont en gras.

Fruits	0 1 2 **3 4** 5
Légumes	0 1 2 3 **4 5** 6 7
Céréales complètes	0 1 2 3 **4 5 6** 7 8
Aliments riches en calcium	0 1 **2** 3 4
Légumineuses	0 **1** 2
Poisson	0 **1** 2
Volaille ou viande maigre	0 1 **2** 3 4
Verres d'eau	0 1 2 3 4 5 6 **7 8 9** 10

Mes repas ont-ils été sains ?	O/N
Mes collations ont-elles été saines ?	O/N
Mes portions de nourriture ont-elles été correctes ?	O/N
Ai-je consommé suffisamment de fibres ?	O/N
Ai-je mangé par habitude ou par impulsion ?	O/N
Ai-je évité les boissons néfastes pour la santé ?	O/N

MON ACTIVITÉ PHYSIQUE PENDANT LA JOURNÉE

Temps passé à marcher _____	
Nombre de pas estimé _____	
Ai-je limité le temps passé devant la télévision ?	O/N
Ai-je fait de la musculation ?	O/N
Ai-je fait des étirements ?	O/N
Ai-je pratiqué une forme d'activité physique ?	O/N

Niveau d'énergie (0 : nul, 5 : en pleine forme)

Matin	0 1 2 3 4 5
Après-midi	0 1 2 3 4 5
Soir	0 1 2 3 4 5

MON MODE DE VIE PENDANT LA JOURNÉE

Me suis-je accordé au moins 10 minutes de complète relaxation ?	O/N
Ai-je partagé des moments d'affection avec des amis ou des proches ?	O/N
Ai-je ri de tout mon cœur au moins quatre fois ?	O/N
Me suis-je senti en confiance ?	O/N
Me suis-je montré indulgent ?	O/N

Motivation pour être en bonne santé	0 1 2 3 4 5
Attitude positive	0 1 2 3 4 5
Qualité du sommeil la nuit précédente	0 1 2 3 4 5

Chiffres clés pour la santé (p. 216-221) ou observations

_____
_____
_____
_____
_____

Notes pour le lendemain

_____
_____
_____
_____
_____
_____
_____
_____
_____

4e position **Fente avant de la jambe gauche**

Placez-vous en fente, jambe droite vers l'arrière, genou gauche plié à hauteur de la cheville gauche (il vous faudra peut-être reculer le pied droit). Penchez-vous vers l'avant, bout des doigts ou paumes sur le sol, au niveau du pied avant. Baissez les épaules et avancez la poitrine en regardant droit devant vous.

Relâchez les hanches vers le sol tout en gardant la jambe arrière aussi tendue que possible, sans forcer. Maintenez le temps de quelques respirations.

Si vous avez du mal à poser les mains par terre dans cette position, posez une pile de livres de chaque côté et prenez appui dessus pour soutenir le poids de votre corps. Vous pouvez aussi laisser reposer la jambe arrière au sol si nécessaire.

5e position **La Planche**

Ramenez la jambe gauche au niveau de la jambe droite et tendez le corps pour faire la planche. Écartez les doigts : vos mains doivent être placées à l'aplomb des épaules, comme si vous faisiez des pompes. Rentrez le coccyx afin que les jambes, les hanches et le buste soient parfaitement alignés. Poussez le haut de la tête vers l'avant, rentrez les orteils et amenez les talons vers le bas afin de bien étirer le dos. Maintenez la position le temps de quelques respirations.

Si le mouvement est trop difficile, prenez appui sur les genoux plutôt que sur les orteils.

6ᵉ position **La Chenille**

Posez les deux genoux au sol (si ce n'est pas déjà fait), puis rapprochez lentement le menton et la poitrine du sol. Gardez les coudes près du corps et amenez la poitrine entre les paumes en relevant le coccyx vers le plafond. Maintenez la position le temps d'une respiration.

7ᵉ position **Le Cobra**

Posez les hanches au sol. Placez vos bras à hauteur de la poitrine, coudes vers le haut. Soulevez le buste en utilisant votre dos, sans pousser avec les mains, pour ne pas vous faire mal. Gardez les épaules basses, relevez légèrement la tête et sentez l'ouverture de la poitrine et du dos, entre les omoplates. Maintenez la position le temps de quelques respirations.

8ᵉ position **Le Chien tête en bas**

Repoussez le sol avec les mains, tendez les bras et relevez les hanches de façon que votre corps forme un V inversé. Laissez pendre librement le cou et la tête entre les épaules ou rentrez le menton si la position vous paraît plus confortable. Enfoncez les talons dans le sol tout en poussant les hanches vers le haut pour vous étirer totalement.

Si l'étirement de l'arrière des jambes est douloureux, pliez les genoux pour privilégier l'étirement du dos. Vous pouvez aussi placer les mains sur une marche. Maintenez la position le temps de quelques respirations.

LE PROGRAMME 30 MINUTES PAR JOUR

9ᵉ position **Fente avant de la jambe droite**

Avancez le pied droit. Positionnez-vous de façon que votre genou droit soit à l'aplomb de votre cheville droite tandis que votre jambe gauche est tendue derrière vous. Prenez appui au sol sur les paumes ou le bout des doigts en mettant les mains de part et d'autre de votre pied droit (si vous avez du mal à atteindre le sol, posez les mains sur une pile de livres).

Relâchez les hanches vers le sol en gardant la jambe arrière bien tendue, sans forcer (si vous avez du mal, posez votre jambe arrière au sol). Maintenez la position quelques secondes en respirant.

10ᵉ position **Flexion avant 2**

Ramenez le pied gauche à hauteur du pied droit. Tendez doucement les jambes, sans forcer, étirez le dos vers l'avant, bras tendus dans le prolongement des oreilles. Saisissez l'arrière de vos jambes (entre les chevilles et les cuisses), pliez les coudes, rentrez lentement le menton et rapprochez le buste des jambes. Maintenez la position le temps de quelques respirations.

11ᵉ position **Flexion arrière 2**

Montez les bras sur les côtés. Tendez-les au-dessus de la tête et cambrez-vous en arrière en élargissant la poitrine. Joignez les paumes et regardez vers le haut. Enfoncez les pieds dans le sol et contractez les cuisses pour soulever légèrement les rotules (sans bloquer les genoux). Maintenez la position le temps de quelques respirations.

12ᵉ position **Retour à la position de départ**

Descendez les bras sur les côtés et joignez les paumes devant la poitrine. Comme dans la 1ʳᵉ position, tenez-vous bien droit, pieds écartés de la largeur des hanches. Relevez les orteils et étirez-les, puis reposez-les au sol en répartissant également votre poids sur les deux pieds.

Contractez les cuisses, levez les rotules et rentrez le coccyx. Tendez le haut de la tête vers le plafond : vous devez sentir votre colonne vertébrale s'étirer tout en restant bien droite. Laissez tomber les épaules et avancez doucement la poitrine. Maintenez la position le temps de quelques respirations. Puis répétez l'enchaînement, en commençant cette fois par l'autre jambe.

Questions fréquentes sur le yoga

Le yoga a connu un regain de popularité ces dernières décennies, même si certains le considèrent encore comme une forme de pratique religieuse ou une discipline réservée à des gens très souples.

Voici quelques réponses à des questions que l'on pose souvent.

Q Que veut dire le mot yoga ?

R Yoga signifie littéralement « union ». Cette pratique a pour but d'unifier le corps et l'esprit par des respirations profondes, par la méditation et par des postures physiques qui étirent et fortifient le corps.

Q Faut-il suivre des cours ?

R Non, quoique suivre un cours de yoga soit plus motivant que de faire des exercices tout seul. De plus, un professeur peut vérifier que les mouvements sont correctement effectués et vous éviter de vous faire mal. Il peut aussi vous proposer des adaptations lorsque certains mouvements vous sont pénibles. Enfin, les cours sont un bon moyen de rencontrer des gens qui souhaitent, comme vous, être en meilleure santé.

Q Puis-je faire du yoga même si je n'arrive pas à toucher mes doigts de pied ?

R Bien sûr que oui ! De même qu'il faut marcher et faire de la musculation quand on ne se sent pas en forme pour aller mieux physiquement, les personnes dont les muscles et les articulations manquent de souplesse peuvent tirer des effets bénéfiques de la pratique du yoga. Il faut commencer en douceur, en modifiant les positions si nécessaire, sans jamais forcer. En l'espace de quelques semaines, vous devriez constater des progrès notables en matière de souplesse.

Q Dois-je d'abord consulter mon médecin ?

R Il vaut mieux consulter votre médecin avant de vous lancer dans une activité physique nouvelle si vous souffrez de problèmes de santé, en particulier dans le cas de maladie cardiaque, d'hypertension, d'arthrose ou d'obésité.

Tout comme l'esprit, les muscles ont besoin de nouveaux défis pour rester toniques et vigoureux.

Différents exercices de musculation

Imaginez que vous fassiez tous les matins la même grille de mots croisés devant votre bol de céréales. Durant les deux premiers jours, vous allez peut-être vous amuser à aller de plus en plus vite. Mais, au bout du troisième jour, votre cerveau va décrocher.

Toute comme l'esprit, les muscles ont besoin de nouveaux défis pour rester toniques et vigoureux. Pour ceux qui ont décidé de renforcer leur musculature, voici un peu de variété, avec deux programmes hebdomadaires plus complets.

Comme dans la première série d'exercices (p. 168), nous vous proposons à chaque fois deux exercices par jour (environ 5 minutes en tout), à pratiquer 6 jours par semaine. Le matériel de base est le même : un ballon de stabilité, des haltères et, parfois, une chaise ou une marche. Comme précédemment, faites deux séries de mouvements (entre 10 et 12 mouvements à chaque fois), sauf indication contraire. Certains exercices peuvent paraître un peu étranges au premier abord, surtout ceux qui utilisent le ballon de stabilité : prenez le temps de vous familiariser avec ces nouveaux gestes. **Précaution :** faites d'abord les mouvements sans les poids, afin de vous habituer à les exécuter correctement, sans vous crisper.

Pour un meilleur résultat, changez d'exercices toutes les 8 à 12 semaines. Au bout de quelques mois, abandonnez la première série pour passer aux suivantes, puis reprenez le cycle au début. Vos muscles continueront d'être stimulés et vous resterez vous aussi motivé.

Lundi Dos et biceps

Flexion en marteau

TENEZ-VOUS droit, un haltère dans chaque main, bras le long du corps, paumes tournées vers les cuisses et genoux légèrement fléchis.

EN GARDANT le dos droit et les coudes collés au corps, ramenez lentement les haltères à hauteur des clavicules afin que l'extrémité des poids soit proche des épaules. Marquez une pause, puis ramenez les poids dans la position initiale.

Flexion verticale

TENEZ-VOUS droit, un haltère dans chaque main, pieds écartés de la largeur des épaules, bras tendus le long du corps, paumes face aux cuisses. Gardez les épaules basses.

EN MAINTENANT les haltères collés au corps, soulevez-les lentement le long du buste jusqu'à hauteur des clavicules. Les coudes doivent être au-dessus des haltères et pointer vers l'extérieur. Ne levez pas les épaules. Marquez une pause, puis revenez à la position de départ.

Contraction de la poitrine

COUCHEZ-VOUS sur le dos sur un ballon de stabilité afin qu'il vous soutienne le buste, depuis le cou jusqu'au milieu du dos, genoux fléchis et pieds bien à plat sur le sol. Tenez les haltères au-dessus de la poitrine, bras tendus et paumes tournées vers l'avant. Les poids doivent se toucher.

FLÉCHISSEZ les bras et amenez lentement les poids vers la poitrine jusqu'à ce que les bras soient parallèles au sol. Marquez une pause, puis contractez les muscles de la poitrine et ramenez les poids dans la position initiale.

Extension au-dessus de la tête

PRENEZ un haltère à deux mains et asseyez-vous sur un ballon de stabilité ou au bord d'une chaise. Levez l'haltère au-dessus de votre tête, coudes collés aux oreilles. N'oubliez pas de rentrer le ventre.

EN GARDANT les épaules basses et les coudes collés à la tête, abaissez l'haltère derrière la tête jusqu'à ce que vos avant-bras ne puissent plus rester parallèles au sol. Revenez à la position de départ.

Mercredi Jambes et abdominaux

Monter les marches

TENEZ-VOUS droit à 30 cm environ d'un escalier, pieds écartés de la largeur des hanches, une main en appui sur un mur ou une rampe. Tout en gardant le buste bien droit, avancez le pied gauche au centre de la deuxième marche.

PRENEZ appui sur le pied gauche et tendez la jambe gauche afin de soulever le corps. En même temps, tendez légèrement la jambe droite derrière vous. Marquez une pause et exécutez le mouvement en sens inverse : ramenez la jambe droite au sol tout en gardant le pied gauche sur la marche. Effectuez une première série de mouvements en partant du pied gauche, puis reprenez le tout en commençant par le pied droit.

Rouler avec le ballon

AGENOUILLEZ-VOUS sur un tapis ou une moquette en plaçant le ballon de stabilité devant vous. Joignez les mains, doigts croisés. Posez les mains, les poignets et les avant-bras sur le ballon. Décollez légèrement les pieds et les chevilles du sol et tenez-vous en équilibre sur les genoux en vous inclinant légèrement vers le ballon.

EXERCEZ une pression sur le ballon avec les mains et les avant-bras et faites-le rouler vers l'avant jusqu'à ce que votre corps forme un angle droit avec le sol (vous allez sentir que vos abdominaux se contractent pour maintenir le corps dans cette position et stabiliser la colonne vertébrale). Marquez une pause, puis contractez les abdominaux pour reprendre la position initiale.

Jeudi Dos et biceps

Flexion assise

ASSEYEZ-VOUS sur votre ballon de stabilité ou sur le bord d'une chaise, jambes fléchies et pieds bien à plat sur le sol, écartés de la largeur des épaules. Basculez légèrement le torse vers l'avant à partir des hanches (tout en gardant le dos bien droit) et tendez le bras droit vers le sol en plaquant le coude contre l'intérieur de la cuisse. Prenez appui de la main gauche sur la jambe gauche.

FLÉCHISSEZ lentement le coude droit en ramenant l'haltère à la hauteur de l'épaule droite. Marquez une pause quand vous êtes en haut, puis reprenez lentement la position initiale. Exécutez une première série de mouvements avec le bras droit, puis répétez l'exercice avec le gauche.

Chien/Oiseau

AGENOUILLEZ-VOUS, mains posées bien à plat sur le sol, un tapis ou une moquette. Gardez le dos bien droit et la tête et le cou dans le prolongement du dos.

TENDEZ la jambe gauche puis le bras droit toujours dans le prolongement du dos ou, si possible, un peu plus haut que le buste. Les doigts et les pointes des pieds doivent être tendus. Marquez une pause. Serrez les fessiers et les muscles du dos pour rester en équilibre. Revenez à la position de départ, puis répétez l'exercice de l'autre côté. Effectuez deux séries complètes de mouvements.

Vendredi
Poitrine et triceps

Poussées alternées

COUCHEZ-VOUS sur le dos sur votre ballon de stabilité afin qu'il vous soutienne du cou jusqu'au milieu du dos, genoux pliés et pieds posés bien à plat sur le sol. Avec l'haltère de la main droite, tendez le bras au-dessus de la poitrine, paume tournée vers l'avant. Avec la main gauche, tenez l'autre poids collé à la poitrine, à l'horizontale mais à angle droit par rapport à l'autre haltère (parallèlement au buste).

ABAISSEZ lentement le bras droit en faisant pivoter le poignet lorsque vous arrivez au niveau du buste afin que l'haltère finisse collé à la poitrine. Poussez aussitôt l'haltère gauche vers le haut en faisant pivoter le poignet, paume vers l'avant. Marquez une pause, puis ramenez le poids dans la position initiale. Effectuez deux séries de mouvements en changeant de côté à chaque fois.

Flexion à la française

COUCHEZ-VOUS sur le sol avec un coussin sous la tête, les épaules et le haut du dos. Fléchissez les jambes et posez les pieds bien à plat. Tenez les haltères à bout de bras, légèrement vers l'arrière, de façon que les mains se rejoignent au-dessus de la tête, paumes face à face.

SANS BOUGER le reste du corps, fléchissez lentement les coudes et amenez les poids derrière la tête. Marquez une pause, puis tendez les bras et revenez à la position de départ.

Première série
Samedi Jambes et abdominaux

Fente latérale

TENEZ-VOUS droit, jambes bien écartées.
FLÉCHISSEZ le genou droit et déportez le poids
du corps sur la droite en abaissant les fesses
le plus possible vers le sol. Le genou droit doit
rester à l'aplomb des doigts de pied. Revenez à
la position de départ, puis mettez-vous pieds
joints. Répétez le mouvement de l'autre côté.
Effectuez une série de mouvements sur chaque
jambe en alternant.

Rotation des épaules

ALLONGEZ-VOUS sur le dos sur votre ballon de
stabilité en faisant le pont, le haut du dos contre
le ballon, les hanches dans le prolongement du
dos et les jambes fléchies à angle droit, pieds
bien à plat sur le sol. Tendez les bras
au-dessus de la poitrine, mains
jointes et doigts croisés.

EXPIREZ et abaissez
les mains vers la droite, aussi loin que possible.
L'épaule gauche, le buste et même les fesses
vont se soulever tandis que votre hanche droite
va s'abaisser. Marquez une pause, puis revenez
à la position de départ. Répétez le mouvement
de l'autre côté. Si vous craignez de perdre
l'équilibre, prenez appui contre un mur avec vos
pieds. Vous éviterez ainsi de rouler trop loin
lors de l'exécution du mouvement.

Lundi Dos et biceps

Flexions croisées

TENEZ-VOUS debout, un haltère dans chaque main, bras le long du corps, paumes face aux cuisses et genoux légèrement fléchis.
TOUT EN GARDANT le dos droit et les coudes collés au corps, fléchissez lentement le coude droit et amenez le poids juste au-dessous de l'épaule gauche, la paume face au buste. Marquez une pause, puis revenez à la position de départ. Répétez avec l'autre bras. Effectuez une série de mouvements pour chaque bras en alternant.

Poitrine relevée

COUCHEZ-VOUS sur le ventre, mains sous le menton, paumes vers le sol et coudes écartés.
EN PRENANT appui sur les hanches, décollez la tête, la poitrine et les bras. Maintenez puis relâchez. Essayez d'exécuter le mouvement en contractant les fessiers. N'insistez pas si vous avez mal au dos.

Mardi Poitrine et triceps

Rebond contre le mur

POSEZ les mains contre un mur ou un plan de travail élevé. Reculez jusqu'à ce que le corps forme un angle de 45° avec le sol : il doit être tendu des talons à la tête.

FLÉCHISSEZ les bras et penchez-vous en avant jusqu'à ce que les coudes forment un angle droit. Ne cambrez pas le dos. Repoussez-vous vers l'arrière le plus fort possible, frappez une fois dans vos mains, puis revenez à la position de départ et enchaînez. Contractez les abdominaux tout au long de l'exercice.

Extension à un bras

PRENEZ un haltère dans la main droite et tenez-le à bout de bras au-dessus de la tête. Fléchissez le bras et amenez l'haltère derrière la tête, bras plié à angle droit, en tirant bien.

RAMENEZ de nouveau le bras lentement à la verticale, en vous arrêtant juste avant qu'il ne soit complètement tendu. Maintenez, puis fléchissez de nouveau. Enchaînez une première série de mouvements, puis changez de côté.

Mercredi

Jambes et abdominaux

Plié/Accroupi

PRENEZ une chaise bien stable, tournez-lui le dos. Soulevez la jambe droite vers l'arrière et posez le haut du pied sur l'assise de la chaise. Gardez les bras le long du corps.

PLIEZ lentement la jambe gauche jusqu'à ce que la cuisse gauche soit presque parallèle au sol. En fléchissant, levez les bras devant vous jusqu'à ce qu'ils soient parallèles au sol. Marquez une pause, puis revenez à la position de départ. Ne cambrez pas le dos. Effectuez une première série de mouvements et changez de jambe. Pour mieux faire travailler les jambes, tenez des haltères et gardez les bras le long du corps.

Ballon entre les jambes

ALLONGEZ-VOUS sur le dos, bras le long du corps. Attrapez le ballon de stabilité entre les pieds et les chevilles et levez les jambes vers le plafond.

EN GARDANT le buste en équilibre et les jambes tendues, abaissez lentement le ballon de stabilité à 45° vers le sol. Ne cambrez pas le dos. Marquez une pause, puis revenez à la position de départ. Pour corser le mouvement, mettez les mains derrière la tête, décollez la tête et les épaules du sol et exécutez l'exercice dans cette position. Vos abdominaux doivent être contractés pendant tout l'exercice et le dos ne doit pas décoller du sol.

Jeudi Dos et biceps

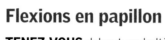

Flexions en papillon

TENEZ-VOUS debout, un haltère dans chaque main, genoux légèrement fléchis, bras le long du corps, paumes tournées le plus possible vers l'extérieur – sans que cela soit douloureux.

EN GARDANT le dos droit et les coudes collés au corps, ramenez les poids vers les épaules. Marquez une pause, puis revenez à la position de départ.

Superman

ALLONGEZ-VOUS sur le ventre, jambes et pointes des pieds tendues vers l'arrière, bras tendus vers l'avant. Positionnez la tête dans le prolongement de la colonne vertébrale en la décollant du sol.

LEVEZ lentement et simultanément le bras droit et la jambe gauche en les décollant un peu du sol. Marquez une pause, puis revenez à la position de départ. Répétez avec le bras gauche et la jambe droite. Effectuez une seule série de mouvements en alternant. N'insistez pas si vous avez mal au dos.

Vendredi Poitrine et triceps

Extension arrière

ALLONGEZ-VOUS sur le dos, genoux fléchis et pieds bien à plat sur le sol. Prenez un haltère à deux mains par la barre et tenez-le à bout de bras à l'aplomb de la poitrine, de façon que le poids soit parallèle au buste.

SANS FLÉCHIR les coudes, abaissez les bras vers l'arrière au-dessus de la tête aussi loin que vous le pouvez (ne forcez pas, pour éviter que le dos ne se cambre). Marquez une pause, puis revenez à la position de départ.

Jeté arrière

METTEZ le genou droit et la main droite sur l'assise d'une chaise, afin que le dos soit parallèle au sol. Prenez un haltère dans la main gauche, coude collé au corps et avant-bras perpendiculaire au sol.

TENDEZ le bras gauche vers l'arrière jusqu'à ce que l'avant-bras soit parallèle au sol. Marquez une pause, puis revenez à la position de départ. Effectuez une série complète de mouvements, puis changez de côté.

Seconde série

Samedi Jambes et abdominaux

Position du sumo

TENEZ-VOUS debout, jambes écartées, pieds tournés vers l'extérieur. Mettez les mains sur les hanches (vous pouvez tenir des haltères au niveau des hanches pour corser le mouvement). Accroupissez-vous légèrement.

SOULEVEZ les talons et restez en équilibre sur les demi-pointes en vous accroupissant davantage encore, jusqu'à ce que les cuisses soient presque parallèles au sol. Marquez une pause, posez les talons et reprenez la position initiale.

Bascule vers l'arrière

ASSEYEZ-VOUS par terre, dos droit, jambes tendues devant vous. Fléchissez les genoux, pieds bien à plat sur le sol. Tendez les bras devant vous à hauteur de poitrine, paumes vers le sol.

PENCHEZ-VOUS vers l'arrière en équilibre sur le coccyx, en décollant les pieds du sol. Vos abdominaux doivent travailler pour vous empêcher de basculer vers l'arrière. Marquez une pause, puis revenez à la position de départ. Gardez le menton rentré pendant tout l'exercice.

Recettes santé cœur

Manger des plats à la fois bénéfiques pour ma santé cardiovasculaire et savoureux, c'est possible, grâce aux recettes proposées dans ce chapitre.

De très nombreux livres de cuisine proposent aux lecteurs des recettes dites saines, sans pour autant détailler ce qui se cache derrière ce terme et quels sont les critères retenus. Soyons justes, il n'existe pas de définition objective d'une recette diététique et les médecins eux-mêmes ont des avis différents sur le sujet.

Ici, nous jouons cartes sur table : voici les critères qui ont été retenus (après consultation de nombreux nutritionnistes) pour créer les recettes proposées dans ce chapitre.

Atouts de ces recettes

■ Elles contiennent majoritairement des produits frais, surtout des fruits et des légumes.

■ Elles sont constituées d'ingrédients bons pour la santé du cœur comme le saumon, l'huile d'olive, le blé entier, les flocons d'avoine, les haricots, le brocoli et l'ail.

■ Elles renferment des glucides complexes.

■ L'apport calorique des plats principaux est de moins de 600 kcal par portion.

■ Ces recettes ne contiennent que très peu ou pas du tout :
  – de produits transformés ;
  – de sucres raffinés ;
  – de sel ajouté ;
  – de graisses saturées.

Il y a quelques exceptions. La salade tiède au fromage de chèvre a plus de calories et plus de gras que les standards décrits précédemment, mais le fromage de chèvre est riche en protéines et en calcium, et il est moins gras que bien d'autres fromages. Le gâteau renversé aux pommes est plus calorique, mais il est plein d'ingrédients santé et les pommes sont un des « superaliments » (p. 103).

Ne vous découragez pas. Commencez par de petites actions : dans un premier temps, réduisez vos portions, puis ajoutez peu à peu à vos recettes plus de légumes et de fruits. Par la suite, coupez le beurre. Très rapidement, appliquer ces conseils deviendra pour vous une seconde nature, et vous les suivrez d'autant plus spontanément que les effets bénéfiques de ce nouveau régime alimentaire seront immédiatement visibles : perte de poids, vitalité retrouvée, etc.

En attendant, testez ces recettes, elles sont bonnes dans tous les sens du terme : bonnes pour votre santé mais aussi bonnes pour vos papilles ! Les conseils nutritionnels que nous venons de vous donner sont tout à fait conciliables avec les notions de plaisir et de convivialité. Quoi de meilleur pour la santé, finalement, qu'un bon repas en famille ou entre amis ?

Au menu...

Déjeuners

Entrées et amuse-gueules

Soupes

Poisson et fruits de mer

Volaille

Bœuf, agneau et porc

Plats végétariens

Accompagnements

Desserts

Déjeuners

♥ Des fruits pour la vitamine C et des céréales pour la vitamine E.

Compote de fruits secs

■ Pour 4 personnes

■ Préparation 10 minutes

■ Cuisson 25-30 minutes

450 ml (1³/₄ tasse) de jus d'orange

3 c. à soupe de miel clair

1 c. à thé de zeste d'orange râpé

1 c. à thé de zeste de citron râpé

1 c. à soupe de jus de citron

1 pincée de clous de girofle moulus

1 pincée de noix de muscade râpée

225 g (8 oz) de fruits secs : pruneaux, abricots, pommes, pêches

40 g (¹/₃ tasse) de raisins secs (ou raisins de Smyrne)

1 Mettez dans une casserole le jus d'orange, le miel, les zestes d'orange et de citron, les clous de girofle et la muscade. Portez à ébullition puis baissez le feu et laissez frémir 5 minutes.

2 Ajoutez les fruits secs et les raisins secs. Portez de nouveau à ébullition, puis baissez le feu, couvrez et faites cuire à petits frémissements 15 à 20 minutes : les fruits doivent être très tendres.

3 Versez dans un saladier et laissez refroidir.

PAR PORTION : 323 kcal ; graisses saturées 0 g ; lipides (total) 0,4 g ; sodium 28 mg ; cholestérol 0 mg ; protéines 2,5 g ; glucides 58 g ; fibres 4,5 g.

Muesli croustillant aux fruits

■ Pour 10 personnes

■ Préparation 30 minutes

■ Cuisson 50-55 minutes

2 c. à soupe de miel clair

4 c. à soupe de jus de pomme

325 g (4 tasses) de flocons d'avoine

80 g (1 tasse) de flocons de blé ou, à défaut, de flocons d'avoine

100 g ($^3/_4$ tasse) de germes de blé

50 g ($^1/_3$ tasse) d'amandes effilées

2 petites pommes, ou 60 g (2$^1/_4$ oz) de rondelles de pomme séchées

75 g ($^2/_3$ tasse) de raisins secs

75 g ($^1/_3$ tasse) de graines de tournesol

1 Préchauffez le four à 325 °F (160 °C). Dans une casserole, délayez le miel dans le jus de pomme. Portez à frémissements sans cesser de remuer. Ôtez du feu et réservez.

2 Mélangez dans un bol les flocons d'avoine et de blé, les germes de blé et les amandes. Répartissez-les en une couche uniforme sur une plaque à four

tapissée de papier à cuisson. Versez le mélange miel-jus de pomme dessus et mélangez à la spatule de façon à bien recouvrir les céréales, puis étalez.

3 Enfournez pour 30 minutes environ, en remuant de temps en temps : le muesli doit être bien doré. Laissez refroidir, en mélangeant à plusieurs reprises.

4 Baissez le four à 250 °F (120 °C). Si vous utilisez des pommes fraîches, lavez-les, coupez-les en deux, ôtez le trognon et recoupez-les en tranches fines. Étalez celles-ci en une seule couche, sur une ou deux plaques à four.

5 Enfournez pour 15 à 20 minutes en retournant les tranches de pomme à mi-cuisson. À la sortie du four, laissez-les refroidir un peu, puis hachez-les grossièrement au couteau. Si vous utilisez des rondelles de pomme séchées, hachez-les aussi.

6 Mélangez les céréales, les pommes, les raisins secs et les graines de tournesol. Ce muesli peut se conserver jusqu'à 1 mois au réfrigérateur, dans une boîte hermétique. Servez-le avec du lait 2 % ou du yogourt nature léger.

PAR PORTION : 306 kcal ; graisses saturées 0,7 g ; lipides (total) 10 g ; sodium 19 mg ; cholestérol 0 mg ; protéines 10 g ; glucides 46 g ; fibres 5 g.

Gaufres au son et aux fraises

- Pour 10 gaufres
- Préparation 15 minutes
- Cuisson 15 minutes

125 g (1 tasse) de farine de blé entier
50 g (1 tasse) de flocons de son (type All-Bran)
1 c. à thé de levure chimique
250 ml (1 tasse) de lait 2 %
120 ml (½ tasse) de crème sure légère
Miel clair
2 blancs d'œufs
300 g (2 tasses) de fraises coupées en lamelles

1 Faites chauffer le gaufrier selon les instructions du fabricant. Dans un grand saladier, mélangez la farine, les flocons de son et la levure.

2 Creusez un trou au centre et versez-y le lait, la crème et 1 c. à thé de miel. Mélangez jusqu'à obtention d'une pâte homogène.

3 Battez les blancs d'œufs en neige et incorporez-les délicatement à la pâte, en soulevant la masse de bas en haut.

4 Versez une louche de pâte au centre du gaufrier de façon à couvrir les deux tiers de sa surface. Fermez le gaufrier et laissez cuire 4 minutes environ, jusqu'à ce que le couvercle se lève facilement.

5 Servez les gaufres avec les lamelles de fraise et du miel.

PAR GAUFRE : 87 kcal ; graisses saturées 1,5 g ; lipides (total) 2,5 g ; sodium 91 mg ; cholestérol 1 mg ; protéines 4 g ; glucides 13 g ; fibres 2 g.

♥ Blancs d'œufs, produits laitiers légers et peu de jambon réduisent la teneur en gras de ce plat.

Frittata jambon-fromage

■ Pour 4 personnes

■ Préparation 15 minutes

■ Cuisson 25–30 minutes

4 c. à soupe de lait 2 %

60 ml (1/4 tasse) de crème sure légère

4 œufs entiers

4 blancs d'œufs

2 c. à soupe de parmesan fraîchement râpé

Poivre du moulin

1 c. à soupe d'huile d'olive

2 oignons hachés grossièrement

175 g (6 oz) de jambon maigre, haché grossièrement

100 g (3 1/2 oz) de fromage mozzarella léger râpé

1 Dans un bol, mélangez bien le lait et la crème sure. Ajoutez les œufs entiers, puis les blancs d'œufs, un à un, en fouettant bien après chaque addition. Incorporez le parmesan et le poivre.

2 Dans une poêle antiadhésive de 25 cm (10 po), faites chauffer l'huile à feu modéré. Ajoutez les oignons et faites-les cuire 7-9 minutes en remuant constamment. Quand ils sont tendres et dorés, ajoutez le jambon et prolongez la cuisson de quelques minutes en remuant.

3 Réduisez la chaleur. Étalez les oignons et le jambon dans le fond de la poêle. Versez dessus le mélange œufs et lait et saupoudrez de fromage mozzarella.

4 Couvrez et laissez cuire 15–20 minutes ou jusqu'à ce que la frittata soit gonflée. Dressez-la dans un plat de service, détaillez-la en pointes et servez.

PAR PORTION : 300 kcal ; graisses saturées 6 g ; lipides (total) 18 g ; sodium 741 mg ; cholestérol 271 mg ; protéines 28 g ; glucides 6 g ; fibres 0.7 g.

Soufflés au poivron et au fromage

- Pour 4 personnes
- Préparation 30 minutes
- Cuisson 25 minutes

4 poivrons verts ou rouges
1 c. à soupe de beurre
2 c. à soupe de farine tout usage
200 ml (¾ de tasse) de lait 2 %
1 jaune d'œuf
Poivre du moulin
115 g (4 oz) de fromage cheddar léger, râpé
4 oignons verts hachés finement
4 blancs d'œuf
2 c. à soupe de parmesan frais râpé

1 Portez le four à 400 °F (200 °C). Coupez les chapeaux des poivrons et réservez-les. Enlevez les graines et les membranes. Coupez une fine tranche sous les poivrons pour qu'ils restent bien dressés au moment du service.

2 Amenez une casserole d'eau à ébullition. Jetez-y les poivrons et leurs chapeaux, couvrez et laissez frémir 3 minutes : ils seront tendres, sans plus. Égouttez-les et dressez-les dans un plat à four.

3 Faites fondre le beurre dans une autre casserole. Jetez-y la farine et laissez cuire, en remuant, 1–2 minutes. Hors du feu, incorporez le lait. Remettez à mijoter sur le feu jusqu'à ce que la sauce épaississe.

4 Laissez tiédir, puis incorporez le jaune d'œuf, le poivre et le fromage. Ajoutez les oignons verts.

5 Fouettez les blancs d'œufs jusqu'à formation de pics fermes ; incorporez-les à la sauce.

6 Farcissez les poivrons et saupoudrez-les de parmesan. Enfournez et faites cuire 25 minutes ou jusqu'à ce que les petits soufflés soient gonflés et dorés. Coiffez des chapeaux et servez.

PAR PORTION : 262 kcal ; graisses saturées 7 g ; lipides (total) 13 g ; sodium 361 mg ; cholestérol 80 mg ; protéines 19 g ; glucides 18 g ; fibres 3 g.

Galettes tomate-basilic

- Pour 22 galettes
- Préparation 20 minutes
- Cuisson 12 minutes

215 g (2 tasses) de farine tout usage
55 g (1/3 tasse) de farine de blé entier
2 c. à soupe de germes de blé
4 c. à thé de levure chimique
Poivre du moulin
1 petite tomate épépinée en petits dés
2 c. à soupe de basilic frais ciselé
2 c. à thé de purée de tomates
250 g de yogourt nature léger
   ou 200 ml (3/4 tasse) de babeurre
Huile pour la plaque
Lait 2 % pour glacer

1 Préchauffez le four à 450 °F (230 °C). Mélangez les farines, les germes de blé et la levure dans un grand bol. Poivrez.

2 Mélangez la tomate en dés, le basilic, la purée de tomates et le yogourt dans un autre bol, puis incorporez-les à la préparation précédente. Mélangez bien à la fourchette : la pâte obtenue doit se détacher des parois.

3 Pétrissez délicatement la pâte sur le plan de travail fariné pendant quelques minutes. Étendez-la au rouleau à pâtisserie pour former une abaisse de 1 cm (1/2 po) d'épaisseur. Découpez-y des disques de 5 cm (2 po) de diamètre avec un emporte-pièce ou un petit verre.

4 Rassemblez les chutes de pâte en boule et étalez de nouveau afin de pouvoir faire le plus de disques possible.

5 Disposez-les sur une plaque à four légèrement huilée, en les espaçant de 2,5 cm (1 po). Badigeonnez-les de lait et enfournez-les pour 10 à 12 minutes : les galettes doivent être bien dorées.

PAR GALETTE : 55 kcal ; graisses saturées 0,1 g ; lipides (total) 0,4 g ; sodium 95 mg ; cholestérol 0,1 mg ; protéines 2,2 g ; glucides 11 g ; fibres 0,8 g.

RECETTES SANTÉ : ENTRÉES ET AMUSE-GUEULES

Soupes

♥ Le sélénium, présent dans les crevettes, aide à protéger le système cardiovasculaire.

Soupe de crevettes aigre-piquante

■ Pour 8 personnes

■ Préparation 15 minutes

■ Cuisson 25 minutes

1,5 litre (6 tasses) de fond de poisson fait maison

1 c. à soupe de citronnelle finement hachée, ou
   ½ c. à thé de zeste de lime râpé

1 gousse d'ail, hachée

1 piment chili rouge ou vert frais, haché fin

225 g (8 oz) de champignons de Paris, tranchés

115 g (4 oz) de crevettes crues, décortiquées
   et déveinées

2 c. à soupe de vinaigre de riz ou vinaigre blanc

1 c. à soupe de sauce de soja hyposodique

1 c. à soupe de fécule de maïs

2 oignons verts, en fines rondelles

1 Réunissez dans une casserole le fond de poisson, la citronnelle, l'ail et le chili. Amenez à petit bouillon puis couvrez partiellement et laissez cuire 5 minutes.

2 Jetez dans ce fond les champignons et les crevettes. Couvrez de nouveau partiellement et laissez mijoter 3 minutes : les champignons doivent devenir tendres et les crevettes, roses.

3 Dans un petit bol, mélangez le vinaigre et la sauce de soja ; ajoutez la fécule de maïs et remuez jusqu'à consistance lisse. Incorporez ce mélange à la soupe qui mijote et ramenez l'ébullition. Retirez du feu, ajoutez les oignons verts et servez.

PAR PORTION : 35 kcal ; graisses saturées 0 g ; lipides (total) 0.4 g ; sodium 163 mg ; cholestérol 28 mg ; protéines 4 g ; glucides 4 g ; fibres 1 g.

Gaspacho

■ Pour 6 personnes

■ Préparation 20 minutes

■ Réfrigération au moins 1 heure

85 g (3 tranches) de pain de campagne

2 c. à soupe de vinaigre de vin rouge, blanc
    ou de Xérès

1 gros poivron vert ou rouge grossièrement émincé

1 oignon rouge grossièrement haché

½ concombre pelé, épépiné et coupé en rondelles

4 petites tomates (225 g) épépinées et coupées en
    quatre

15 g (¼ tasse) de basilic frais ou de persil plat

1 gousse d'ail hachée

2 c. à soupe d'huile d'olive

750 ml (3 tasses) de jus de tomate

Sel, poivre du moulin

1 Écroûtez les tranches de pain, coupez-les en quatre et mettez-les dans une assiette creuse. Arrosez du vinaigre, couvrez et réservez le temps de poursuivre la recette.

2 Passez finement le poivron, l'oignon et le concombre au mélangeur. Versez la préparation obtenue dans un saladier.

3 Passez les tomates et le basilic au mélangeur. Versez la préparation obtenue dans le saladier.

4 Passez ensuite l'ail, l'huile, le pain vinaigré et le jus de tomate au mélangeur. Ajoutez la préparation obtenue dans le saladier et mélangez bien.

5 Salez et poivrez. Couvrez de pellicule plastique et placez au moins 1 heure au réfrigérateur. Servez bien frais.

PAR PORTION : 112 kcal ; 0,6 g graisses saturées ; lipides (total) 4 g ; sodium 371 mg ; cholestérol 0 mg ; protéines 3 g ; glucides 16 g ; fibres 2 g.

♥ Pour que la chaudrée offre peu de calories et de gras, on l'épaissit avec les légumes en purée.

Chaudrée de palourdes

■ Pour 8 personnes

■ Préparation 25 minutes

■ Cuisson 50 minutes

12 palourdes fraîches, grattées, ou 2 boîtes
    (147 g chacune) de petites palourdes,
    égouttées et rincées
1,5 litre (6 tasses de fond) de poisson fait maison
25 g (1 oz) de porc salé maigre ou de bacon
    hyposodique, grossièrement hachés
2 gros oignons, grossièrement hachés
450 g (1 lb) de pommes de terre, coupées en dés
500 ml (2 tasses) de lait 2 %
Poivre du moulin
2 c. à soupe de persil frais, haché

1 Mettez les palourdes et 4 c. à soupe de fond de poisson dans une grande casserole. Couvrez. À ébullition, comptez 5 minutes de cuisson. Quand les palourdes s'ouvrent, retirez-les avec une cuillère à trous ; passez le fond et réservez-le. Laissez tiédir les palourdes, puis retirez les mollusques et hachez-les grossièrement.

2 Dans une casserole, faites cuire le lard salé ou le bacon à feu moyen pendant 3 minutes ou jusqu'à ce qu'ils soient croquants. Avec une cuillère à trous, retirez le lard et jetez-le. S'il s'agit de bacon, réservez-le pour la garniture.

3 Mettez dans la casserole 4 c. à soupe de fond et les oignons. Laissez-les cuire 5 minutes environ pour qu'ils soient tendres.

4 Ajoutez les pommes de terre, le reste du fond de poisson et le fond de cuisson des palourdes. Quand l'ébullition est prise, couvrez partiellement et laissez mijoter 10 minutes ou jusqu'à ce que les pommes de terre soient très tendres.

5 Retirez du feu. Défaites en purée, au mélangeur ou au robot, 2 louches de légumes. Versez cette purée dans la casserole et remettez-la sur le feu.

6 Ajoutez le lait et les palourdes. Laissez mijoter 5 minutes, puis poivrez et mettez le persil. Servez la chaudrée garnie de bacon, s'il y a lieu.

PAR PORTION : 104 kcal ; graisses saturées 0,8 g ; lipides (total) 2 g ; sodium 298 mg ; cholestérol 11 mg ; protéines 6 g ; glucides 16 g ; fibres 2 g.

Vichyssoise

■ Pour 8 personnes

■ Préparation 15 minutes

■ Cuisson 45 minutes

■ Réfrigération 1 heure (facultatif)

1 c. à soupe d'huile d'olive
225 g (8 oz) de blancs de poireau en rondelles
1 gros oignon grossièrement haché
1,5 litre (6 tasses) de bouillon (poulet ou légumes)
450 g (1 lb) de pommes de terre coupées en dés
Poivre blanc du moulin
75 g (¹/₃ tasse) de crème sure légère
Ciboulette ciselée

1 Chauffez l'huile dans une grande casserole à feu moyen. Ajoutez les poireaux, l'oignon et 200 ml (³/₄ tasse) de bouillon. Couvrez et faites cuire en remuant souvent, 10 minutes, sans les laisser dorer.

2 Ajoutez les pommes de terre, la moitié du bouillon restant et portez à ébullition. Baissez le feu et laissez cuire à petits frémissements pendant 15 à 20 minutes : les pommes de terre doivent être bien cuites.

3 Passez le tout au mélangeur jusqu'à obtention d'une purée liquide.

4 Versez le bouillon restant dans la casserole et ajoutez la purée de légumes. Portez à frémissements, en remuant sans cesse. Poivrez.

5 Ôtez du feu et incorporez la crème sure en fouettant. Au moment de servir, parsemez de ciboulette ciselée. Cette soupe est aussi délicieuse froide que chaude. Pour la consommer froide, laissez-la refroidir, puis placez-la au moins 1 heure au réfrigérateur.

♥ Les poireaux donnent à cette soupe un petit goût frais. En outre, ils sont très riches en fibres.

PAR PORTION : 111 kcal ; graisses saturées 2,5 g ; lipides (total) 5,5 g ; sodium 94 mg ; cholestérol 10,5 mg ; protéines 2,5 g ; glucides 13 g ; fibres 2 g.

RECETTES SANTÉ : SOUPES

♥ Le poulet est une excellente source de protéines. Sans la peau, c'est une viande maigre.

Soupe de poulet, riz et épinards

■ Pour 8 personnes

■ Préparation 10 minutes

■ Cuisson 20 minutes

140 g (³/₄ tasse) de riz blanc long grain

2 litres (8 tasses) de bouillon de poulet

225 g (8 oz) de poitrines de poulet coupées en morceaux de 5 mm (¹/₄ po) d'épaisseur

350 g (12 oz) de pousses ou de feuilles d'épinards déchiquetées

1 c. à soupe de jus de citron

Poivre du moulin

1 Mettez le riz dans une passoire et rincez-le abondamment à l'eau froide.

2 Versez-le dans une grande casserole avec le bouillon de volaille. Portez à ébullition puis baissez le feu et laissez frémir 10 minutes.

3 Ajoutez le poulet et couvrez. Laissez frémir encore 5 minutes. Ajoutez les épinards et laissez frémir 5 minutes de plus, jusqu'à ce que le riz, le poulet et les épinards soient bien cuits.

4 Arrosez du jus de citron, poivrez, mélangez et servez sans attendre.

PAR PORTION : 120 kcal ; graisses saturées 0,1 g ; lipides (total) 1 g ; sodium 204 mg ; cholestérol 20 mg ; protéines 10 g ; glucides 18 g ; fibres 2,5 g.

Poisson et fruits de mer

Pavés de saumon pochés, sauce au raifort et à la ciboulette

■ Pour 4 personnes

■ Préparation 10 minutes

■ Cuisson 20 minutes

500 ml (2 tasses) de lait 2 %

350 ml (1½ tasse) d'eau

2 c. à soupe de jus de citron

1 petit oignon coupé en fines lamelles

1 tige de céleri, avec les feuilles, grossièrement
   émincée

1 carotte grossièrement émincée

4 grains de poivre

4 pavés de saumon de 115 g (4 oz) environ chacun

1 c. à soupe de raifort râpé

120 ml (½ tasse) de crème sure légère

3 c. à soupe de mayonnaise légère

2 c. à soupe de ciboulette ciselée

Poivre du moulin

1 Versez le lait dans une grande poêle à revêtement antiadhésif. Ajoutez l'eau, le jus de citron, l'oignon, le céleri, la carotte et les grains de poivre. Portez doucement à ébullition, couvrez, puis laissez frémir pendant environ 10 minutes.

2 Ajoutez les pavés de saumon et portez de nouveau à ébullition. Baissez le feu, couvrez et faites pocher le poisson 10 minutes environ.

3 Pendant ce temps, mélangez bien le raifort, la crème sure, la mayonnaise et la ciboulette dans un bol. Poivrez.

4 Égouttez les pavés de saumon sur un plat tapissé d'une bonne épaisseur de papier absorbant.

5 Disposez les pavés de poisson dans les assiettes de service et nappez-les de sauce au raifort et à la ciboulette.

PAR PORTION : 404 kcal ; graisses saturées 7 g ; lipides (total) 27 g ; sodium 382 mg ; cholestérol 70 mg ; protéines 29 g ; glucides 11 g ; fibres 1 g.

Truites grillées au citron

- Pour 4 personnes
- Préparation 15 minutes
- Cuisson 15 minutes
- Marinage 1 heure

1 citron coupé en fines rondelles
1 lime coupée en fines rondelles
1 petit oignon rouge coupé en rondelles
4 c. à soupe de persil ciselé
150 ml (½ tasse) de jus d'orange
2 c. à thé d'huile d'olive
2 gousses d'ail hachées
¼ c. à thé de moutarde
¼ c. à thé de romarin sec
4 truites évidées de 225 g (8 oz) environ chacune
Huile végétale
Poivre du moulin

1 Disposez les rondelles de citron, de lime et d'oignon dans un plat suffisamment grand pour contenir les truites côte à côte. Ajoutez le persil, le jus d'orange, l'huile d'olive, l'ail, la moutarde, le romarin. Poivrez et mélangez bien.

2 Déposez les truites dans le plat et enrobez-les bien de cette marinade. Couvrez de film alimentaire et placez 1 heure au réfrigérateur.

3 Préchauffez le gril du four. Couvrez la grille du four d'aluminium ménager, percez-le de trous et badigeonnez-le avec l'huile végétale.

4 À l'aide d'une écumoire, déposez les truites marinées sur l'aluminium. Versez la marinade dans une petite casserole à travers une passoire, pour récupérer les rondelles de citron, de lime et d'oignon. Réservez-les. Faites chauffer la marinade à feu doux.

5 Glissez les poissons à environ 13 cm (5 po) du gril pendant 6 à 8 minutes. Badigeonnez-les régulièrement de marinade chaude en prenant garde de ne pas vous brûler.

6 Retournez délicatement les poissons et badigeonnez-les de nouveau de marinade. Disposez les rondelles de citron, de lime et d'oignon dessus, en une couche uniforme, et faites griller encore 6 à 8 minutes. Servez bien chaud.

PAR PORTION : 265 kcal ; graisses saturées 0,4 g ; lipides (total) 10 g ; sodium 116 mg ; cholestérol (traces) ; protéines 39 g ; glucides 4 g ; fibres 0 g.

♥ Ces filets de poisson sur leur lit de petits légumes constituent un repas nutritif, facile à préparer.

Filets de poisson sur lit de brocoli, maïs et poivron rouge

■ Pour 4 personnes

■ Préparation 15 minutes

■ Cuisson 40 minutes

4 filets de poisson blanc de 115 à 175 g (4-6 oz) chacun, frais ou décongelés

2 c. à soupe de vinaigrette légère

1 c. à soupe de chapelure fine

1 c. à soupe de parmesan râpé

¼ c. à thé de paprika

1 c. à soupe d'huile d'olive

225 g (1 tasse) de brocoli détaillé en fleurettes

160 g (1 tasse) de grains de maïs

1 poivron rouge coupé en fines lanières

1 petit oignon rouge coupé en fines rondelles

2 c. à soupe de persil frais ciselé

1 c. à soupe de basilic frais ciselé

Huile d'olive

Poivre du moulin

1 Disposez les filets de poisson dans un plat creux et badigeonnez-les de vinaigrette. Couvrez de pellicule plastique et placez au réfrigérateur.

2 Dans un petit bol, mélangez la chapelure, le parmesan et le paprika.

3 Préchauffez le four à 425 °F (220 °C). Huilez quatre petits plats allant au four (ou un grand).

4 Mélangez le brocoli, le maïs, le poivron, l'oignon, le persil et le basilic. Poivrez. Répartissez ce mélange dans le(s) plat(s). Couvrez d'aluminium ménager et faites cuire 25 à 30 minutes : les légumes doivent être cuits, mais encore croquants.

5 Disposez les filets de poisson sur les légumes, couvrez de nouveau d'aluminium et enfournez pour 8 à 10 minutes : le poisson doit être tout juste cuit.

6 Parsemez de la chapelure épicée et enfournez de nouveau, sans couvrir, pour 2 ou 3 minutes : la chapelure doit être dorée. Servez sans attendre.

PAR PORTION : 223 kcal ; graisses saturées 1,5 g ; lipides (total) 6 g ; sodium 171 mg ; cholestérol 56 mg ; protéines 27 g ; glucides 15 g ; fibres 3 g.

Volaille

♥ Le blanc de dinde est particulièrement pauvre en graisses et en cholestérol.

Poitrine de dinde rôtie, sauce à l'ail

■ Pour 10 personnes

■ Préparation 20 minutes

■ Cuisson 2 h 30

1 poitrine de dinde entière (les deux morceaux attachés ensemble, avec os) de 2,5 kg (5½ lb) environ

3 c. à soupe d'huile d'olive

15 gousses d'ail non pelées, mais légèrement écrasées pour casser la peau

350 ml (1½ tasse) de bouillon de poulet maison ou hyposodique

2 c. à thé de jus de citron

Poivre du moulin

1 Préchauffez le four à 350 °F (180 °C). Supprimez toute graisse résiduelle de la poitrine de dinde et étalez-la, peau vers le haut, dans un plat allant au four. Badigeonnez-la d'huile et poivrez. Recouvrez d'aluminium ménager et enfournez pour 45 minutes environ.

2 Retirez la feuille d'aluminium, disposez les gousses d'ail autour de la poitrine de dinde et nappez-les du jus de cuisson de la volaille. Enfournez de nouveau pour 1 h 30 ou jusqu'à ce que le thermomètre à viande piqué dans la chair indique 170 °F (75 °C).

3 Ôtez la peau de la dinde. Disposez la viande dans un plat de service et couvrez-la d'aluminium ménager pour la maintenir au chaud. Retirez la graisse du plat pour ne conserver que le jus de cuisson. Avec le dos d'une cuillère, appuyez sur les gousses d'ail pour les faire sortir de leur peau. Jetez cette dernière.

4 Dans une casserole, mélangez le jus de cuisson, l'ail et un tiers du bouillon de poulet. Portez à ébullition, puis passez ce mélange au mélangeur jusqu'à obtention d'une purée. Versez-la dans la casserole. Incorporez le reste de bouillon et le jus de citron. Poivrez. Laissez frémir 3 minutes. Découpez la dinde en tranches et servez avec la sauce à l'ail.

PAR PORTION : 216 kcal ; graisses saturées 1 g ; lipides (total) 5 g ; sodium 105 mg ; cholestérol 99 mg ; protéines 42 g ; glucides 1 g ; fibres 0,2 g.

Blancs de poulet farcis aux herbes

- Pour 4 personnes
- Préparation 15-20 minutes
- Cuisson 25 minutes

85 g (3 oz) de fromage de chèvre frais à
    température ambiante
1 gousse d'ail hachée
2 c. à soupe de persil frais ciselé
1 c. à soupe de menthe fraîche ciselée
    (ou $3/4$ de c. à soupe de menthe séchée)
4 filets de poulet de 160 g chacun ($1^1/2$ lb en tout)
1 c. à soupe d'huile d'olive
450 ml ($1^3/4$ tasse) de sauce tomate ou marinara
Poivre du moulin

1 Préchauffez le four à 350 °F (180 °C). Préparez
la farce. Mélangez le fromage, l'ail, le persil et la
menthe dans un bol. Poivrez.

2 Supprimez toute graisse résiduelle des filets,
ainsi que l'aiguillette (la partie la plus fine,
sur les côtés) et réservez cette dernière
au réfrigérateur pour une autre utilisation.

3 Faites une incision profonde de 5 cm (2 po)
environ sur le côté de chaque filet, en prenant
garde de ne pas couper la viande de part en part.

4 Avec une petite cuillère, remplissez les cavités
ainsi ménagées dans chaque filet avec un quart
de la farce. La poche doit être complètement
remplie, sans que cela ne déborde.

5 Fermez les poches bord à bord avec des piques
en bois.

6 Placez les filets de poulet sur un plat allant
au four et badigeonnez-les avec un peu d'huile.
Enfournez 20 minutes environ, jusqu'à ce que
la volaille soit bien cuite.

7 Réglez le four sur gril. Badigeonnez les filets
avec le reste d'huile et faites-les griller environ
5 minutes. Servez avec la sauce tomate.

PAR PORTION : 245 kcal ; graisses saturées 3 g ; lipides (total) 8 g ; sodium 104 mg ; cholestérol 118 mg ;
protéines 42 g ; glucides 1 g ; fibres 0,5 g.

RECETTES SANTÉ : PLATS PRINCIPAUX

Poulet sauté aux légumes

- Pour 4 personnes
- Préparation 20 minutes
- Cuisson 12 minutes

2 poitrines de poulet de 175 g environ chacune
    (12 oz en tout)
2 c. à thé de fécule de maïs
120 ml (½ tasse) de bouillon de poulet
2 c. à soupe de sauce soja (si possible
    à teneur réduite en sel)
1½ c. à soupe d'huile de tournesol
2 gousses d'ail hachées
1 c. à soupe de gingembre frais coupé
    en petits morceaux
2 poivrons rouges ou verts coupés en fines lanières
2 carottes coupées en fines rondelles
2 tiges de céleri coupées en petits tronçons
115 g (2 tasses) de champignons de Paris
    coupés en lamelles
Poivre du moulin

1 Épongez les filets de poulet dans du papier essuie-tout, supprimez leur graisse résiduelle et coupez-les en fines lanières.

2 Mélangez la fécule de maïs, le bouillon et la sauce soja dans un petit bol. Réservez.

3 Faites chauffer l'huile à feu vif dans un wok ou une sauteuse. Faites-y revenir l'ail et le gingembre 1 ou 2 minutes : ils doivent être légèrement dorés.

4 Ajoutez les lanières de poulet et faites-les revenir 3 ou 4 minutes : elles doivent être bien colorées. Retirez le poulet et les aromates à l'aide d'une écumoire et réservez.

5 Faites réchauffer l'huile dans la poêle si besoin. Faites-y revenir les poivrons, les carottes, le céleri et les champignons 4 minutes environ : ils doivent être légèrement dorés.

6 Remettez le poulet dans la poêle et ajoutez le mélange à base de fécule de maïs. Portez à ébullition, puis laissez épaissir un peu la sauce. Poivrez et servez aussitôt.

PAR PORTION : 192 kcal ; graisses saturées 1 g ; lipides (total) 5,5 g ; sodium 275 mg ; cholestérol 61 mg ; protéines 23 g ; glucides 13 g ; fibres 3 g.

Poulet mariné

- Pour 4 personnes
- Préparation 25 minutes
- Marinage 2 heures
- Cuisson 10-15 minutes

4 poitrines de poulet de 170 g environ chacune
    (1½ lb au total)
2 poivrons, rouges, verts ou jaunes
    coupés en lanières
1 gros oignon rouge coupé en rondelles
2 courgettes coupées en rondelles épaisses
175 g (¾ tasse) de tomates cerises coupées
    en deux
4 c. à soupe d'huile d'olive
2 c. à soupe de jus de citron
1 c. à thé de zeste de citron râpé
2 c. à thé de basilic séché
4 poignées de feuilles de salade au choix
Poivre du moulin

1 Coupez chaque poitrine en quatre tranches et déposez-les dans un plat creux. Mélangez les poivrons, l'oignon, les courgettes et les tomates cerises dans un autre plat.

2 Mélangez l'huile, le jus de citron, le zeste de citron et le basilic dans un petit bol. Poivrez puis enrobez les morceaux de poulet avec la moitié de ce mélange ; versez le reste sur les légumes. Couvrez les deux plats de pellicule plastique et laissez mariner au moins 2 heures au réfrigérateur.

3 Préchauffez le gril du four. Égouttez les morceaux de poulet et étalez-les sur une plaque à four, en une seule couche. Faites-les griller 3 ou 4 minutes de chaque côté. Disposez-les sur le plat de service et recouvrez-les d'aluminium ménager pour les garder au chaud.

4 Égouttez les légumes et posez-les à leur tour sur la plaque à four. Faites-les griller jusqu'à ce qu'ils soient dorés, en les retournant une fois et en les badigeonnant de marinade en cours de cuisson. Servez le poulet et ses légumes grillés sur un lit de salade verte.

RECETTES SANTÉ : PLATS PRINCIPAUX

PAR PORTION : 330 kcal ; graisses saturées 2 g ; lipides (total) 13 g ; sodium 112 mg ; cholestérol 118 mg ; protéines 43 g ; glucides 9 g ; fibres 3 g.

Bœuf, agneau et porc

♥ Le secret d'un repas équilibré, c'est d'inverser les proportions : servez une grande quantité de légumes accompagnés d'un petit morceau de viande.

Rosbif aux fines herbes

■ Pour 6 personnes

■ Préparation 15 minutes

■ Cuisson 1 heure 40 minutes

1 rôti de côte de bœuf maigre de 900 g (2 lb), roulé et ficelé
Poivre noir du moulin
1 tasse d'herbes fraîches : persil, basilic, sauge, romarin, thym et ciboulette, ou 1½ c. à soupe d'herbes séchées
2 c. à soupe de moutarde de Dijon
1 c. à soupe d'huile d'olive
3 gros oignons, coupés en huit
6 petites courgettes, coupées en trois
1 chou-fleur, détaillé en petits bouquets

1 Préchauffez le four à 350 °F (180 °C). Avec un couteau bien coupant, dégraissez le bœuf en surface. Assaisonnez-le de poivre.

2 Déposez les fines herbes dans un robot avec la moutarde de Dijon et pulsez pour les hacher très finement ; raclez les parois de temps à autre.

Recueillez ce mélange dans un petit bol. (Dans le cas de fines herbes séchées : mélangez-les tout simplement à la moutarde.)

3 Enrobez complètement le rosbif des fines herbes à la moutarde. Mettez l'huile dans une grande rôtissoire et couchez-y la pièce de bœuf. Faites-la rôtir pendant 30 minutes.

4 Disposez les oignons, les courgettes et les bouquets de chou-fleur autour du rôti. Remuez-les pour les enrober du fond de cuisson.

5 Prolongez la cuisson de 1 heure ou jusqu'à ce que le thermomètre à viande piqué au centre marque 160 °F (70 °C) si vous désirez une cuisson à point. Tournez les légumes de temps à autre pour qu'ils cuisent uniformément.

6 Retirez du four. Avec une cuillère à trous, déposez les légumes dans un plat de service et gardez-les au chaud. Mettez le rôti sur une planche à découper, couvrez-le et attendez 5 minutes. Tranchez-le et servez-le avec ses légumes.

PAR PORTION : 300 kcal ; graisses saturées 4,5 g ; lipides (total) 12 g ; sodium 227 mg ; cholestérol 90 mg ; protéines 37 g ; glucides 9 g ; fibres 3 g.

Rumsteck et légumes au barbecue

■ Pour 4 personnes

■ Préparation 20 minutes

■ Marinage 2 heures

■ Cuisson 20 minutes

3 c. à soupe d'huile d'olive

3 c. à soupe de vinaigre de vin rouge

2 c. à soupe de moutarde de Dijon

2 gousses d'ail hachées

1 c à thé de basilic séché

1 c. à thé d'origan séché

1 pointe de piment de Cayenne

4 steaks de ronde de 115 g (4 oz) environ chacun,
    sans graisse

2 poivrons rouges ou verts coupés en lanières
    larges dans le sens de la longueur

3 courgettes coupées en quatre tranches
    dans le sens de la longueur

2 oignons rouges ou jaunes coupés en rondelles
    de 1 cm ($^1/_2$ po) de large

Poivre du moulin

1 Préparez la marinade. Mélangez l'huile,
le vinaigre, la moutarde, l'ail, le basilic, l'origan,
le piment et un tour de moulin à poivre dans
un petit bol.

2 Placez les steaks dans un plat assez grand
pour les contenir côte à côte et enduisez-les de
marinade des deux côtés. Couvrez-les de pellicule
plastique et laissez-les mariner au moins 2 heures
au réfrigérateur.

3 Sortez la viande du réfrigérateur et portez-la
à température ambiante. Versez la marinade dans
un petit bol et réservez-la. Préparez le barbecue
et placez la grille à 10-13 cm (4-5 po) de la chaleur,
ou préchauffez le four sur gril.

4 Faites griller les steaks 4 minutes environ de
chaque côté, pour une cuisson à point. Pendant ce
temps, badigeonnez les légumes de marinade.

5 Disposez la viande dans un plat et couvrez-la
d'aluminium ménager pour la tenir au chaud.
Mettez les légumes à griller jusqu'à ce qu'ils soient
bien dorés et encore croquants, en les retournant
et en les badigeonnant de marinade une fois
en cours de cuisson. Servez-les avec les steaks.

PAR PORTION : 275 kcal ; graisses saturées 3 g ; lipides (total) 14 g ; sodium 74 mg ; cholestérol 67 mg ;
protéines 28 g ; glucides 10 g ; fibres 2,5 g.

♥ Les épinards sont riches en potassium, qui contribue à faire baisser la tension artérielle, ainsi qu'en antioxydants, qui auraient un effet protecteur contre les maladies cardiovasculaires.

Gigot d'agneau farci aux épinards

- Pour 8 personnes
- Préparation 20 minutes
- Cuisson 1 h 30-2 h

1 gigot d'agneau désossé de 1,6 kg (3$^1/_2$ lb) environ
560 g (2 paquets) d'épinards hachés congelés
    et bien égouttés
1 c. à thé d'huile d'olive
1 échalote ou 1 petit oignon émincé
2 gousses d'ail hachées
115 g (4 oz) de feta ou de ricotta
Poivre du moulin

1 Préchauffez le four à 375 °F (190 °C). Supprimez toute graisse résiduelle du gigot d'agneau et ouvrez-le en papillon de façon à pouvoir le mettre à plat. Épongez-le avec du papier essuie-tout. Poivrez l'intérieur.

2 Pressez les épinards avec une cuillère en bois pour en extraire tout le liquide et réservez-les.

3 Faites chauffer l'huile dans une poêle à revêtement antiadhésif. Faites-y revenir l'échalote (ou l'oignon) et l'ail pendant 3 ou 4 minutes : ils doivent être légèrement dorés. Ajoutez les épinards et mélangez. Si vous cuisinez avec des épinards frais, laissez « sécher » ceux-ci sur le feu pendant 1 ou 2 minutes.

4 Étalez le mélange aux épinards sur l'agneau et émiettez le fromage par-dessus. Roulez le gigot et maintenez-le en place avec de la ficelle de cuisine.

5 Placez le gigot farci, soudure en bas, dans un plat allant au four. Enfournez pour 1 h 30 à 2 heures pour une viande rosée (ou jusqu'à ce que le thermomètre à viande planté dans celle-ci indique 160 °F/70 °C), et de 1 h 45 à 2 h 15 pour une cuisson à point (ou jusqu'à ce que le thermomètre à viande planté dans celle-ci indique 170 °F/75 °C).

6 À la sortie du four, laissez reposer le gigot farci couvert d'aluminium ménager pendant 10 minutes avant de le découper en tranches.

PAR PORTION : 306 kcal ; graisses saturées 8 g ; lipides (total) 17 g ; sodium 420 mg ; cholestérol 126 mg ; protéines 36 g ; glucides 2 g ; fibres 1,5 g.

Sauté d'agneau méditerranéen

- Pour 6 personnes
- Préparation 20 minutes
- Cuisson 2 h 40

675 g (1½ lb) d'épaule d'agneau désossée
1½ c. à soupe d'huile d'olive
2 gros oignons coupés en rondelles
2 gousses d'ail hachées
1 c. à soupe de farine
2 c. à thé de romarin frais ciselé
   (ou 1 c. à thé de romarin séché)
250 à 450 ml (1-2 tasses) de bouillon de bœuf
350 ml (1½ tasse) de jus de tomate
1 boîte (540 ml) de pois chiches rincés et égouttés
2 courgettes coupées en dés
350 g (1½ tasse) de tomates cerises coupées
   en deux
2 c. à thé de basilic frais haché
   (ou 1 c. à thé de basilic séché)
Poivre du moulin

1 Supprimez la graisse et le cartilage de l'agneau, puis découpez-le en cubes de 2,5 cm (1 po) de côté.

2 Dans un faitout en fonte, faites chauffer 1 c. à soupe d'huile à feu moyen. Faites-y revenir les oignons et l'ail pendant 10 minutes environ : ils doivent être bien dorés. Retirez-les avec une écumoire et réservez-les sur une assiette.

3 Chauffez ½ c. à soupe d'huile dans le faitout sur feu moyen à vif. Faites-y revenir les cubes d'agneau 3 minutes environ : ils doivent être bien dorés sur toutes les faces. Incorporez la farine et le romarin, puis poursuivez la cuisson 1 ou 2 minutes, jusqu'à complète absorption de la farine.

4 Remettez les oignons et l'ail dans le faitout, ainsi que 250 ml (1 tasse) de bouillon et le jus de tomate. Portez à ébullition, puis couvrez et laissez mijoter à feu doux pendant 1 heure. Ajoutez les pois chiches. Couvrez et laissez mijoter encore 1 heure environ : l'agneau doit être presque cuit.

5 Ajoutez les courgettes, les tomates cerises, le poivron et le basilic. Ajoutez du bouillon si la sauce devient trop épaisse. Faites cuire encore 15 minutes. Servez bien chaud.

PAR PORTION : 330 kcal ; graisses saturées 6 g ; lipides (total) 17 g ; sodium 370 mg ; cholestérol 85 mg ; protéines 28 g ; glucides 17 g ; fibres 4 g.

♥ Le porc maigre contient des protéines de haute qualité, ainsi que des vitamines du complexe B et du zinc.

Porc grillé, sauce barbecue

- Pour 4 personnes
- Préparation 10 minutes
- Cuisson 20 minutes

450 g (1 lb) de filet mignon de porc coupé
    en 8 tranches
1 boîte (540 ml) de tomates pelées concassées
75 ml (1/3 tasse) de jus de pomme
    sans sucre ajouté
2 c. à soupe de cassonade foncée
1 c. à soupe de vinaigre de cidre
1/4 c. à thé de Tabasco
Poivre du moulin

1 Supprimez toute graisse résiduelle des tranches du filet mignon. Posez-les deux par deux sur une planche à découper, recouvrez de papier ciré, et aplatissez-les avec le poing ou un rouleau à pâtisserie. Poivrez.

2 Préparez la sauce barbecue. Mélangez les tomates et leur jus avec le jus de pomme, la cassonade, le vinaigre et le Tabasco dans une casserole. Portez à ébullition sur feu moyen, puis baissez le feu et laissez frémir une dizaine de minutes, jusqu'à obtention d'une sauce épaisse. Réservez au chaud.

3 Faites chauffer une poêle-gril à feu vif. Pour tester la température, déposez une goutte d'eau dessus : elle doit s'évaporer aussitôt. Faites-y griller la viande 2 minutes environ de chaque côté.

4 Disposez les tranches de filet de porc sur un plat de service et nappez-les de la sauce barbecue.

PAR PORTION : 188 kcal ; graisses saturées 1,5 g ; lipides (total) 5 g ; sodium 120 mg ; cholestérol 71 mg ; protéines 25 g ; glucides 12,5 g ; fibres 1 g.

Longe de porc farcie aux fruits secs

- Pour 6 personnes
- Préparation 20 minutes
- Cuisson 1 h 30

200 ml (³/₄ tasse) de bouillon de poulet
175 g (1 tasse) de pruneaux dénoyautés grossièrement hachés
115 g (1 tasse) d'abricots secs hachés
1 longe de porc désossée de 900 g (2 lb)
1 gousse d'ail hachée
1 c. à thé de thym séché
2 c. à soupe de madère ou de porto (facultatif)
2 c. à soupe de mélasse
Poivre du moulin

1 Portez le bouillon à ébullition dans une petite casserole. Hors du feu, ajoutez les pruneaux et les abricots. Laissez-les tremper au moins 15 minutes.

2 Pendant ce temps, préchauffez le four à 325 °F (160 °C). Supprimez toute graisse résiduelle de la longe de porc, puis ouvrez-la et épongez-la avec du papier essuie-tout. Poivrez l'intérieur.

3 Retirez les pruneaux et les abricots de la casserole avec une écumoire et réservez le bouillon. Répartissez les fruits secs sur la longe de porc et parsemez-les d'ail et de thym.

4 Roulez la longe de porc et maintenez-la en place avec de la ficelle de cuisine.

5 Disposez la longe de porc, soudure en bas, sur un plat allant au four et enfournez pour 30 minutes environ. Pendant ce temps, ajoutez la mélasse et le madère (ou le porto) au bouillon de poulet et portez le tout à ébullition.

6 Poursuivez la cuisson de la longe pendant 1 heure environ (ou jusqu'à ce que le thermomètre à viande planté dedans indique 170 °F (75 °C), en l'arrosant de cette sauce toutes les 10 minutes environ.

PAR PORTION : 280 kcal ; graisses saturées 2 g ; lipides (total) 6 g ; sodium 135 mg ; cholestérol 95 mg ; protéines 34 g ; glucides 21 g ; fibres 3 g.

Plats végétariens

Lentilles méditerranéennes aux champignons

■ Pour 8 personnes

■ Préparation 20 minutes

■ Marinage 1 heure

■ Cuisson 30 minutes

4 c. à soupe d'huile d'olive

Jus et zeste râpé de 1 citron

1 c. à thé de thym séché

1 c. à thé d'origan séché

450 g (1 lb) de champignons de Paris ou de cèpes,
    coupés en lamelles

375 g (2 tasses) de lentilles brunes, rouges
    ou vertes

1 boîte (540 ml) de tomates pelées concassées

120 ml (½ tasse) de bouillon de légumes

70 g (⅓ tasse) d'olives noires dénoyautées

Poivre du moulin

1 Préparez la marinade : mélangez l'huile, le jus
et le zeste de citron, le thym et l'origan dans
un saladier. Poivrez.

2 Ajoutez les champignons et mélangez pour
bien les enrober de marinade. Laissez-les mariner
1 heure à température ambiante.

3 Pendant ce temps, rincez les lentilles à l'eau
froide dans une passoire. Mettez-les dans
une casserole et couvrez-les d'eau froide. Portez
à ébullition. Couvrez et laissez frémir pendant
15 à 20 minutes : elles doivent être presque
cuites. Égouttez-les.

4 Faites chauffer une grande poêle à revêtement
antiadhésif à feu moyen. Ajoutez les champignons
et la marinade et faites-les revenir, en remuant
sans cesse, jusqu'à ce que les champignons soient
bien dorés.

5 Ajoutez les lentilles, les tomates avec leur jus,
le bouillon et les olives. Mélangez bien. Portez
à ébullition, couvrez et baissez le feu. Laissez
frémir pendant 10 à 15 minutes : les lentilles
et les champignons doivent être très tendres.
Servez chaud ou tiède.

PAR PORTION : 217 kcal ; graisses saturées 1 g ; lipides (total) 8 g ; sodium 123 mg ; cholestérol 0 mg ;
protéines 13 g ; glucides 25 g ; fibres 5 g.

Lasagnes aux légumes et aux trois fromages

■ Pour 6 personnes

■ Préparation 35 minutes

■ Cuisson 1 h 40

2 c. à soupe d'huile d'olive

2 gros oignons grossièrement émincés

2 gousses d'ail hachées

2 boîtes de 540 ml de tomates pelées concassées

2 c. à soupe de concentré de tomate

$\frac{1}{2}$ c. à thé d'origan séché

$\frac{1}{2}$ c. à thé de basilic séché

3 courgettes coupées en dés

2 grosses carottes coupées en dés

2 tiges de céleri coupées en petits tronçons

1 boîte de lasagnes

475 g de ricotta

1 blanc d'œuf

2 c à soupe de persil frais ciselé

85 g (3 oz) de mozzarella léger

2 c. à soupe de parmesan râpé, frais

1 Faites chauffer 1 c. à soupe d'huile dans une sauteuse à feu moyen. Faites-y revenir les oignons et l'ail pendant 5 minutes. Ajoutez les tomates avec leur jus, le concentré de tomate, l'origan et le basilic. Laissez épaissir à feu doux, en remuant de temps en temps, pendant 15 minutes environ.

2 Pendant ce temps, faites chauffer le reste de l'huile à feu moyen dans une poêle à revêtement antiadhésif. Faites-y revenir les courgettes, les carottes et le céleri, en remuant régulièrement, pendant 7 minutes.

3 Mélangez la ricotta, le blanc d'œuf et le persil dans un petit bol.

4 Préchauffez le four à 350 °F (180 °C). Tapissez le fond d'un plat à gratin avec un tiers de la sauce tomate. Couvrez d'une couche de lasagnes. Étalez la moitié du mélange à la ricotta par-dessus, puis la moitié des légumes.

5 Répétez l'opération : sauce tomate, lasagnes, ricotta, légumes. Terminez par une couche de lasagnes et de la sauce tomate. Surmontez de mozzarella et de parmesan. Enfournez pendant 45 minutes : les bords doivent être bien colorés et les lasagnes cuites.

PAR PORTION : 370 kcal ; graisses saturées 7 g ; lipides (total) 15 g ; sodium 202 mg ; cholestérol 40 mg ; protéines 19 g ; glucides 40 g ; fibres 4 g.

Haricots épicés

- Pour 6 personnes
- Préparation 12 minutes
- Trempage au moins 8 heures
- Cuisson 1 h 30-2 heures

200 g (2⅓ tasse) de haricots pinto
    (ou de cocos roses) secs
2 c. à soupe d'huile d'olive
3 gros oignons
2 grosses carottes
2 c. à soupe de piment doux en poudre
450 ml (1¾ tasse) de bouillon de légumes
Tabasco
Poivre du moulin

1 Mettez les haricots dans un bol et couvrez-les d'eau froide. Posez une assiette sur le récipient et laissez les haricots tremper au moins 8 heures.

2 Égouttez les haricots et réservez-les. Faites chauffer l'huile à feu moyen dans une grande cocotte en fonte. Ajoutez les oignons, les carottes et le piment doux. Faites revenir le tout pendant 5 minutes environ.

3 Ajoutez le bouillon et les 450 ml d'eau froide. Portez à ébullition. Ajoutez les haricots. Portez de nouveau à ébullition et laissez cuire pendant 10 minutes.

4 Couvrez et poursuivez la cuisson à feu doux. Laissez frémir pendant 1 heure à 1 h 30, en remuant de temps en temps. Piquez quelques haricots pour vous assurer qu'ils sont cuits.

5 S'il reste beaucoup de liquide de cuisson, retirez le couvercle et augmentez légèrement le feu afin de porter à petite ébullition. Laissez réduire ainsi pendant 5 à 10 minutes, en remuant de temps en temps.

6 Ajoutez quelques gouttes de Tabasco et poivrez. Servez bien chaud.

PAR PORTION : 162 kcal ; graisses saturées 0,6 g ; lipides (total) 4,5 g ; sodium 54 mg ; cholestérol 0 mg ; protéines 9 g ; glucides 23 g ; fibres 7 g.

♥ Le fromage de chèvre est une bonne source de protéines et de calcium, tout en étant moins gras que bien d'autres fromages.

Salade tiède au fromage de chèvre

- Pour 4 personnes
- Préparation 7 minutes
- Marinage 1 heure
- Cuisson 4–6 minutes

4 c. à soupe d'huile d'olive
3 c. à soupe de vinaigre de vin blanc
1 gousse d'ail hachée finement
2 c. à soupe d'herbes fraîches telles que persil
    ou ciboulette, hachées
Poivre noir du moulin
Quelques gouttes de Tabasco
1 bûchette de fromage de chèvre,
    environ 225 g (8 oz)
1 baguette
4 poignées de feuilles de laitue

1 Dans un grand bol, mélangez huile, vinaigre, ail, fines herbes, poivre et Tabasco. Découpez le chèvre en 12 tranches. Mettez-les dans le bol et remuez pour les enduire de vinaigrette. Couvrez et laissez mariner au moins 1 heure.

2 Allumez le gril. Coupez le pain en 12 tranches de 2 cm ($^3/_4$ po) et mettez-les sous le gril. Laissez-les rôtir d'un seul côté pendant 2–3 minutes.

3 Égouttez le fromage ; réservez la vinaigrette. Sur le côté non rôti de chaque tranche de pain, déposez une tranche de fromage. Faites griller 1–2 minutes de plus.

4 Disposez un lit de laitue dans chaque assiette. Couronnez d'une rôtie au fromage et arrosez avec le reste de la vinaigrette.

PAR PORTION : 546 kcal ; graisses saturées 12 g ; lipides (total) 27 g ; sodium 955 mg ; cholestérol 52 mg ; protéines 21 g ; glucides 57 g ; fibres 3 g.

Cocotte de doliques à œil noir

- Pour 8 personnes
- Préparation 15-20 minutes
- Trempage au moins 8 heures
- Cuisson 1 h 10

150 g (³/₄ tasse) de haricots doliques à œil noir
2 c. à soupe d'huile d'olive
2 gros oignons grossièrement émincés
2 grosses carottes grossièrement émincées
4 tiges de céleri grossièrement émincées
2 gousses d'ail hachées
1 litre (4 tasses) d'eau
750 ml (3 tasses) de bouillon de légumes
250 g (8 oz) de pommes de terre coupées en dés
250 g (8 oz) de navets coupés en dés
½ c. à thé de thym séché
½ c. à thé de romarin séché
Poivre du moulin

1 Mettez les haricots dans un grand bol et couvrez-les d'eau froide. Posez une assiette sur le récipient et laissez les haricots tremper au moins 8 heures.

2 Égouttez les haricots et réservez-les. Faites chauffer l'huile dans une grande cocotte en fonte. Ajoutez les oignons, les carottes, le céleri et l'ail. Faites revenir le tout pendant 5 à 8 minutes.

3 Ajoutez le litre d'eau et le bouillon, les haricots, les pommes de terre, les navets et les fines herbes. Portez à ébullition et laissez cuire 10 minutes.

4 Couvrez, baissez le feu et laissez frémir 45 minutes environ : les haricots doivent être tendres. Ôtez le couvercle, poivrez et laissez frémir encore 10 minutes. Servez bien chaud.

PAR PORTION : 104 kcal ; graisses saturées 0,5 g ; lipides (total) 3,5 g ; sodium 74 mg ; cholestérol 0 mg ; protéines 6 g ; glucides 22 g ; fibres 4,5 g.

Accompagnements

♥ L'orge est riche en fibres solubles, ce qui peut aider à réduire le taux de « mauvais » cholestérol (LDL).

Orge perlé citronné

■ Pour 8 personnes

■ Préparation 10 minutes

■ Cuisson 1 heure

2 c. à soupe d'huile d'olive

2 oignons finement émincés

3 tiges de céleri branche finement émincées

200 g (2$^1/_2$ tasse) d'orge perlé

600 ml (2$^1/_2$ tasse) de bouillon de légumes maison
   ou hyposodique

1 c. à thé de zeste de citron râpé

$^1/_2$ c. à thé d'origan séché

2 c. à soupe de graines de tournesol
   (ou de pignons de pin)

1 c. à thé de jus de citron

40 g ($^1/_3$ tasse) de raisins secs

2 c. à soupe de persil frais ciselé

Poivre du moulin

1 Faites chauffer l'huile à feu moyen dans un grand faitout en fonte. Faites-y revenir les oignons et le céleri pendant 7 minutes environ, en remuant souvent.

2 Ajoutez l'orge perlé et mélangez de façon à bien l'imprégner d'huile. Ajoutez le bouillon, le zeste de citron, l'origan, et poivrez.

3 Portez à ébullition puis baissez le feu, couvrez et laissez mijoter pendant 40 minutes environ, en remuant de temps en temps. L'orge doit être quasiment cuit et avoir absorbé presque tout le liquide.

4 Pendant ce temps, faites dorer les graines de tournesol à sec dans une poêle à revêtement antiadhésif, quelques minutes sur feu moyen. Versez-les sur une assiette et réservez-les.

5 Ôtez le faitout du feu. Ajoutez le jus de citron et les raisins secs à l'orge. Couvrez de nouveau et laissez reposer 5 minutes.

6 Incorporez délicatement les graines de tournesol et le persil à la préparation. Servez aussitôt.

PAR PORTION : 165 kcal ; graisses saturées 0,5 g ; lipides (total) 5 g ; sodium 47 mg ; cholestérol 0 mg ; protéines 3,5 g ; glucides 28 g ; fibres 1 g.

Ratatouille aux pois chiches

- Pour 4 personnes
- Préparation 20 minutes
- Cuisson 1 heure

3 c. à soupe d'huile d'olive
2 gros oignons grossièrement émincés
2 gousses d'ail hachées
2 poivrons rouges, verts ou jaunes coupés en dés
4 courgettes coupées en rondelles
1 grosse aubergine coupée en dés
1 boîte (540 ml) de tomates pelées concassées
1 boîte (540 ml) de pois chiches rincés et égouttés
1 c. à thé d'origan séché
1 c. à thé de basilic séché
1 c. à thé de thym séché
2 c. à soupe de persil frais ciselé
Poivre du moulin

1 Faites chauffer 2 c. à soupe d'huile à feu moyen dans un faitout en fonte. Faites-y revenir les oignons et l'ail pendant 7 minutes environ, jusqu'à légère coloration.

2 Ajoutez les poivrons et faites-les revenir pendant 7 minutes. Retirez tous ces ingrédients du faitout avec une écumoire et réservez-les dans un plat.

3 Faites revenir les courgettes à leur place pendant 7 minutes environ. Réservez-les dans le même plat que les oignons et les poivrons.

4 Faites chauffer le reste de l'huile dans le faitout et faites-y revenir l'aubergine pendant 6 minutes, en remuant souvent.

5 Remettez tous les légumes réservés dans le faitout. Ajoutez les tomates et leur jus, les pois chiches et les herbes séchées ; poivrez.

6 Couvrez et laissez mijoter 25 à 30 minutes, jusqu'à ce que les légumes soient cuits. Ajoutez le persil frais. Servez chaud ou à température ambiante.

PAR PORTION : 257 kcal ; graisses saturées 2 g ; lipides (total) 12 g ; sodium 212 mg ; cholestérol 0 mg ; protéines 10 g ; glucides 29 g ; fibres 8 g.

♥ Le chou-fleur apporte de la vitamine C et des fibres. Il aurait également un rôle protecteur contre le développement de certains cancers.

Chou-fleur à la provençale

- Pour 4 personnes
- Préparation 20 minutes
- Cuisson 15 minutes

1 chou-fleur
1 poivron rouge coupé en dés
2 tomates grossièrement émincées
75 ml (1/3 tasse) de bouillon de légumes maison ou hyposodique
35 g (1/4 tasse) d'olives noires dénoyautées
Poivre du moulin

1 Détaillez le chou-fleur en petits bouquets et faites-les cuire à la vapeur pendant 9 ou 10 minutes : ils doivent rester légèrement croquants.

2 Pendant ce temps, mettez le poivron, les tomates et le bouillon dans une casserole. Couvrez, portez à ébullition et laisser cuire 3 minutes en remuant de temps en temps.

3 Ajoutez les bouquets de chou-fleur et les olives. Couvrez et faites cuire pendant 2 ou 3 minutes, en remuant de temps en temps. Poivrez et servez sans attendre.

RECETTES SANTÉ : ACCOMPAGNEMENTS

PAR PORTION : 70 kcal ; graisses saturées 0,5 g ; lipides (total) 2,5 g ; sodium 112 mg ; cholestérol 0 mg ; protéines 4,5 g ; glucides 7 g ; fibres 3 g.

♥ Ces frites au four vous apporteront tous les bienfaits nutritionnels de la pomme de terre (vitamine C et potassium), en toute légèreté.

Frites au four

■ Pour 4 personnes

■ Préparation 15 minutes

■ Cuisson 30-35 minutes

900 g (2 lb) de pommes de terre ou de patates
    douces, lavées mais non pelées
2 c. à thé d'huile d'olive
Poivre du moulin

1 Préchauffez le four à 450 °F (230 °C). Enfournez deux grands plats allant au four ou la lèchefrite tapissée de papier aluminium.

2 Coupez les pommes de terre (ou les patates douces) dans le sens de la longueur en tranches de 1 cm ($\frac{1}{2}$ po) d'épaisseur, puis détaillez-les en bâtonnets de 1 cm ($\frac{1}{2}$ po) de large. Versez l'huile dans un grand bol et poivrez. Mettez les frites dans le bol et mélangez pour bien les enrober d'huile.

3 Disposez les frites en une seule couche dans les plats (ou la lèchefrite) bien chauds. Faites-les cuire pendant 30 à 35 minutes en les retournant au bout de 15 minutes de cuisson : les frites doivent être bien dorées et croustillantes.

PAR PORTION : 182 kcal ; graisses saturées 0,2 g ; lipides (total) 1,9 g ; sodium 16 mg ; cholestérol 0 mg ; protéines 5 g ; glucides 38 g ; fibres 3 g.

Couscous aux légumes d'été

- Pour 8 personnes
- Préparation 12 minutes
- Cuisson 20-25 minutes

2 c. à soupe d'huile d'olive
3 tiges de céleri coupées en dés
3 carottes coupées en dés
2 courgettes, de préférence 1 verte et 1 jaune,
    coupées en rondelles
3 branches de basilic frais ciselé
    (ou 1 c. à soupe de basilic séché)
Tabasco
280 g (1½ tasse) de semoule de couscous
    moyenne
500 ml (2 tasses) de bouillon de légumes maison
    ou hyposodique, ou encore de bouillon
    de poulet
Poivre du moulin

1 Faites chauffer l'huile dans un grand faitout.
Faites-y revenir le céleri et les carottes pendant
7 minutes environ, sans laisser brunir.

2 Ajoutez les courgettes et faites-les cuire pendant
2 à 4 minutes, en remuant régulièrement.

3 Incorporez le basilic et quelques gouttes
de Tabasco. Poivrez.

4 Ajoutez la semoule de couscous et mélangez
délicatement.

5 Versez le bouillon et mélangez de nouveau.
Portez à ébullition, couvrez et ôtez du feu.

6 Laissez gonfler la semoule pendant 5 minutes
environ, jusqu'à ce que tout le liquide ait été
absorbé. Séparez les graines à la fourchette.
Servez bien chaud.

RECETTES SANTÉ : ACCOMPAGNEMENTS

PAR PORTION : 126 kcal ; graisses saturées 0,5 g ; lipides (total) 3 g ; sodium 45 mg ; cholestérol 0 mg ;
protéines 3 g ; glucides 22 g ; fibres 1,5 g.

♥ Cette salade est riche en protéines, grâce au yogourt et aux pâtes qu'elle contient, et en vitamines, grâce à ses petits légumes frais et croquants.

Salade de macaronis primavera

■ Pour 4 personnes

■ Préparation 15 minutes

■ Cuisson 20 minutes

100 g (1 tasse) de petites fleurettes de brocoli
75 g (¹/₂ tasse) de petits pois frais ou surgelés
2 carottes émincées en julienne
225 g (2 tasses) de macaronis
375 g (13 oz) de yogourt nature léger
3 c. à soupe de mayonnaise légère
1¹/₂ c. à thé de moutarde de Dijon
3 c. à soupe de vinaigre de vin rouge
2 tiges de céleri grossièrement émincées
1 oignon rouge grossièrement émincé
2 c. à soupe de persil, ciboulette ou basilic frais, ciselés
Poivre du moulin

1 Portez une grande casserole d'eau à ébullition. Remplissez un grand bol d'eau glacée. Mettez les fleurettes de brocoli dans l'eau bouillante et laissez-les blanchir 1 ou 2 minutes. Retirez-les de la casserole avec une écumoire et plongez-les aussitôt dans l'eau glacée pour arrêter la cuisson.

2 Portez de nouveau l'eau de la casserole à ébullition. Versez-y les petits pois et laissez frémir pendant 2 minutes environ. Retirez-les à l'écumoire et mettez-les dans l'eau glacée.

3 Faites de même avec les carottes, après les avoir laissé cuire 3 ou 4 minutes.

4 Portez de nouveau l'eau de la casserole à ébullition. Faites-y cuire les macaronis selon les indications portées sur l'emballage. Égouttez-les rapidement, puis passez-les sous l'eau froide et égouttez-les de nouveau. Mettez-les dans un grand saladier.

5 Préparez la sauce. Mélangez le yogourt, la mayonnaise, la moutarde et le vinaigre dans un bol. Poivrez.

6 Égouttez soigneusement tous les légumes et incorporez-les aux pâtes, puis versez la sauce et mélangez. Ajoutez le céleri et l'oignon. Parsemez de l'herbe choisie et mélangez de nouveau. Servez cette salade à température ambiante ou froide.

PAR PORTION : 361 kcal ; graisses saturées 2 g ; lipides (total) 9 g ; sodium 290 mg ; cholestérol 6 mg ; protéines 14 g ; glucides 60 g ; fibres 5 g.

Desserts

Cantaloup au coulis de framboises

- Pour 4 personnes
- Préparation 20 minutes

350 g (12 oz) de framboises fraîches ou surgelées
1 c. à thé de jus de citron
2 c. à soupe de miel
1 gros cantaloup bien mûr
Feuilles de menthe

1 Réservez quelques framboises pour le décor (si elles sont surgelées, laissez-les au congélateur jusqu'au moment de les utiliser). Passez le reste des framboises au mélangeur, puis éliminez les graines en passant la purée obtenue à travers un chinois.

2 Incorporez le jus de citron et le miel et réservez au frais.

3 Coupez le cantaloup en quatre et éliminez les pépins et les fibres à la cuillère avant de le peler. Coupez chaque quart de cantaloup en éventail.

4 Nappez quatre assiettes de service du quart du coulis de framboises et disposez joliment un éventail de cantaloup dessus. Garnissez de feuilles de menthe et des quelques framboises réservées.

PAR PORTION : 186 kcal ; graisses saturées 0 g ; lipides (total) 0,5 g ; sodium 21 mg ; cholestérol 0 mg ; protéines 2,6 g ; glucides 19 g ; fibres 4,5 g.

Poudings aux noix et aux raisins secs

■ Pour 4 personnes

■ Préparation 12 minutes

■ Cuisson 30-35 minutes

125 ml (½ tasse) de jus d'orange
1 jaune d'œuf
1 c. à thé de miel
1 c. à thé d'extrait de vanille
100 g (⅔ tasse) de riz cuit
40 g (¼ tasse) de raisins secs
35 g (¼ tasse) de noix concassées et grillées à sec
3 blancs d'œufs
Huile végétale

1 Préchauffez le four à 325 °F (160 °C). Mélangez le jus d'orange, le jaune d'œuf, le miel et la vanille dans un grand bol.

2 Incorporez le riz cuit, les raisins secs et les noix. Montez les blancs d'œufs en neige ferme et incorporez-les délicatement au mélange, en soulevant la masse de bas en haut.

3 Huilez quatre ramequins et répartissez-y la préparation.

4 Placez les ramequins dans un plat allant au four et versez au fond du plat 2,5 cm (1 po) d'eau bouillante. Enfournez et faites cuire au bain-marie 30 à 35 minutes : les poudings doivent être fermes au toucher. Servez chaud.

PAR PORTION : 167 kcal ; graisses saturées 1 g ; lipides (total) 8,5 g ; sodium 58 mg ; cholestérol 50 mg ; protéines 5 g ; glucides 19 g ; fibres 0,5 g.

♥ Dans ce gâteau, la quantité de jaune d'œuf, riche en cholestérol, est réduite au profit du blanc, qui n'en contient pas. Le gâteau lève !

Gâteau renversé aux pommes

■ Pour 8 personnes

■ Préparation 30 minutes

■ Cuisson 40–50 minutes

2 c. à soupe de beurre et 1 c. à thé (moule)

1 c. à soupe de miel

1 c. à soupe de cassonade blonde

4 pommes, pelées, évidées, coupées en 8

50 g (1/3 tasse) de raisins secs, Corinthe ou autres

300 g (3 tasses) de farine tout usage

1 c. à thé de levure chimique

1 c. à thé de bicarbonate de soude

1 c. à thé de gingembre moulu, autant de cannelle

3 blancs d'œufs

1 jaune d'œuf

120 ml (1/2 tasse) de jus de pomme concentré

4 c. à soupe d'huile de tournesol

4 c. à soupe de miel

1 c. à thé d'extrait de vanille

250 g de yogourt nature léger

1 Préchauffez le four à 350 °F (180 °C). Beurrez un moule à gâteau rond de 23 cm (9 po) avec la cuillerée à thé de beurre prévue.

2 Dans une grande poêle antiadhésive, faites fondre 2 c. à soupe de beurre à feu moyen. Ajoutez le miel et la cassonade. Quand la cassonade est fondue, ajoutez les pommes et comptez environ 10 minutes de cuisson : elles seront tendres, sans plus. Remuez souvent. Dressez les pommes dans le moule à gâteau et parsemez des raisins secs.

3 Dans un bol moyen, mélangez la farine, la levure chimique, le bicarbonate de soude et les épices. Dans un autre bol, fouettez les blancs d'œufs au batteur électrique ou au fouet jusqu'à formation de pics souples. Ajoutez le jaune d'œuf, le jus de pomme concentré, l'huile, le miel et la vanille.

4 Incorporez le tiers des ingrédients secs, puis le tiers du yogourt. Continuez ainsi jusqu'à épuisement des ingrédients. Versez la pâte sur les fruits. Faites cuire 40–50 minutes ou jusqu'à ce que le gâteau soit bien levé.

5 Laissez-le refroidir 10 minutes puis renversez-le dans une assiette de service. Attention : cet entremet est très juteux. Servez-le chaud ou froid.

PAR PORTION : 320 kcal ; graisses saturées 3 g ; lipides (total) 10 g ; sodium 300 mg ; cholestérol 34 mg ; protéines 7 g ; glucides 54 g ; fibres 2 g.

Compote abricots-poires

■ Pour 4 personnes

■ Préparation 5 minutes

■ Cuisson 15 minutes

330 ml (3$\frac{1}{3}$ tasses) de jus d'orange

Jus et zeste râpé de 1 citron

2 c. à soupe de miel

2 c. à thé d'extrait de vanille

1 clou de girofle

8 abricots coupés en deux et dénoyautés

2 poires fermes mais mûres, coupées en quatre et évidées

2 c. à soupe de raisins secs

1 Mettez le jus d'orange, le jus et le zeste de citron, le miel, la vanille et le clou de girofle dans une casserole. Portez à ébullition, baissez le feu et laissez frémir pendant 5 minutes.

2 Ajoutez les abricots et les poires et portez de nouveau à ébullition. Baissez le feu, couvrez et laissez mijoter 5 à 8 minutes, jusqu'à ce que les fruits soient tendres.

3 Incorporez les raisins secs et ôtez la casserole du feu. Laissez refroidir à température ambiante. Enlevez le clou de girofle avant de servir.

♥ Les fruits et les jus de fruits sont parmi les meilleures sources alimentaires de potassium, connues pour diminuer la tension artérielle.

PAR PORTION : 127 kcal ; graisses saturées 0 g ; lipides (total) 0,3 g ; sodium 17 mg ; cholestérol 0 mg ; protéines 1,5 g ; glucides 31 g ; fibres 3 g.

♥ Selon des études récentes, consommer régulièrement des noix – riches en graisses insaturées – diminuerait les risques d'infarctus.

Yogourt glacé noix-citron

- Pour 6 personnes
- Préparation 20 minutes
- Cuisson 2 minutes
- Congélation au moins 3 heures

175 ml (³/₄ tasse) de lait 2 %
1 enveloppe (7 g) de gélatine alimentaire
    en poudre
100 g (¹/₂ tasse) de sucre granulé
250 g de yogourt nature léger
4 c. à soupe de jus de citron
Zeste râpé de 1 citron
55 g (¹/₂ tasse) de noix grossièrement concassées

1 Versez le lait dans une casserole. Saupoudrez-le de la gélatine et laissez-la se dissoudre 1 minute. Ajoutez le sucre et mélangez. Faites chauffer sur feu doux pendant 2 minutes pour bien faire fondre le sucre et la gélatine.

2 Ôtez du feu et laissez refroidir en remuant de temps en temps : la préparation doit épaissir mais pas prendre. Transvasez-la dans un grand bol, puis ajoutez le yogourt, le jus et le zeste de citron. Fouettez bien le tout, puis incorporez les noix.

3 Versez le mélange dans une sorbetière et laissez-le congeler selon les instructions du fabricant. Si vous ne possédez pas de sorbetière, mettez le mélange dans un récipient résistant au froid et placez-le 1 heure au congélateur. Sortez-le pour bien mélanger et éviter la formation de cristaux de glace, puis remettez-le au congélateur pendant encore 30 minutes. Sortez-le de nouveau, mélangez et remettez au congélateur. Recommencez jusqu'à ce que le yogourt glacé ait une consistance bien ferme. Laissez alors 1 heure de plus au congélateur avant de servir.

PAR PORTION : 170 kcal ; graisses saturées 1 g ; lipides (total) 7 g ; sodium 46 mg ; cholestérol 2,4 mg ; protéines 5 g ; glucides 23 g ; fibres 0,3 g.

Prendre soin de soi, mais aussi se préoccuper de la santé de ses proches.

Foire aux questions

Toutes les études le démontrent : la seule façon efficace de prévenir les maladies cardio-vasculaires est d'adopter une hygiène de vie saine, de bien manger et de pratiquer une activité physique régulière. Tout cela sans sacrifier aux plaisirs de la vie ni bouleverser en profondeur nos habitudes. C'est ce que nous avons tenté de démontrer tout au long de ce livre. Mais peut-être avez-vous encore besoin d'éclaircissements et de précisions. Nous avons regroupé ci-dessous les interrogations les plus fréquentes sur le sujet.

Q Je déteste tous ces produits réputés « bons pour la santé ». Ils sont sans goût ni saveur. Que faire ?

R Aucun aliment n'est en lui-même foncièrement mauvais, c'est sa consommation excessive et exclusive qui le rend potentiellement dangereux pour la santé. Abuser des aliments trop riches en sucres, en graisses (barres chocolatées, viennoiseries, pâtisseries, confiseries, sodas...) ou en sel (croustilles, charcuterie, biscuits apéritifs...) peut significativement augmenter les risques de maladies cardiovasculaires. Il n'est pas question d'interdire tel ou tel aliment : il est bon de s'interroger périodiquement sur ses habitudes alimentaires. Avec le temps, vous vous rendrez alors compte qu'il est possible de concilier le plaisir de manger avec une alimentation saine, à base d'aliments aussi simples et savoureux que les fruits, les légumes, les viandes blanches, le poisson et l'eau.

Commencez par effectuer de petits changements simples. Vous avez l'habitude de démarrer la journée par un café et une viennoiserie ? Ajoutez un verre de jus d'orange, riche en antioxydants (vitamine C principalement), et remplacez la viennoiserie par un petit pain au son ou des céréales entières.

Faites de même au dîner et au souper. Abandonnez l'épaisse couche de mayonnaise qui nappe votre sandwich et remplacez-la par de la moutarde ou du ketchup, ou ajoutez une pomme au menu, par exemple. Rappelez-vous qu'il est recommandé de manger chaque jour plusieurs fruits et légumes ainsi que des produits laitiers.

Votre objectif est d'effectuer de petits changements qui vous sembleront acceptables, et de vous y tenir. Prendre sa santé en main par l'alimentation, c'est facile et c'est un plaisir de plus !

Q C'est moi qui fais la cuisine pour toute la famille, et personne ne veut changer ses habitudes. Que puis-je faire ?

R Composer des menus variés en allant dans le sens des recommandations nutritionnelles est un bon moyen pour rectifier les « oublis » des uns et entretenir les bonnes habitudes des autres. Évidemment, il est difficile de répondre à la fois aux besoins et aux goûts de chaque membre de la famille. Mais ne vous laissez pas décourager ! N'oubliez pas que ce sont souvent les mauvaises habitudes contractées dans l'enfance qui font le lit des affections cardiaques de l'âge adulte.

Soyez ferme et ne cédez pas aux caprices alimentaires de vos proches. Introduisez progressivement des produits sains au menu, et réduisez peu à peu les quantités de sucre et de sel ajoutés. Montrez l'exemple en vous servant des petites portions.

Une autre stratégie consiste à modifier certains ingrédients de vos recettes. Remplacez tout le beurre (ou une bonne partie) par de l'huile d'olive ou de canola ; utilisez du fromage allégé en matières grasses (et mettez-en moins) ; « cachez » plus de légumes dans vos sautés, potages et sauces ; employez des viandes maigres. Au dessert, pensez aux fruits de saison du marché, achetez des fraises, des pêches, des abricots..., ou préparez une salade de fruits frais, et servez-la avec du yogourt plutôt qu'avec de la crème fouettée. Votre famille commencera ainsi à mieux manger, sans même s'en rendre compte, et elle continuera à se régaler !

Q Toute ma vie, j'ai eu une mauvaise alimentation. Cela veut-il dire que c'est trop tard ?

R Les bénéfices d'une alimentation saine sont souvent immédiats : ils vous permettent de rester en bonne santé et de redécouvrir le plaisir de manger. Des études ont montré qu'un seul repas équilibré suffisait pour réduire l'inflammation, la quantité de graisses nocives dans le flux sanguin et les dommages causés par les radicaux libres, et pour améliorer le fonctionnement des artères. Autrement dit, il n'est jamais trop tard pour offrir à votre organisme, et donc à votre cœur, une alimentation saine.

Q Je déteste tous les produits de la mer et j'adore la viande de bœuf. Cela ne changera jamais. Suis-je une cause perdue ?

R Absolument pas. Une portion de 100 g (3½ oz) de viande de bœuf maigre est excellente pour la santé ; apport de vitamines B_6 et B_{12}, toutes deux contribuant à contrôler le taux sanguin d'homocystéine, une substance associée à un risque cardiaque accru. De plus, aujourd'hui, la viande de bœuf contient bien moins de graisses saturées (mauvaises pour les artères) qu'avant. Assurez-vous de consommer les découpes maigres.

Vous manquerez néanmoins d'acides gras oméga-3, très bénéfiques pour la santé du cœur et que l'on trouve principalement dans les produits de la mer (le poisson mais aussi les algues). Pensez donc à prendre des suppléments d'huile de poisson, à utiliser de l'huile de canola, à manger des légumes verts à feuilles, à grignoter des noix de Grenoble et à parsemer vos céréales et salades de graines de lin. Tous ces aliments contiennent des oméga-3.

Q À chaque fois que j'essaye une alimentation plus saine, je me retrouve avec un tas de fruits et de légumes abîmés que je suis obligé de jeter. Que me suggerez-vous ?

R Effectivement, cela peut être un problème. Il est facile de se donner bonne conscience en faisant le plein de fruits et légumes, puis de manquer de temps ou d'occasions de les manger avant qu'ils ne s'abîment. Une vraie perte d'argent. Essayez ces quatre solutions.

1 Faites une estimation précise de vos besoins hebdomadaires en fruits et légumes et n'en achetez pas plus. Dans les supermarchés, la plupart des gens ont tendance à mettre dans leur chariot les fruits et légumes les plus appétissants, sans avoir une idée précise de leur utilisation. C'est ainsi qu'ils reviennent des courses avec trop de produits frais et qu'ils les gâchent.

2 Rendez les fruits et légumes plus accessibles. Apportez une pomme ou des bâtonnets de carotte au bureau, découpez un melon en cubes et gardez-les au réfrigérateur pour combler les petits creux ; mettez des légumes crus découpés sur la table avant le souper.

3 Faites un potage en fin de semaine avec tous les légumes que vous n'avez pas utilisés et qui risquent d'être perdus. Concoctez par exemple un délicieux minestrone avec vos légumes, une boîte de haricots blancs, une poignée de riz, un oignon et des herbes aromatiques. Vous aurez de quoi régaler toute la famille durant la fin de semaine !

4 Faites un stock de légumes et de fruits surgelés ou en conserve (dans leur jus, sans sucres ajoutés). Cela dure plus longtemps.

Q Mon médecin pense soigner mon hypertension avec un traitement médicamenteux. Il ne croit pas aux traitements alternatifs. Dois-je le suivre ?

R Essayez de voir les choses sous un angle différent : pourquoi vouloir opposer la médecine dite naturelle et la médecine dite conventionnelle ? La meilleure approche (et votre médecin sera d'accord) est évidemment de combiner une vie saine avec un traitement conventionnel, s'il s'avère nécessaire. Cela veut dire une alimentation équilibrée, de l'exercice physique et, peut-être, des suppléments nutritionnels. Si votre tension artérielle, votre glycémie, votre taux de cholestérol ou de triglycérides restent trop élevés malgré un changement de mode de vie, vous devez consulter un médecin, qui mettra en place un traitement.

Si vous souffrez d'hypertension, il est compréhensible que votre médecin se refuse à expérimenter avec vous d'autres solutions et à accepter de suspendre votre traitement le temps de vérifier leur éventuelle validité. Dans ce cas, il vaut mieux voir avec lui comment réduire éventuellement les doses de votre traitement, ou comment faire pour suivre de près l'évolution de votre tension pendant que vous effectuez certains changements.

Q Depuis que j'ai appris que mon taux de cholestérol était trop élevé, j'ai peur. Je redoute constamment d'avoir un accident cardiaque. Que faire ?

R Tout d'abord, n'oubliez pas qu'un taux élevé de cholestérol n'est pas synonyme d'infarctus, tout simplement parce que ce taux ne constitue qu'un des facteurs de risque cardiovasculaire (avec le tabagisme, le diabète, une tension élevée, un surpoids important et une vie trop sédentaire). Or les facteurs de risque ne s'additionnent pas, ils se potentialisent, c'est-à-dire qu'ils s'aggravent l'un l'autre. Ainsi l'addition de facteurs de risque de faible intensité peut entraîner un risque très élevé. Imaginons un sujet avec une tension modérée, une intolérance au sucre, un cholestérol moyennement élevé et qui fume 5 ou 6 cigarettes pas jour : il sera beaucoup plus à risque que celui qui aura « seulement » un taux de cholestérol élevé.

Assurez-vous que votre taux de cholestérol est bien mesuré et suivi, et faites de votre mieux pour réduire les autres facteurs de risque.

Ensuite, pesez le pour et le contre concernant un traitement médical à base de statines et parlez-en avec votre médecin.

Et, même si vous suivez un traitement médical classique pour réduire votre taux de cholestérol, ne délaissez pas pour autant l'hygiène de vie : mettez sur pied un programme d'exercice et de nutrition en vous aidant de ce livre. Une partie de vos craintes s'envolera dès que vous mènerez une vie plus saine, plus équilibrée, et que vous vous apercevrez des bienfaits que cela entraîne : plus d'énergie, un meilleur sommeil, moins de rhumes, une perte de poids...

Q Je déteste faire de l'exercice. Comment me motiver ?

R Vous avez peu de dépenses physiques dans la journée, vous ne marchez pas beaucoup, vous préférez l'ascenseur à l'escalier... Bref, par manque de temps, de courage ou d'envie, vous ne bougez pas beaucoup. Peut-être aussi associez-vous l'exercice physique à quelque chose de pénible et d'ennuyeux.

Rassurez-vous, il est possible d'être actif sans forcément être sportif, et de bouger beaucoup sans modifier radicalement son style de vie. Tout cela vous a été largement expliqué dans cet ouvrage. Pour commencer, il suffit de sortir quotidiennement faire une promenade. Profitez de l'air frais et de ces moments de calme pour vous relaxer. Lorsque vous arrêterez de voir l'exercice comme une punition et/ou une souffrance, vous ne manquerez plus une occasion de vous dégourdir les jambes et de faire circuler le sang : c'est ça l'exercice !

Q Ma vie est tellement stressante que je me vois mal en ajouter. Comment faire pour modifier mon alimentation et mes habitudes sans être encore plus stressé ?

R Surchargé de travail, trop fatigué même pour faire des courses ou préparer les repas, vous ne prenez plus le temps de vous alimenter correctement. Reprenez votre calme et envisagez les choses autrement.

Toute l'idée de ce programme est de réduire le stress de votre vie. Faites vite les tests de la page 52, afin de savoir par où commencer, et de déterminer dans quels domaines vos besoins de changement se font le plus sentir. Lorsqu'un petit changement fera complètement partie de votre routine, passez au point suivant. Chaque pas dans la bonne direction réduira les risques pour votre santé cardiaque, alors inutile de vouloir tout faire d'un coup. Cela étant, vous verrez vite à quel point nos conseils s'intègrent facilement dans votre quotidien.

Q Je fume. Si je n'arrive pas à m'arrêter, est-ce la peine d'effectuer les autres changements ?

R Oui, bien sûr. Fumer constitue un risque majeur pour le cœur. Il s'agit sans doute du facteur de risque le plus important, mais il y a huit autres facteurs touchant au style de vie, parmi lesquels le stress, l'obésité, la sédentarité et une consommation insuffisante de fruits et de légumes. Dans tous ces domaines, vous pouvez intervenir tout de suite, même si vous n'arrivez pas à arrêter le tabac dans l'immédiat. De plus, une fois que vous aurez commencé à mener une vie plus saine, à manger plus d'aliments frais et à effectuer des promenades en plein air, vous trouverez sans doute plus facile d'arrêter de fumer.

Q Si je souffre déjà du cœur, l'exercice n'augmentera-t-il pas le risque d'infarctus ?

R Il est vrai que, si le risque d'infarctus est élevé chez vous, vous devez demander l'avis de votre médecin avant d'entamer un programme soutenu d'exercice, y compris s'il s'agit de yoga. Évitez également de porter de lourdes charges et toute activité trop intense. Mais une simple promenade et des étirements contribueront à renforcer votre cœur, et donc à réduire le risque d'incident cardiaque. Si vous vous sentez mal à l'aise à l'idée de faire de l'exercice, surtout, parlez-en à votre médecin, il vous aidera à déterminer le niveau d'activité physique qui vous convient.

Références

Pour plus d'informations sur les maladies cardiaques et leur prévention, voici une sélection d'organismes, de sites Internet et de livres qui pourront vous être utiles.

Organisations

Association dentaire canadienne
www.cda-adc.ca
1815, promenade Alta Vista
Ottawa (Ontario) K1G 3Y6
Téléphone : 613-523-1770
Courriel : reception@cda-adc.ca

Association médicale canadienne
www.cma.ca
1867, promenade Alta Vista
Ottawa (Ontario) K1G 3Y6
Téléphone sans frais : 1-888-855-2555
Télécopieur : 613-236-8864
Courriel : cmamsc@cma.ca

Collège des médecins de famille du Canada
www.cfpc.ca
2630, avenue Skymark
Mississauga (Ontario) L4W 5A4
Téléphone sans frais : 1-800-387-6197
Télécopieur : 1-888-843-2372
Courriel : info@cfpc.ca

Diabète Québec
www.diabete.qc.ca
8850, boul. Pix-IX, bureau 300
Montréal (Québec) H1Z 4G2
Téléphone 514-259-3422
Téléphone sans frais : 1-800-361-3504
Télécopieur : 514-259-9286
Courriel : info@diabete.qc.ca

Fondation des maladies du cœur du Québec
www.fmcoeur.qc.ca
1434, rue St-Catherine Ouest, bureau 500
Montréal (Québec) H3G 1R4
Téléphone : 514-871-8038
Télécopieur : 514-871-1464

Institut de cardiologie de Montréal
www.icm-mhi.org
5000, rue Bélanger
Montréal (Québec) H1T 1C8
Téléphone : 514-376-3330

La Fondation canadienne Medicalert®
www.medicalert.ca
2005, avenue Sheppard Est, bureau 800
Toronto (Ontario) M2J 5B4
Téléphone sans frais : 1-800-668-6381
Télécopieur : 1-800-392-8422
Courriel : medinfo@medicalert.ca

Santé Canada
www.hc-sc.gc.ca
Bureau régional du Québec
200, boul. René-Lévesque Ouest
Complexe Guy-Favreau, Tour Est, bureau 218
Montréal (Québec) H2Z 1X4
Téléphone : 450-646-1353
Téléphone sans frais : 1-800-561-3350
Télécopieur : 450-928-4102
Courriel : info@hc-sc.gc.ca

Société canadienne du cancer
www.cancer.ca
Bureau divisionnaire (provincial)
5151, boul. de l'Assomption
Montréal (Québec) H1T 4A9
Téléphone : 514-255-5151
Télécopieur : 514-255-2808
Courriel : info@sic.cancer.ca

Sites Internet

Cesser de fumer
www.hc-sc.gc.ca/hl-vs/tobac-tabac/
quit-cesser/index_f.html

Guide alimentaire canadien
www.hc-sc.gc.ca/fn-an/food-guide-
aliment/index_f.html

Organisation mondiale de la santé (OMS)
www.who.int/mediacentre/factsheets/
fs317/fr/

Réseau canadien pour la santé
www.canadian-health-network.ca

Réseau canadien pour la santé des femmes
www.rcsf.ca

Livres

Aliments santé, Aliments danger
(Sélection du Reader's Digest, 2005).

Au goût du coeur, nouvelle édition
Anne Lindsay (Éd. Trécarré, 2003).

Diabétique et gourmand
*Les bons aliments pour prévenir le diabète,
équilibrer sa glycémie, protéger son cœur, ses
yeux, ses reins...*
Anne Dufour et Minouche Pastier (Éd. Leduc, 2004).

Gastronomie santé pour votre cœur
Paul Gayler et Jacqui Lynas
(Éd. Guy Saint-Jean, 2004).

Hypertension artérielle
Pierre Ambrosi (Éd. Larousse, 2006).

Légumes santé, Légumes sveur
(Sélection du Reader's Digest, 2006).

Mangeons de bon cœur : cuisine anticholestérol
Véronique Liégeois, Hélène Boisseau Béham
et Philippe Boisseau Béham
(Éd. Flammarion 2005).

Mieux vivre avec un diabète
Gérard Slama (Éd. Odile Jacob, 2006).

Prévenir et soigner les maladies du cœur :
*Hypertension artérielle, infarctus du myocarde,
insuffisance cardiaque*
Claude Théry et Jacques Caron
(Éd. Odile Jacob, 2005).

Savoir manger : le guide des aliments
Jean-Michel Cohen et Patrick Sérog
(Éd. Flammarion, 2006).

Surveiller son tour de taille pour protéger son cœur
Jean-Michel Borys et Jean-François Lemoine
(Éd. Jacob-Duvernet, 2006).

Une bonne alimentation pour un bon cœur
A. Moneta et M. Zugnoni
(Éd. De Vecchi, 2006).

Un cœur en forme : les bonnes règles alimentaires
Franck Senninger (Éd. Jouvence, 2007).

306

Index

A

AAS 134
  crise cardiaque 17, 134
  et alcool 190
  inflammation chronique 46
Abdominaux, marche 148
Abricot
  Compote abricots-poires 298
  Longe de porc farcie aux
    fruits secs 283
Acanthosis nigricans 39
Accident vasculaire cérébral
  (AVC) 30-31
Accompagnements, recettes
  289-294
Accroupissement 250, 253
  avec ballon 170
Acide alpha-linolénique (AAL)
  135
Acide docosahexanoïque (DHA)
  130
Acide eicosapentanoïque (EPA)
  130, 135
Acide folique (folate) 48-49
  et homocystéine 48
  multivitamines 128, 129
Acide lactique 157
Acides aminés 36, 128
Additifs alimentaires 84, 85,
  86-87
Adrénaline 47, 182, 184, 195
Aération de la maison 211
Aérobie 163
Affections intestinales 44
Agneau
  Gigot d'agneau farci aux
    épinards 280
  Sauté d'agneau
    méditerranéen 281
Agresseurs de votre cœur
  21-49
Aider autrui 179

Ail 78, 109
  Poitrine de dinde rôtie,
    sauce à l'ail 274
Alcool 189-191
  au restaurant 124
  et AAS 190
  vin 177
Alimentation 15, 66-81
  aliments industriels
    (transformés) 84-93, 301
  calories 82-83, 216, 217
  cholestérol 26-29
  cuisine santé 118-121
  et inflammation chronique 47
  et tissu adipeux 34-37
  groupes alimentaires 69-75
  questionnaire (test) 54
  régimes *low-carb* 94-98
  restaurant 122-126
  superaliments 102-117
  suppléments 127-35
  taille des portions 83,
    99-101, 125
Aliments enrichis 86
Aliments industriels 84-93, 301
Allergies alimentaires 87
Alphabloquant 31
Amande 103
  Muesli croustillant aux fruits
    259
Amis, soutien des 60
Amour 183
Analyses du sang
  cholestérol 219
  triglycérides 220
Anévrisme 30
Angine de poitrine 15, 17
Animaux de compagnie 188
Antibiotiques
  et inflammation chronique 46
  et parodontie et risque
    cardiaque 213
Antidépresseurs 140, 182
Anti-inflammatoires
  non-stéroïdiens (AINS) 33
Antioxydants
  coenzyme Q_{10} 133
  dans le vin 190
  et inflammation chronique 47

et pollution de l'air 206
et stress oxydatif 41, 43
HDL 29
régimes *low-carb* 97
suppléments 132
Anxiété
  et inflammation chronique
    47
  et méditation 179
Apolipoprotéines A et B 48
Arachide 111
Arginine 49
Artères
  et exercice 139
  et hypertension 30-33
  et oxyde nitrique 49
  et pollution de l'air 205
  et tabagisme 201
  et yoga 193-195
  voir aussi Artères coronaires
Artères coronaires
  crise cardiaque 18-9
  et yoga 193-195
  plaques artérielles 15, 27, 32,
    44, 46–47
Arthrite rhumatoïde 44
Articulations, liquide synovial
  157
Arythmie 130
Asthme 44
Athérosclérose 13
  et hypertension 30-33
  et LDL 27
  et pollution de l'air 205
  et stress oxydatif 41-43
Attention mentale 187, 224
Aubergine, Ratatouille aux pois
  chiches 290
Avocat 104
Avoine 111
  Muesli croustillant aux fruits
    259

B

Bactéries 198, 208-211
  maladie parodontale 212

307

308

312

313

Crédits photographiques

© RD indique les photographies qui sont la propriété de Sélection du Reader's Digest.

319

Autres collaborateurs du Reader's Digest :

Rédaction
Marianne Wait, États-Unis
Rachel Warren Chadd, Grande-Bretagne

Illustrations
Andrew Baker

Recherche
Angelika Romacker

Iconographie
Rosie Taylor

Index
Hilary Bird
Robert Ronald

Direction artistique
Nick Clark